バット・
ビューティフル

ジェフ・ダイヤー
村上春樹 訳

新潮社

バット・ビューティフル　目次

But Beautiful
by Geoff Dyer

Photograph on page 15: Henry "Red" Allen, Ben Webster, & Pee Wee Russell,
Sound of Jazz television program rehearsal, New York City, 1957;
Photo by Milt Hinton, © Milton J. Hinton Photographic Collection, 1979

Illustration by Tomoyuki Yanagi
Design by Shinchosha Book Design Division

バット・ビューティフル

ジョン・バージャーに

序文

本書を書き始めたとき、これがどのような形態をとることになるのか、私にはよくわからなかった。そのことは私にとって、大きなアドバンテージとなった。それはつまり私が即興的にものを書かなくてはいけないことを意味したからだ。そしてそもそもの出発点から、その主題の本質を何よりくっきりと表わす特性によって、執筆は生き生きとしたものになった。

ほどなく私は、自分がいわゆる批評なるものから、すっかり離れていることに気がついた。その音楽の中で起こっていると自分が考えることを再現するために、私は暗喩や直喩に頼っていたわけだが、それだけでは不十分だとだんだん考えるようになったのだ。加えて言うなら、たとえどのように短い直喩であれ、それは虚構的要素をわずかながらも導入することになるのだし、ましてや私の用いる暗喩がエピソードや情景へと庇《ひさし》を伸ばしていくのに、さして時間はかからなかった。私が台詞《ダイアローグ》と行為《アクション》を勝手にこしらえるにつれて、そこに出現するものは、ますますフィクションに近似したものとなっていった。しかしながら同時に、それらのシーンはやはりある特定の音楽について、あるいはまたミュージシャンの特性についての、論評となることを意図されている。そのようなわけで、本書に収録されている文章は、フィクションでありつつ、また「想像的批評《イマジナティブ・クリティシズム》」ともなっている。

多くのシーンは一般によく知られた出所を持ち、あるものは既に伝説とさえなっている。たとえばチェト・ベイカーが歯を叩き折られたところ。それらのエピソードは逸話や情報の、公共貯蔵庫のようなところに収められている。別の表現をすれば「スタンダード曲」とでも言うべきものだ。そして私はそれらのエピソードの、自分なりのヴァージョンをこしらえた。わかっている事実をできるだけ手短に書き、しかる後にそれらを即興変奏《インプロヴァイズ》した。いくつかの場合には、そこからそっくり離脱した。これは真実に対する忠実という観点からすれば逸脱かもしれないが、ここでもやはりその形態《フォーム》の特権たる即興性に対しては、私は常に変わらず忠実であった。実を言えば、いくつかのエピソードはそもそもの出所さえ持ち合わせていない。そのようなまったく創作されたシーンは、たとえば「オリジナル曲」だと考えていただきたい（各々のミュージシャンが口にしたことが、時として含まれてはいるが）。

本書に登場する人物が、実人生において実際に口にしたことを口にしている場合、そのことを明記するべきかどうか、私はしばらくのあいだ迷った。しかし結局のところ、本書の他のすべての決断を導いたのと同じ原則に照らし合わせて、私はその考えを却下した。ジャズ・ミュージシャンたちはソロの中でしばしば互いを引用し合う。あなたがそれに気がつくか気がつかないかは、ひとえにあなたの音楽的知識にかかっている。同様のことがここにも適用される。原則としては、このように考えていただきたい。ここに書かれていることは、引用されたというよりは、創作されたか、あるいは作り替えられたものだと。最初から最後まで一貫して、私の目的はミュージシャンたちのありのままの姿を描くことにではなく、私の目に映った彼らの姿を描くことにあった。当然のことながら、その意図の間の距離は、しばしばずいぶん大きなものになる。同じように、たとえそうしているように見える時であっても、私は活動中のミュージシャンの姿を描いているわけではなく、むしろ、私が三十年後にその音楽を耳にしているという行為を、その音楽が生起した瞬間に投射しているのだ。

後書きでは、本文部分で問題になっているいくつかの事柄を取り上げ、よりフォーマルな説明的、解析的な文章で論考した。ここでは近年のジャズの展開についての考察もおこなった。この後書きは、本文をより広い枠組で見る助けになるかもしれないが、これはあくまで付記であり、本文と一体になっているわけではないとお考えいただきたい。

写真のためのノート

写真は時として不思議にして、単純な働きかけをする。最初にちらりと目にしたとき、あとになって実はそこには写っていなかったと判明するものごとを、あなたは見る。あるいはまた、もう一度その写真を見て、最初の時にはそんなものがあると気づかなかったものを、あなたは目にすることになる。たとえばベン・ウェブスターとレッド・アレンとピー・ウィー・ラッセルを撮ったミルト・ヒントンの写真がそうだった。アレンの片足は前に置かれた椅子の上に載せられていると、私は思っていた。またラッセルは実際に煙草を吹かしており、そして……

そういう記憶が思い違いだったという事実は、ヒントンの写真（そもそも全ての写真について言えることだが）の力強さの一端を物語っている。それは一秒のほんの何分の一かの瞬間を捉えているに過ぎないのだが、その写真の「実感された持続性」は、その凍結された瞬間の前後両方に数秒ずつ伸びているわけだ。つまりその直前に起こったことと、これから起こるであろうこともまた、そこに含まれている。あるいは含まれているように見える。ベンは帽子を後ろにずらせて鼻をかみ、レッドは手を伸ばしてピー・ウィーから煙草をもらい……

油絵は、バトル・オブ・ブリテン(第二次大戦中の英国上空での航空戦)を描いたものにせよ、トラファルガー海戦を描いたものにせよ、不思議なほど寡黙だ。その一方で写真は、光に対して敏感であるように、音に対しても敏感であり得る。優れた写真は見られるのと同じくらい、聴かれるものでもあるのだ。その写真が優れたものであればあるほど、そこには聴くべきものがある。優れたジャズの写真は、その被写体のサウンドにたっぷり浸されている。チェト・ベイカーが「バードランド」のステージに立っているところを撮ったキャロル・リーフの写真に我々は、フレームという小さなステージに窮屈に詰め込まれたミュージシャンたちのサウンドを聴くだけではなく、その背後にあるナイトクラブのおしゃべりや、グラスの触れ合う音を聞き取るのだ。それと同じように我々は、ミルト・ヒントンの写真の中に、ベンが新聞のページをめくる音を聞き取り、ピー・ウィーが脚を組むときの衣擦れの音を聞き取る。もし我々がそれらを解読する手だてをもっていたとしたら、更に歩を進めて、このような写真を使って、そこで実際にどんなことが話されていたか聞き取ることができるのではないだろうか? あるいは更に、最上の写真が、その切り取った瞬間を超えて拡がっていくように見えるのだから、その前に口にされた言葉や、その後に口にされるであろう言葉を聞くことさえも……

偉大なる芸術を産み出すものは神のごとき人間ではなく
誤りをおかす生身の人間であり、しばしば
神経を冒され、人格を損なわれている。

——テオドール・アドルノ

我々が聴くのはただ我々自身だ。

——エルンスト・ブロッホ

But Beautiful

「彼らのありのままの姿ではなく、
私の目に映ったままの彼らの姿を……」

道路の両側に広がる畑は、夜の空と同じく真っ暗だった。土地はひたすら平らだったから、もし納屋の屋根の上に立てば、こちらにやってくる車のライトを、まるで地平線に浮かんだ星のように目にすることができただろう。そのテールランプがゆっくりと音もなく東へと方向を転じるまで、一時間ほどの間ずっと。

車の立てる途切れのない低いうなりを別にすれば、物音ひとつなかった。その黒い闇はあまりに均一だったので、車を運転している男は、自分がヘッドライトを大鎌がわりに使って、小麦畑の真ん中に、そもそも道路なんてなかったところに、道を切り拓いているような気持ちになった。光に照らされたショックで、小麦たちがぎくしゃくと身をよじらせるのだ。車は除雪車のようだった。暗闇を道路の片側に押し出して、あとに光の道路をこしらえていく……頭がよそに彷徨い出し、瞼《まぶた》がだんだん重くなってくるのが感じられる。眠り込まないために彼は強くまばたきし、ごしごし脚をこする。スピードを時速五十マイルに保つが、風景はあまりに広大であり、あまりに変化がないので、車はほとんど動いていないみたいに思える。まるでじわじわと月に近づいている宇宙船みたいに……彼の心はまた夢を見るように、ふらふらと畑の上に彷徨い出ていった。彼は思う、ほんのちょっとくらい気持ちよく目を閉じてもいいんじゃないか――

そのとき突然、車の中は路面の轟音と冷ややかな夜気でいっぱいになる。そして彼は自分があやうく居眠り運転をしそうになっていたことを知り、肝を冷やす。ほんの数秒の間に、車はきりっとした冷たい空気に満たされたのだ。

――よう、デューク、窓を閉めてくれよ。もう眠くないからさ、と運転していた男が言った。助手席に座った男の方をちらりと見ながら。

――ほんとに大丈夫か、ハリー?

――うんうん……

デュークにしたところで寒いのはやはり苦手だったから、その返事を耳にするとすぐさま窓を閉めた。温度が下がったときと同じくらいあっという間に、車の中は暖かくなっていった。窓をぴたりと閉めた車中で得られる、芯まで届くような乾燥した温かさ、それは彼がこの世界でもっとも気に入っている種類の熱気だった。道路は私にとって我が家《ホーム》のようなものだとデュークは常々言っていた。それがもし真実なら、この車はさしずめ彼の炉端というところだ。こうして前部席に座り、暖房を最強にして、冷えびえとした風景を背後に送っているのは、二人にとっては、古いコテージで肘掛け椅子に座り、暖炉の前で読書に耽《ふけ》っているようなものだった。外では雪がしんしんと降っている。

いったいどれほどの距離を、おれたちはこんな風に共に旅してきたのだろう、とハリーは考える。百万マイルにも達するだろうか？　列車や飛行機での旅を付け加えれば、地球を三周も四周もするほどの距離になるだろう。この二人くらい多くの時間を共に過ごし、あるいはこれほど多くの距離を――いったい何十億マイルになるだろう――共に旅した人間は、この世界にほかにいないはずだ。彼がその車を買ったのは一九四九年だった。もともとはニューヨーク近辺をちょこちょこ回ろうというくらいのつもりしかなかった。しかし程なく彼は、その車にデュークを乗せて国中を走破することになった。自分たちがどれくらいの距離を移動したか、ノートに記録をつけておきたいという衝動に襲われることも、幾度かあった。しかしそのたびに、それなら最初からきちんと記録しておくべきだったよなと思った。そしてそんな考えは捨て、だいたいまあこれくらいだろうという累積距離を思い浮かべるあたりに落ち着いてしまうのだった。自分たちがこれまで通り過ぎてきた国や町を思い出しながら。彼らはあちこちを通り過ぎた――ただそれだけだ。本当の意味では彼らはどこも訪れてはいない。世界中を通過してきただけだ。ギグを開始する二十分前にそこに到着し、終了の三十分後にはまた旅路に就くということもあった。

旅の記録をつけてこなかったということが、彼にとってのほとんど唯一の心残りだった。彼は一九二七年にバンドに入った。一九二七年の四月。そのときまだ十七歳だった。デュークは彼を学校には戻さず、ツアーに同行させるために、母親を説得しなくてはならなかった。とっておきの魅力を発揮し、彼女の手をしっかり握りしめ、相手が何かを言うたびに「そうですとも、もちろん、ミセス・カーネイ」と言った。最後には自分の言い分が通ることを確信しながら。もちろんもしデュークがそのとき、それはつまりそのあとの人生をずっと、巡業旅行のうちに過ごすことを意味するのだと打ちあけていたら、そんなに簡単に話はまとまらなかったかもしれない。しかしたとえそうだとしても、これまでの人生を振り返ってみて、いっときとして、一マイルとして、彼が悔やむものはなかった。とりわけこのように、デュークと二人で車でギグに向かっている年月においては。世界中がデュークを愛していたが、彼という人間を本当に知るものはほとんどいなかった。長い歳月のうちに彼は、デュークのことを誰よりもよく知るようになったし、それだけでも彼にとっては十分な報酬だったかもしれない。金なんて、実を言えば、おまけのようなもの……

——問題ないか、ハリー？

——問題ないよ、デューク。腹は減ったかい？

——ロックフォードをあとにしてから腹が鳴りっぱなしだよ。お前さんは？

——おれはオーケーさ。昨日の朝のフライドチキンを残してあるから。

——そいつはさぞかし食べ頃になっているだろうな、ハリー。

——いずれにせよあと少ししたら、朝食ストップになる。

——あと少し？

——ほんの二百マイルほどさ。

デュークは笑った。彼らは何時間ではなく、何マイルという単位で時間を計った。またとてつもない距離を移動するのに慣れていたので、尿意を催してから、停車して用を足すまでに百マイルが過ぎ去ることもあった。空腹を最初に感じてから、実際に食事ストップをするまでに、だいたいのところ二百マイルを要した。五十マイルほど走って、そこでようやく店を一軒見つけても、しばしば無視して通り過ぎた。車を停めるのは彼らがとても心待ちにしていることなので、そんなにあっさりと簡単に実現させてはならないのだ。できるだけ先まで大事に引き延ばさなくてはならない。

——着いたら起こしてくれよな、とデュークは言って、シートとドアの間に帽子を枕がわりに挟んだ。

楽器が宙に浮かびたいと望むのなら

レスター・ヤング

静かな宵のひとときだ。境目の時刻。昼間を生きる人々が帰宅の途につき、夜を生きる人々がバードランドにやってくる。ホテルの窓から彼はブロードウェイを見下ろしていた。中途半端な雨の中で、街はじっとりと暮れなずんでいく。彼は酒をグラスに注ぎ、ターンテーブルにシナトラのレコードを積み上げる……黙したままの電話機に手を触れ、窓際に戻る。ほどなくその眺めは吐息で曇る。窓ガラスにうっすら映った自分の像に、彼は指を触れる。まるで絵画に触れるように。両目のまわりに濡れた線を指が描き、口のまわりに、頭のまわりに描く。どくろを思わせる形ができあがる。そこから雫《しずく》が垂れる。彼は手の付け根でその像を拭い去る。

ベッドに横たわったが、ソフトなマットレスはほんの少ししかへこまない。やっぱりな。おれはこのまま縮んでいって、消えて無に帰するのだ。彼にはそれが感じ取れる。床のそこら中に、わずかに手をつけただけの料理の皿が散らかっている。こちらを一口食べ、あちらを一口齧《かじ》っては、また窓際に戻る、その繰り返しだ。彼はもうほとんど何も食べなかった。とはいえ、まだ食べ物の好みはあった。中華料理が彼のお気に入りだ。しかしそれだってろくに食べられない。ずいぶん長いあいだ、バターミルクとクラッカージャックばかり口にして生きていた。しかしだんだんそれにも手が伸びなくなってきた。食べる量が減るにつれ、飲む量が増えた。シェリーのチェイサーで飲むジン、クールヴォワジエとともにビール。自らを薄めるために、自らを更に儚《はかな》くするために酒を飲んだ。数日前に紙の端で指を切ったが、そのときに血が思ったより赤く、そして豊富なことに驚かされた。予期していたのは、ジンのように銀色で、そこに赤か淡いピンクの斑《まだら》が混じったようなものだったのに。その日、彼はハーレムでの仕事《ギグ》を解雇された。立っているだけの力がなかったからだ。楽器《ホーン》を持ち上げることすら、今では一仕事だ。自分の体重より楽器の方が重く感じられた。いや、着ている服ですら体重より重いかもしれない。

コールマン・ホーキンズも結局は同じ道を歩んだ。テナーをジャズの楽器にしたのは、それがどのように鳴らされるべきかを定義したのは、ホークだった。腹をぼってり膨らませ、喉をたっぷり鳴らし、大音量でホークのように吹かなければ、それはテナー・サックスじゃない。レスターがか細い、まるで空中を滑走するような音でその楽器を吹いたとき、人々は口を揃えて言った。それじゃ何も吹いていないのと同じじゃないか、と。誰もが彼に文句をつけた。ホークのように吹け、さもなければアルトに持ち替えろと。しかし彼はただこつこつと自分の頭を叩き、言った。

——ここの中で何かが働いてるんだよ、なあ。腹ばかり使ってちゃ、ものは考えられないぜ。

二人がジャムで一緒になったとき、ホークは彼をカットする（やっつける）ためにあらゆる手を尽くしたが、どうしても目的を果たせなかった。一九三四年カンザスで、二人は朝まで果たし合いを繰り広げた。ホークはアンダーシャツ一枚になり、その大音量のハリケーン・テナーで相手を吹き飛ばそうとした。レスターは遠くを見るような目で、椅子の中にどさっと沈み込んでいた。八時間演奏し続けたあとでも、彼の音色はそよ風のごとく軽かった。二人は並み居るピアニストたちをくたくたにさせ、あとにはもう誰一人残っていなかった。ホークはステージを降り、楽器を車の後部座席に放り込んだ。そしてその夜のギグのために、遥かセントルイスまで全速力で車を走らせた。

　レスターのサウンドはソフトでレイジーだったが、そのどこかにいつも鋭い角《エッジ》があった。その音は常に、今にもほどけて分解してしまいそうに聞こえたが、決してそうはならないことを彼は承知していた。まさにそこから緊張感が生じるのだ。彼はサックスを斜めに傾けて吹いた。そして興が乗ってくると、それは更に少しずつ水平方向に傾き、最後にはフルートのように真横になった。でも、彼が楽器を高く持ち上げているという風には見えなかった。というより、楽器そのものがどんどん軽くなっていくみたいに見えた。楽器が勝手に宙に浮かんでいるみたいに。そしてもし楽器が宙に浮かびたいと望むのなら、それをわざわざ押さえつける必要はないではないか。

　やがて、どちらかを選択しなくてはならない時期がやってきた。プレズ（レスターのニックネーム。Presidentの略。ビリー・ホリディが命名した）かホークか。レスター・ヤングかコールマン・ホーキンズか。どちらのアプローチをとるか。二人はサウンドも見かけもまさに正反対だったが、末路は同じだった。酒浸りになり、埋もれるように消えていった。ホークはレンズ豆と酒と中華料理しか口にせず、日々衰えていった。ちょうど今ここにいるプレズと同じように。

　まだ死んでもいないうちから、彼は伝説の中に姿を消しつつあった。あまりにも多くのミュージシャンが、彼からいろんなものを持ち去ったので、レスターにはもう何も残されていなかった。その演奏を聴いたプレーヤーたちは、

「自分自身をよろよろとなぞってるみたいだ」と評した。彼を真似て演奏をする連中の、そのまた弱々しいイミテーションみたいじゃないか。あるギグでひどい演奏をしたとき、一人の男が彼のところにやってきてこう言ってのけた。「あんたはあんたじゃない。おれがあんただ」と。至るところに彼のようなサウンドで演奏をするものがいた。彼はほかのみんなのことを「プレズ」と呼んだ。なぜなら至るところに彼は自らの姿を目にしたからだ。彼はかつて、コールマン・ホーキンズみたいなサウンドを出せないという理由で、フレッチャー・ヘンダーソン楽団から放逐された。そして今や彼は、自分自身のようなサウンドを出せないという理由で、自らの人生から放逐されていた。

彼のように楽器《ホーン》を使って、歌を歌ったり、物語を語ったりできるものは、ほかにはいなかった。ただし今となっては、彼の語る物語はひとつしかなかった。それは彼にはもう満足なプレイはできないし、ほかの連中が彼に代わって彼の物語を語っているという物語であり、彼はこのアルヴィン・ホテルで零落し、窓の外のバードランドを見ながら、おれはいつ死ぬのだろうと考えているという物語だった。それは彼にはうまく理解できない物語であり、そんなこととくに考えたくもなかった。ただ軍隊にいたときにそいつが始まったことだけはわかっていた。軍隊で始まったか、あるいはベイシー時代に既に始まっていたことが、軍隊で表面に出てきたのか、そのどちらかだ。どちらでも同じだ。彼は軍の徴兵通知を何年にもわたって無視していた。ベイシー楽団は全米各地を忙しく巡業していたし、軍隊はいつまでたっても自分に追いつけまいと高をくくっていたのだ。しかしある夜、彼がステージを降りると、飛行士のサングラスをかけたタフな顔つきの陸軍事務官が、まるでサインを求めるファンのような格好で近づいてきて、彼に召喚状を手渡した。

徴兵審査会に出頭したとき、彼は疲労困憊しており、発熱のせいで部屋の壁が震えて見えるほどだった。彼は三人のいかめしい顔をした陸軍事務官と向かい合って座った。そのうちの一人は前に置かれた書類をじっと睨んだきり、一度も顔を上げなかった。げんこつみたいな顔つきの男たち。毎朝、髭剃りのために顎をぐいと、磨かれるのを待つ長靴よろしく突き出す連中だ。コロンの甘い香りを漂わせ、プレズは長い両脚をゆったりと伸ばし、堅い椅子の許す限り水平に近い姿勢を取ろうとした。今にもその華奢な靴を、正面にある机に載せてしまいそうに見えた。彼の回答は、質問のまわりを機敏に、同時にまた不明瞭に踊り回った。ダブル・ブレストの上着ポケットからジンのパイント瓶を取り出したが、士官の一人がそれをひったくり、怒声を浴びせた。プレズは静かに、面食らったようにゆっくりと手を振った。

――なあ、レイディー、落ち着きなよ。みんなの分はちゃんとあるからさ。（レスター・ヤングにはすべての人をladyと呼ぶ習慣があった）

検査の結果、彼は梅毒に罹《かか》っていることがわかった。泥酔し、マリファナでハイになり、アンフェタミンがまわって心臓は懐中時計みたいな音を立てていた。にもかかわらず、なぜか身体検査を合格した。とにかくこいつを軍隊に入れるためなら、どんなことにでも目をつぶろうと、軍は決意を固めていたようだ。

ジャズにとって重要なのは、独自のサウンドを出すことだ。ほかの誰とも違うやり方を見つけ、二晩続けて同じ演奏をしないこと。軍隊は違う。そこではみんなが同質で、無個性で、見分けがつかないことが求められる。外見も同じ、考えも同じ、何もかもが日々同じく反復され、変化を見せないことが求められる。すべてが直角を保ち、縁がぴっと鋭くなくてはならない。ベッドのシーツはロッカーの金属の角みたいに、堅く折り畳まれていなくてはならない。頭はかんなで木材を削るみたいに、ぴたりとまっすぐ刈られる。純正の真四角に近づけられる。軍服にしても、人の体型を矯正し、真四角人間を作るべくデザインされている。曲線のついたもの、柔らかいものは御法度。色もなし、静けさもなし。たった二週間のうちに、一人の同じ人間がそこまで何もかもが異なった世界に放り込まれるなんて、ほとんど信じがたく思える。

レスターはだらんとした、足を引きずるような歩き方をした。しかし軍で求められているのは行進することだった。鎖で鉄球をつけられたみたいな重いブーツを履いて、練兵場をどすんどすんと勢いよく歩かされた。彼の頭がガラスのようにもろく、壊れやすく感じられるまで行進は続いた。

――両手を勢いよく振るんだ、ヤング。両手をスイングさせるんだ。

スイングすることをこの男に命じるなんて。

彼はすべてのハードなものを憎んだ。革の踵のついた靴でさえ嫌いだった。華奢なものが彼の好みだった。花を好み、それが部屋に残していく香りを好んだ。皮膚に触れる柔らかいコットンやシルクを、両脚を優しく包んでくれる、室内履きやモカシンのような靴を。三十年後に生まれていたら、彼は「キャンプ」と呼ばれていただろうし、三十年前に生まれていたら「耽美主義者」と呼ばれていたことだろう。十九世紀のパリでなら「世紀末（fin de siècle）的人物」と呼ばれたかもしれない。しかし世紀の真ん中に陸封されたその場所で、彼は兵士たることを強制されていた。

目を覚ましたとき、点滅するネオン・サインの緑の靄《もや》に部屋は染められていた。それは彼が眠っていた間に勢いを得ていた。眠りはひたすら淡く、眠りとも言い難いものだった。ただものごとのペースが変化するだけだ。すべての事物が、ほかのすべての事物から、漂うがごとく離れていく。目が覚めたとき、彼にはしばしば判断がつかなかった。自分はただ居眠りをしているだけなのか、こうしてホテルの一室で死にかけている夢を見ているだけなのか……

楽器《ホーン》はベッドの上の、彼の隣に置かれている。ベッドサイドのキャビネットには両親の写真があり、コロンの瓶があり、彼のポークパイ・ハット（フェルト製の平らなソフト帽）がある。彼は以前、ヴィクトリア時代の娘たちがそんな帽子をかぶっている写真を見たことがあった。帽子からはリボンが垂れていた。とても洒落ていて可愛らしい、と彼は思った。以来いつもその帽子をかぶるようになった。ハーマン・レナードが彼を撮影しに来たことがあった。しかし結局、写真にはレスターの姿はまったくなかった。写真家は帽子と、楽器ケースと、天《ヘヴン》に向けて立ち上っていく煙という静物画を選んだのだ。何年も前のことだが、それは日ごとに現実味を増していく予言となった。日いちにちとレスターは、彼を思い出させるいくつかの断片の中に失われていったのだ。

　新しい酒瓶の封を切り、窓辺に歩いて戻った。彼の顔の片側はネオンの緑色に染まっていた。雨はやみ、空は晴れ渡り、通りの上には冷えた月が低くかかっていた。ミュージシャンたちがバードランドに向かっている。彼らは楽器ケースを抱え、互いに握手している。ときどき彼らはこちらの窓を見あげた。自分の姿が彼らの目には映っているのだろうかといぶかりつつ、彼は小さく手を振って、窓ガラスの水滴を波立たせた。

　彼は洋服ダンスに行った。そこには数着のスーツとシャツがかかっているだけで、あとは空っぽ。ハンガーががらがらと音を立てるだけだ。彼はズボンを脱いで、それを注意深く吊した。そしてショーツ姿でベッドに仰向けに横になった。淡く緑色を帯びた壁の上を、行き過ぎる自動車の四角い影が這った。

　——点検！

　ライアン中尉が彼のロッカーを勢いよく開けて、中を覗き込み、短い軍用杖で——プレズはいつもその杖を彼の魔法の杖《ワンド》と呼んだ——扉の内側にテープで貼ってある写真をとんとんと突いた。女が笑みを浮かべてこちらを見ていた。

　——これはお前のロッカーか、ヤング？

——イエス・サー。

——そしてお前がこの写真を貼ったのか？

——イエス・サー。

——この女について何か気がつくことはあるか？

——サー？

——この女について何か思い当たるところはないか、ヤング？

——髪に花を差しております。サー、イエス。

——ほかには？

——サー？

——おれの目には、彼女は白人女性に見えるぞ、ヤング。若い白人女性にな、ヤング。お前にはそうは見えないか？

——イエス・サー。

——ニガーの二等兵風情が、このように自分のロッカーに、白人女性の写真を貼るのが正しいことだと、お前は思っておるのか？

彼の目は床に落ちた。ライアンのブーツが更に接近するのが見えた。足指にくっつくほど。

激しい鼻息がまた感じられた。

——聞こえたか、ヤング？

——サー。

——お前は結婚しているか？

——サー。

——それなのにお前は、夜にマスをかくときに思い浮かべるために、女房ではなく、白人女の写真を必要としておるのか？

——それは私の女房です。

彼はできる限りソフトな声でそう言う。その発言がなるべく相手を刺激しないことを期待して。しかし事実の重みはそこに、公然たる侮蔑の響きを与えた。

——それは自分の女房であります、サー、だ。

——それは自分の女房であります、サー。

——写真をはずせ、ヤング。

——サー。

——今すぐにだ、ヤング。

ライアンは不動の姿勢で立っていた。ロッカーに行くために、レスターは柱でも回り込むように、彼をよけなくてはならなかった。耳を摑むようにして妻の顔を持ち、テープを灰色の金属から剝《は》がした。やがて写真は破れ、指とロッカーを渡す紙の橋になった。彼はそれを力なく手に持った。

――それを丸めろ……さあ、ゴミ箱に捨てろ。

――イエス・サー。

新兵をいじめるときに普段は味わう権力のアドレナリンの高まりを、何故かライアンは感じなかった。彼が感じたのはそれとは真逆の感情だった。彼は中隊全体の前で、自分自身を貶《おとし》めてしまったように感じた。ヤングの顔には自尊心や誇りはまったくうかがえない。傷つけられた気持ちのほかには、何ひとつ読み取れない。それでライアンはふとこう思った。奴隷がいかにも卑屈に命令に従うのは、それが反抗や挑戦のひとつのかたちであるからではないのかと。自分が醜く感じられ、おかげで余計にヤングに腹が立った。彼はそれに似たことを女たちに対して感じることがあった。女たちが泣き始めるとき、殴りたいという衝動がいちばん強くなった。少し前までなら、ヤングをいじめるだけで彼は満足していただろう。しかし今ではこの男を叩き潰したいと思った。ここまで強さを持ち合わせていない男に、彼はいまだかつて出会ったことがなかった。そしてこの男は、強さという考え方そのものを、またそれに関連したすべてのものごとを、無意味で愚かしいことに見せていた。反抗的分子、反軍主義者、扇動者、そんな連中ならなんとでもなる。彼らは軍隊と同じルールに従って、正面からぶつかってくる。どれほど強力であっても、軍隊はそんな連中を屈服させることができる。しかし弱さ――そういうものを相手にするとき、軍隊は無力だ。なぜならそれは力というものが依って立つ、対立拮抗という観念を丸ごと骨抜きにしてしまうからだ。弱いものを相手になし得るのは、彼らに痛みを感じさせることでしかない。そしてヤングにはそれを、これでもかというほど味わわせてやる。

彼は浜辺にいる夢を見ていた。酒が汐となって彼に押し寄せてきた。透明なアルコールの波が彼の上で砕け、音を立てながら砂に吸い込まれていった。

朝になると空を見あげた。窓ガラスみたいに色のない空だった。一羽の鳥が空を横切り、それが隣のビルの蔭に消えるまで、彼はじっと目を凝らして見ていた。一度窓の敷居に、一羽の傷ついた鳥を見つけたことがあった。何がいけないかまではわからないが、どうやら翼に問題があるようだった。両手でそっと持つと、その心臓が温かく細かく鼓動するのが感じられた。彼はその鳥を看病し、温めてやり、米粒を与えた。しかし回復の兆しが見えないので、皿にバーボンをたっぷり注いでみた。きっとそれが功を奏したに違いない、鳥は数日のあいだくちばしをその皿の中に突っ込んでいたが、やがて元気になって飛び去っていった。今では鳥を見かけるたびに、あれが自分の手当てした鳥であればいいのにと彼は思う。

鳥を見つけたのはいつのことだったろう？　二週間前か、それとも二ヶ月前か。このアルヴィン・ホテルにもう十年以上住んでいる気がする。陸軍刑務所を出て、軍隊を除隊して以来ずっと。すべてのものごとがあまりにも緩慢に、そして切れ目なく起こったので、人生のこの段階がいつ開始したのか、そのポイントを特定することはできなかった。自分の演奏には三つの段階《フェイズ》があると、彼はかつて語ったことがある。最初のうち彼は楽器の高音部に意識を集中した。それを彼は「アルト・テナー」期と呼んだ。それから中音部、つまり「テナー・テナー」期があり、その次に「バリトン・テナー」期に降りていった。そう自分が言ったことは覚えている。しかしそれぞれの時期がいつのことだったのか、うまく見定められなかった。というのは、それに符合する彼の実人生の各時期が、これまたぼやけたものになっていたからだ。バリトン期は、彼が世間から逃れるようになった時期と重なっている。しかしそれはいったいいつ始まったのだろう？　彼はだんだん、一緒にプレイする連中とつき合わなくなった。自室で一人で食事をとるようになった。それからやがて、食べることそのものをすっかりやめてしまった。誰かと会うことも事実上なくなり、必要がなければほとんど外にもでないようになった。誰かに何か声をかけられるたびに、彼は少しずつ奥に引っ込んでいった。やがてその孤立は状況的なものから、内在的なものに変わっていった。しかしいったんそれが起こってしまうと、彼にはよくわかった。それは昔から変わらずそこにあったのだということが。その孤独なるものは、彼の演奏の中にいつだってあったのだ。

　一九五七年、それは彼が完全に崩壊し、キング郡立病院に収容された年だった。そのあと彼はこのアルヴィン・ホテルにやってきて、空を眺め、世界が彼にとっていかに汚く、つらく、うるさく、そして苛酷な場所であるかを考える以外、何ごとにもまるで関心を持たなくなってしまった。そして飲酒。酒は少なくとも世界の縁のあたりを、僅かではあるけれど明るいものにしてくれた。彼は五五年にアルコール中毒のためにベルヴューに入っていた。しかしベルヴューのこともキング病院のことも、ほとんど覚えていない。ぼんやり思い出せるのは、それらが軍隊に似ていたということだ。違いといえば、作業をする必要がないこと、それくらいだ。それでもぐったり弱って横になり、起き上がる必要を感じないというのは、悪くないものだった。そうだ、もうひとつ良いことがあった。キング病院には英国のオックスフォードから来た若い医者がいて、彼にある詩を読んでくれた。『ロートス食い人（Lotus Eater）』という詩だ（『オデュッセイア』に出てくる。その島に生えるロートスの実を食べるとすべてを忘れ、恍惚にひたることができる。テニソンがこの詩を書いている）。何人かの男たち《キャッツ》がある島に流れ着き、ハイになり、そこでただ無為の生活を送り続ける。彼はその夢見るような韻律を愛し、そこにあるゆったりとして気怠い感覚を愛した。川は煙のように漂い流れた。その詩を書いた男は、彼と同じようなサウンドを持っていた。彼はその男の名前を思い出すことができなかった。しかしもし誰かがその詩を録音することになったら、それに合わせて演奏したいものだと思った。詩節と詩節のあいだにソロを吹くのだ。彼はそのことについてよく考えた。その詩にあった言葉はよく思い出せなかったが、その感覚だけは覚えていた。どういうメロディーだか正確に思い出せぬまま、何かの唄を口ずさんでいる人のように。

それが一九五七年のことだ。その日付は覚えていたが、それは彼をどこにも導かなかった。問題は一九五七年がどれくらい前だか思い出せないことだ。とはいえものごとはすべて、いとも単純だった。軍隊に入る前の人生があり、それは甘美なものだった。それから軍隊があった。彼が二度とそこから目覚めることのできなかった悪夢が。

冷え込む夜明けの演習。男たちは顔を突き合わせるようにして大便をした。食事はそれを味わう前から胃が悲鳴を上げるような代物だった。彼のベッドの足元では二人の男が殴り合いをしている。一人がもう一人の頭を、シーツに血が飛び散るまで床に打ちつけている。兵舎のほかの連中は二人のまわりで大騒ぎしている。小便の錆色に染まった便所を清掃する。他人の大便のにおいが両手につく。掃除をしながら便器の中に吐く。

――まだきれいになってないぞ、ヤング。舐《な》めてきれいにしろ。

――イエス、サー。

夜になると疲れ切ってベッドに倒れ込む。しかし眠ることはできない。ただ天井を見つめる。身体の痛みが彼の目に紫と赤の斑点を残していく。眠ると、練兵場に戻る夢を見る。そして一晩中、夢の中で行進をしている。そして気がついたときには、下士官が彼のベッドの足元を軍用杖でぴしぴしと叩いている。まるで斧で眠りを叩き切るみたいに。
彼はできる限り頻繁に意識を朦朧とさせた。自家製のアルコール、錠剤、マリファナ、手に入るものなら何でもよかった。朝いちばんでハイになれば、一日は白濁した夢のように、何が起こったかもわからないうちに、ぼんやりと過ぎていく。ときどき彼は恐怖を感じつつも、ほとんど笑い出したくさえなった。いい年をした大人たちが、幼児の幻想を実行に移して生きている。戦争が終わったという事実を憎む男たちが、何としてでもそれを続行しようと心を決めている。

――ヤング!

――イエス、サー。

――阿呆のニガーの、どうしようもない屑野郎。

――イエス、サー。

ああ、これは本当に馬鹿げている。どのように考えても彼にはわからない。こんなことにいったい何の意味があるのか? 絶え間なく怒鳴られ続けることに……

――お前、笑っているのか、ヤング?

――ノー、サー。

――教えてくれ、ヤング。お前はニガーなのか、それともただ黒アザができやすい体質なのか?

――サー?

罵声、命令、指令、侮辱、そして脅し――開かれた口ととげとげしい声が頭から離れない。どこを向いても、そこに見えるのは怒鳴りつける口であり、その中でニシキヘビのようにのたうつ巨大なピンク色の舌であり、至るところに飛び散る唾液の火花だった。チューリップの縁がついたような長いフレーズが彼の好みだった。しかし軍隊ではすべてが、その髪型と同じく短く刈り込まれた怒鳴り声だった。声は杖で金属を叩くのと変わりない。単語は集まって拳になり、堅い指関節《ナックル》の母音となり、耳にどすんと叩き込まれる。口にされる言葉さえもが虐待のひとつのかたちだ。自分が行進をしていないときでも、ほかの誰かが行進している音が聞こえる。夜中に彼の耳は、ばたんとドアを閉める音や、どすどすと床を踏みしめる音の記憶で鳴り響いた。耳にするすべての音が彼にとっては痛みとなった。軍隊とはメロディーの否定だった。耳が聞こえなくなったら、何も聞かずに済んだら、目が見えず、身体が麻痺してしまったらどんなに楽だろう、彼はいつしかそう思うようになった。無感覚。

部隊の営舎の外には小さな庭があったが、そこには何ひとつ生えていない。その石ころだらけの、何本かの細長い土の帯を別にすれば、あとの地面はすべてコンクリートで固められていた。それらの土地だって、いかなる植物も繁らせないためにのみ存在していた。そこで生育するためには、花は古い金属みたいに醜く、堅牢でなくてはならなかっただろう。彼は雑草を、ひまわりのように美しいものとして見るようになった。

鉛の空、石綿の雲。鳥たちでさえ兵舎の上空を横切るのを避けた。一度彼は蝶々を見かけ、それについて思いを巡らせた。

ホテルを出て『黄色いリボン』を上映している映画館まで歩いた。既に観た映画だったが、そんなことはどうでもいい。これまでに作られた西部劇の映画のおそらくほとんどを彼は見ていた。午後は彼にとって最悪の時間だったが、その大部分を映画がすっぽりと呑み込んでくれた。それと同時に彼は、夜の場面の多い映画を観て、午後を損ないたくはなかった。ギャングものとか、ホラー映画なんかはだめだ。西部劇ではだいたい常に時刻は昼間だったし、おかげで彼は午後を押しやりながら、その一方で午後を存分に味わうこともできた。ハイになって、目の前の映像を意味もないまま漂わせるのが好きだった。老人や身体の不自由な人々とともに席に腰を下ろし、誰が保安官で誰が悪党かもよくわからず、筋がどうなっているかも気にかけず、その漂白された風景と、駅馬車の巻き上げる土埃がくすんだ青空に吸い込まれていく様をただ眺めていた。西部劇を見ないことには一日を乗り切ることはできなかったが、それでも映画を観ているあいだ、早くこれが終わってくれないものかと願い続けた。仕返ししたりされたりの茶番が早く終わってくれればいいのにと。そうすれば外の薄れゆく陽光の中にまた戻っていくことができるのだ。

　映画が終わったときには、雨が降っていた。アルヴィン・ホテルまでゆっくりと歩いて戻るとき、側溝に新聞が落ちているのを目にした。紙面に彼の写真が載っていた。それはスポンジのように雨を吸い込んで、ばらばらになりかけていた。彼の写真は水で脹れ上がり、顔の裏側の活字が透けて、灰色のどろどろの塊になろうとしていた。

　訓練中に自らを傷つけて入院したとき、ヤングは神経病理科長の診察を受けた。彼は医師であると同時に軍人であり、戦闘中に目にした事象によって精神に損傷を負った兵士たちは扱い慣れていたが、戦闘とは無関係に生じた症例についてはほとんど同情心を抱けなかった。ヤングの口にする意味不明の、とりとめのない回答を冷ややかに聞いて、この男は同性愛者だと判断した。しかし報告書にはより複雑な診断を書き込んだ。「薬物常用（マリファナ、バルビツール）、長期にわたるアルコール中毒、放浪生活などによって顕在化した生来の精神病質。……考慮の余地なく規律に属する案件」。

　附記として、あたかもすべてを要約するように、彼は末尾にこう記している。「ジャズ」と。

　二人は一緒にバーを出た。レイディー（ビリー・ホリデイ）は白い毛皮のコートを着て、彼の腕をまるで杖のようにぎゅっと握っていた。彼女はセントラル・パークに面した住居に一人で住み、犬を飼っていた。ブラインドは閉じられ、そのフィルターを通った光が入り込むだけだ。一度そこで、彼女が哺乳瓶から犬に餌を与えるのを見たことがあった。レスターは目に涙を浮かべながらそんな彼女の姿を見ていた。同情したわけではない。彼は自分自身を憐れみ、自分の元から飛び去っていった鳥を憐れんだのだ。レスターの演奏を聴くためだ。ちょうど彼がレイディーの歌を聴くために、自分のレコードをかけるのと同じように。

　こうして誰かに会うのは、本当に久しぶりのことだった。彼に話しかけるものはもう一人もいなかった。彼が何を語っているかを理解できる相手は、レイディーだけになっていた。レスターは自分だけの言語を創り上げており、そこで話される言葉はただの歌だった。話しぶりは一種の歌唱だった。そのシロップ言語は世界を甘くすることはできたが、世界を押しとどめるには無力だった。世界がハードに見えれば見えるほど、その言語はソフトになっていった。いつしか彼の口にする言葉は意味を欠いた韻律と化し、レイディーの耳にしか聴きとれないゴージャスな歌となった。

　二人は街角に立ち、タクシーを待った。タクシー。二人はおそらくこれまで、世間のおおかたの人が家庭内で過ごすよりも多くの時間を、タクシーやバスの中で過ごしてきたはずだ。交通信号がまるで美しいクリスマスのランタンのようにぶら下がっていた。青い空にかかった、完璧な赤と完璧な緑。自分の顔が彼の帽子のつばに隠れるまで、唇が彼の顔の横に触れるまで、レイディーはレスターをそばに引き寄せた。そのようないくつかのささやかな接触によって、二人の関係は成り立っていた。微かに触れ合う二つの唇、互いの手にとられた肘、彼女の手に握られた彼の指。それ以上の強い接触に耐えられるほど丈夫に作られてはいないとでも言うように、指はあくまでそっと握られている。

　彼女はこれまでプレズほど優しい人に会ったことがなかった。彼のサウンドはまるで、むき出しの肩に巻かれたストールのようだ。そこには重みというものがない。彼女はプレズの演奏をほかの誰の演奏より好んだし、たぶんほかの誰よりも彼を愛していた。おそらく人は、一度もセックスしたことのない相手を、ほかの誰にも増して混じりけなく愛するものなのだろう。相手はあなたに何ひとつ約束はしなかった。しかしすべての瞬間がいつされてもいい約束のようなものだった。彼女はレスターの顔を見た。深酒のためにその顔はスポンジのように膨らみ、灰色を帯びていた。彼女はふと思う。生まれ落ちたそのときから、私たちの人生には、損なわれるための種子が蒔かれていたのかしら、と。数年はなんとかごまかせても、結局は避けがたい損壊に至るように。酒、麻薬、刑務所……ジャズ・ミュージシャンは早死にするのではない。ただ早く年老いるだけだ。これまで歌ってきたあまたの唄の中で、彼女は一千年も生きたのだ。傷ついた女たちや、そんな女たちが愛さずにいられなかった男たちを歌った唄によって。

警官が一人通りかかり、それから肉付きのいい観光客が通りかかる。彼はためらい、もう一度まじまじと彼女を見つめ、それから勇を鼓して話しかける。ドイツ語訛りのある英語で、あなたはビリー・ホリデイじゃありませんかと尋ねる。

——あなたは今世紀で最も優れた二人の歌手のうちの一人です、と彼は告げる。

——あら一人きりじゃないのね。もう一人はどなたかしら?

——マリア・カラスです。あなた方二人が一緒に歌ったことがないというのは、まさに悲劇だ。

——それはどうもありがとう。

——そしてあなたは、あの偉大なるレスター・ヤングさんじゃありませんか、と男は言う。ザ・プレジデント。誰もがテナーで叫ぼうとしていた時代に、囁くことを学んだお方だ。

——ディンドン・ディンドン、とレスターは微笑みながら言った。

男は彼の顔に目をやり、咳払いをし、航空便の封筒を取り出した。二人はその封筒にサインをした。満面の笑みを浮かべて彼は二人と握手をし、もう一枚の封筒に自分の住所を書いた。そしてもしハンブルクに来ることがあったら、いつだってあなた方を歓迎しますよと言った。

――ヨーロッパ、とビリーはその男が通りをよたよたと歩き去っていくのを見ながら言った。

――ヨーロッパ、とレスターも言った。

雨が降り出したところでちょうどタクシーが停まった。レスターはビリーにキスをし、タクシーに乗せた。車のライトの流れの中に再び紛れ込んでいくタクシーに向けて、彼は手を振った。

ホテルの手前数ブロックのところで、彼は通りに足を踏み入れた。何台かの車が勢いよく彼の身体を、幽霊の体内を通過するみたいに通り抜けていった。それが起こっているあいだ、何がどうなっているのか、彼にはわけがわからなかった。しかし向こう側の歩道に達したところで思い出した。恐怖に大きく見開かれたドライバーの目、悲鳴を上げるブレーキ、クラクションを押し続ける手、そして車が彼の中をすうっと通り抜けていった。まるで彼がそこに実在していないみたいに。

軍事法廷で彼はリラックスしていた。たとえどんなことになろうと、それは彼がこれまでにくぐり抜けてきたものよりまだましなはずだった。もし自分の存在が問題であるのなら、どうしてさっさと軍隊から叩き出してしまわないのだ？　不名誉除隊をくらったところで痛くも痒くもない。精神科医によれば、彼は先天的な精神病者であり、どう転んでも軍務には適さなかった。レスターは自分でもよくわからないうちに、こっくりと肯いていた。ほとんど微笑みさえしていた。そう、微笑みにはぴったりの目、ぴったりの大きな目だ。

それからライアンが証人席に立った。銃剣つきの小銃を尻に突っ込まれたみたいにきりっと直立し、ヤングが逮捕されるに至った経緯を詳述した。レスターはそんなものろくに聞いてもいなかった。その出来事についての彼の記憶は、密造ジンのようにぼんやりしている。大隊本部で、命じられた作業を終えたばかりで、疲労のために頭が朦朧として、何も考えられなかった。あまりにも疲れて、へたりきっていて、希望のかけらもなく、おかげで昂揚に近いものさえ感じていた。目を上げ、血走った壁のような視野に、ライアンが立ちはだかっているのを認めても、注意を払う気力もなかった。瞬きすらろくにしなかった。何がどうなろうと知ったことじゃない。

——具合が悪そうだな、ヤング。

——ああ、ハイになっているだけだよ。

——ハイ？

——大麻《ポット》を少し吸って、アッパーを少し飲んで。

——お前、ドラッグを持ってるのか？

——ああ、そうだよ。

——見せてくれ。

——いいとも。あんたもやりたいのなら、わけてやるよ。

書類を手に摑みながら、弁護人はライアンの話を最後まで聞き、それから質問した。

——被告人が薬物らしきものの影響下にあることに、最初に気づいたのはいつのことでしたか？

——彼が最初に中隊に入ってきたときから、そうではないかと疑っておりました。

——どのようにして疑いを抱いたのでしょう？

——つまり、顔色であります、サー。それに目も血走っているようでありました。また訓練における挙動も正常なものではありませんでした。

プレズの意識はまたどこかにさすらい出た。黄色い光が野原に降り注いでいるところを思い浮かべた。血の色をしたケシの花がそよ風に肯くように揺れていた。

気がつくともう、自分が証人席に座っていた。糞のような色の軍服を着て、暗い色合いの聖書を手に持っていた。

――何歳だ、ヤング？

――三十五歳であります、サー。

レスターの声は子供が青い池に浮かべた玩具のヨットのように、法廷を漂った。

――君はプロのミュージシャンか？

――イエス、サー。

――カリフォルニアでバンドかオーケストラに入っていたのか？

――カウント・ベイシー楽団で十年演奏しておりました。

法廷に居合わせた人々はすべて、彼ら自身驚いたことに、その声に魅せられてしまった。そして彼の話を是非とも聞きたいという気持ちになった。

――以前から薬物を摂取しているのか？

――十年前からです。今年で十一年めになります。

――なぜそうするようになったのか？

――はあ、サー、楽団での演奏はだいたいは一晩だけの公演《ワン・ナイター》であります。朝までダンス会場で演奏をして、そのまま次の土地に移動します。薬をやらなければとても身体がもちません。

――ミュージシャンはみんな薬物をやっているのか？

――はい、私の知っているものはみんな……

証言をするために証言台《スタンド》に立つ――それはソロを吹くために舞台《スタンド》に立つようなものだった。呼びかけ《コール》と応答《リスポンス》だ。彼はその人影もまばらな狭い法廷で、自分が人々の関心を集めていることを感じ取った。かちかちに堅苦しい人々だ。しかし彼らは彼の口にするひと言ひと言にじっと聞き入っていた。ソロをとっているときと同じだ。物語をみんなに伝えなくてはならない。みんなが聴きたいと思う唄を歌わなくてはならない。法廷にいる誰もが彼の顔を見ていた。彼が口にする言葉に人々が真剣に耳を澄ませれば澄ませるほど、彼の話し方はより緩やかな、より物静かなものになっていった。言葉を言い残し、文章を途中でやめて宙に浮かべたままにする、歌うがごとき彼の声は人々の心をとらえ、離さなかった。人々の払う注意が突然、彼にとっていつもお馴染みのものとなり、おかげでグラスのちりんと触れ合う音、バケットからがさごそと取り出される氷の音、シガレットの煙が渦巻く中の人々の話し声……そんなものさえ聞こえてきそうだった。

軍の弁護人は彼に質問していた。徴兵審査会に出頭したとき、そこにいた係官たちは彼が麻薬常用者であることを承知していたのかどうか？

——はあ、わかっていたはずだと思います、サー。といいますのは、入隊する前に私は脊髄麻酔を受けなくてはなりませんでした。私としてはできれば受けたくなかったのですが。出頭したときにはとてもハイな状態になっており、私は監房に放り込まれました。ずいぶんハイになっていたので、私はウィスキーを取り上げられ、壁に詰め物の入った監房に入れられました。収監されているあいだに、私の着ていた服は検査されました。

フレーズとフレーズとのあいだに間があり、フレーズ同士の繋がりは求めがたかった。彼が述べている内容より、声がいつもひとつ遅れて届いた。すべての単語に痛みと甘い戸惑いがあった。彼が何を語るにせよ、ただその響きによって、またひとつひとつの言葉がよその言葉のまわりに自らの形をこしらえていくその様によって、法廷にいる人々は、自分があたかも彼から個人的に語りかけられているような印象を抱かされた。

——かなりハイだったと君が言うとき、それはどのようなことを意味しているのだろうか？それはウィスキーによるものか？

——ウィスキーとマリファナとバルビツールであります。イエス・サー。

——ハイだったと君が述べるとき、それはどのような状態であるのか、説明してもらえるだろうか？

——ハイだったとしか説明のしようがないの

であります。

――ハイになることは、身体に作用を及ぼすのか？

――ええ、イエス・サー。何もしたくなくなります。楽器も吹きたくないし、誰ともかかわりたくないし……

――その作用はかなりつらいものなのか？

――ただ神経にこたえるだけであります。

彼の声は風を探しているそよ風のようだった。


その声に骨抜きにされ、屈してしまったことで気を悪くした彼らはヤングに対して、ジョージア州フォート・ゴードンにある陸軍刑務所に一年間服役という厳しい判決を下した。軍隊より一層ひどいところだ。軍隊では「自由になる」というのは軍を出ることを意味する。しかしそこでは自由とは軍に戻ることを意味するのだ。コンクリートの床、鉄のドア、壁から太い鎖で吊り下げられた金属製の寝棚《バンク》。毛布でさえ――灰色のざらざらした代物だ――所内作業場の床から掃き集められた金屑で織られたもののようだ。そこにあるすべての事物は囚人たちに、こんなところにいるくらいならどこかに頭をぶっつけて、脳味噌を砕いてしまった方がまだ楽だと思い知らせることを存在目的としているように思える。そこにあるものに比べたら、人の頭蓋骨など薄絹みたいにデリケートに感じられる。

ばたんと閉められるドア、耳障りな声。大声で叫び出したくなるのを止めるためには、泣くしかないし、泣き出すのを止めるには、大声で叫ぶしかなかった。何をしたところで、状況は悪化するばかりだ。おれには耐えられない。おれにはとても耐えられない。しかし耐える以外に彼にできることはなかった。おれには耐えられない――しかしそう口にすることすら、それを耐えていく方便のひとつだった。彼はより物静かになった。誰とも目を合わせなかった。身を隠す場所を求めたけれど、そんなものはどこにもなかった。だから彼は自らの内側に閉じこもるべく努めた。彼の顔から両目がこっそりのぞいていたが、それはまさにカーテンの隙間から見える老人の顔だった。

夜になると寝棚に横になり、監房の小さな窓から、切り取られた夜空の一画を眺めた。隣の寝棚にいる男がこちらに寝返りを打つ音が聞こえた。マッチの光でその顔が黄色く照らし出された。

――ヤング?……ヤング?

――なんだ?

――お前、あそこの星を見ているのか?

――ああ。

――星なんかないんだよ。

彼は何も言わなかった。

――おい、聞こえてるか? 星なんてないんだ。

彼は手を伸ばして、差し出された煙草を取り、深々と煙を吸い込んだ。

――もう死んじまってる。あっちからここまで光がやって来るのにとんでもなく時間がかかるから、光が届いた頃には、星なんてみんななくなっている。燃え尽きている。お前が見てるのはもう存在してないものなんだよ、レスター。現実にそこにあるものは、お前にはまだ見られないのさ。

彼は窓に向けて煙草の煙を吹きかける。死んだ星たちは一瞬その煙に霞み、それから再び明るく輝く。

ターンテーブルにレコードを重ね、窓際に行き、廃棄されたビルの背後に低い月が忍び込むのを眺める。ビルの内部の壁はとり壊されており、あと数分のうちに、正面の破れた窓の奥に、月の姿がくっきりと見えるだろう。窓によって完璧に縁取りされ、月が本当に建物の中にいるかのように見える。その斑のある銀色の天体は、煉瓦の宇宙の中に閉じ込められている。彼が見守っていると、それは魚のようにそろりと窓から去っていった。しかし数分後にはまた別の窓に姿を見せるはずだ。その無人の住居を、それはゆっくりと移ろっていくのだ。行き過ぎるひとつひとつの窓から外を見やりながら。

　一陣の風が部屋の中を、彼を探して吹き回り、カーテンが彼のいる方向を指した。彼は軋《きし》む床を歩いて、瓶に残っていた酒をすっかりグラスに注いだ。もう一度ベッドに横になり、雲のような色あいの天井を眺めた。

　電話のベルが鳴るのを待った。自分が眠りながら死んだというニュースを、誰かが伝えてくれるのを。彼ははっと目を覚まし、黙したままの受話器をひったくるように取った。受話器は蛇のように、彼の言葉を二口で呑み込んだ。シーツは海草のようにぐっしょりと濡れ、緑色のネオンが部屋に海霧を充満させていた。

　明るい昼間があり、そしてまた夜が訪れた。一日いちにちがひとつの季節だった。おれはもうパリに行ったのだろうか、あるいはそれは頭にある計画に過ぎないのか？　来月に行く予定なのか、それとも既にそこに行って戻ってきたのか？　何年も前にパリに行ったときのことを思い返した。凱旋門にあった無名戦士の墓を目にしたことを。そこには1914-18と彫られていた。それは今でも彼の心を哀しくさせる。そんなに幼くして死んでいった戦士がいるなんて（レスターは第一次大戦の開始と終了の年号を人の生没年と間違えている）。

　死は今ではもう境界線ですらなくなっている。それはベッドから窓に行く間にふらふらとまたぎ越える何かになっている。行き来しているうちに、自分が今どっちの側にいるのかわからなくなってしまう。今目にしているものが夢なのか現実なのか、我が身をつねって確かめる人のように、彼は時々自分の脈を計ってみる。そして自分がまだ生きているかどうかを確かめる。多くの場合、脈はどこにも見つからない。手首にも胸にも首にも。じっと耳を澄ませると、緩慢なだるい鼓動が聴き取れるような気がする。それは遠くから届く葬儀の太鼓のくぐもった音でもあり、埋められる遺体が湿った大地を打つ音でもある。

　事物から色が引いていく。窓の外のネオン・

サインも緑色のはかない残滓にしか見えない。すべてが白に変わっていく。そして彼は知る。雪だ。大きな雪片が歩道に降りかかる。それは樹木の枝を抱き、駐車した車の屋根に白い毛布を掛ける。交通は途絶え、外を歩く人もいない。何の音もしない。すべての都市はこのような、幕間の静謐《せいひつ》にも似た沈黙を持っている。一世紀に一度しか訪れないにせよ、そんなときには誰一人口をきかない。電話のベルも鳴らない。テレビは消え、一台の車も動かない。

交通の騒音が戻り、彼は同じ一山のレコードをかけ、窓際に戻る。シナトラとレイディー・デイ。彼の人生はもはや終わりに近づいた唄だ。冷たい窓ガラスに顔をつけ、目を閉じる。次に目を開いたとき、通りは暗い川に変わり、岸辺には雪の線が引かれている。

州境を越えたところでデュークは目を覚ました。目をしばたたかせ、指で髪を梳《す》き、窓の外を見た。そこにあるのは変わりばえのしない真っ暗な夜の光景だ。夢の残りが彼の頭の中で融けて、漠然とした哀しみで彼を満たす。シートの中で身をよじらせる。背中の微かな痛みに、彼はうなり声を発した。

——明かり、と彼は言って、書き付けるための紙を求めて尻のポケットを探った。ハリーは手を伸ばして車内灯をつけた。車の中は青白い輝きに満ち、おかげで夜と道路は前よりもいっそう暗く見えた。デュークはダッシュボードの中を漁って、ペンを一本見つけ、丸まったメニューの余白の部分に二言、三言書き付けた。彼はそれまでどんなアメリカ人よりもたくさんの音楽を書いてきたが、その大半はこんな具合に書き始められたのだ。紙ナプキンだの、封筒だの、葉書だの、ちぎられたシリアルの箱だの、なんでもいい、手近にある紙片にそれは殴り書きされた。彼の楽譜はそのように書き進められ、その末路もまた同じようなものだった。オリジナル・スコアは二三度リハーサルされたあと、マヨネーズやトマトの染みがついたサンドイッチの包装紙という形のまま、ゴミ箱に捨てられることになった。音楽のいちばん大事な部分は、楽団の集団記憶という保管場所に引き渡された。

ペンがメニューの上を彷徨い、彼の集中力は研ぎすまされた。夢の中にあった何かを思い出し、その記憶をよりくっきり浮かび上がらせようと努めるかのように。彼はプレズの夢を見ていた。その晩年、アルヴィン・ホテルに住んで、生きる意志をなくしてしまった頃の彼の夢を。夢の中ではそのホテルはブロードウェイではなく、冬の田舎の風景の中にあり、雪に囲まれていた。その夢について思い出せることを、彼は書き留めた。デュークはそのとき音楽の歴史を題材とした組曲を構想しており、その夢に含まれた何かがそこで使えるかもしれないという仄《ほの》かな予感があった。そういう種類の音楽を彼は前にも一度書いていた。「ブラック・ブラウン・アンド・ベージュ」だ。そして今回のものはとりわけジャズを扱ったものになるはずだった。年代記でもなく、歴史ですらない、何かまったく違うものだ。彼は小さなピースから仕事を開始していた。いろんなものごとが素早く彼の頭に浮かんできた。彼の大曲は小品のパッチワークであり、今彼の頭にあるのは一連のポートレートだった。彼が個人的に知っている人々である必要はない。自分が具体的にどのようなものを目指しているのか、それはまだわからない。しかしアイデアが身中を動き回っているのが、彼には感じられる。胎児が子宮の壁を初めて蹴るのが、母親に感じられるのと同じように。

彼にはたっぷり時間があった。ぎりぎりになって時間に追われるまでは、ということだが、彼には常にたっぷり時間があった。初演の一週間前になっても、まだその曲が完成していないというようなこともあった。締め切り《デッドライン》が彼のインスピレーションであり、時間不足が彼の詩神《ミューズ》だった。彼の代表作のいくつかは、締め切りに追いまくられて生まれたものだ。飛行機に乗り遅れそうになって、走りに走るみたいに。「ムード・インディゴ」は母親が夕食を調理する十五分の間に作曲された。「黒と褐色の幻想」は一晩飲み明かして、スタジオに向かう途中、タクシーの後部席で作られた。全体を構想するのに、二分ほどしかかからなかった。「ソリチュード」はスタジオで曲がひとつ足りないとわかって、わずか二十分で書いた。そこに立ったまま紙に殴り書きしたのだ。……そう、案ずることはない。時間ならたっぷりある。

メニューの余白がいっぱいになるまで、メモを書き付けた。そしてアペタイザーとアントレの隙間に、数行をなんとか詰め込んだ。それからすべてをダッシュボードに戻した。

——オーケーだ、ハリー。

カーネイは車内灯を消し、再び二人の顔を照らすのは、計器のちらちらとまたたく微かな明かりだけになった。速度計は変わることなく五十マイルを指している。燃料計は半分のあたりだ。

もしモンクが橋を造っていたら

セロニアス・モンク

新しいものを彼は好まなかった。盲人と同じように、長年使ってきたものを好んだ。ペンやナイフのような些細なものであっても、手に取ったときに親しみが抱けるようになったものを好んだ。

　ある日の午後、我々は彼のうちの近くで——我々は常にその近所から離れることはなかった——街角に立って信号が変わるのを待っていた。彼は街灯に手を置き、それを親しげにとんとんと叩いていた。

　——私のお気に入りの街灯だ。

　近所の誰もが彼を知っていた。店に買い物に行くと、子供たちが呼びかけた。よう、元気かい、モンク？　どこかに行ってたの、モンク？　彼はもぐもぐと何かを言う。立ち止まって握手をしたり、あるいはただ歩道に立って身体を前後に揺すっている。そんな風に人々から声をかけられることを、彼は喜んでいた。有名になることをではなく、そういう風に自分のうち《ホーム》が外に延長されていくことを。

　彼とネリーは西六十丁目台にあるアパートメ

ントに居を構え、子供たちと一緒に三十年間住んだ。火災が二度あってそこを出ることを余儀なくされたが、二度とも同じところに戻ってきた。そのスペースの大部分はベビー・スタインウェイに占領され、ピアノは半分ほど台所にはみ出していた。おかげでそれは厨房器具の一部みたいに見えた。彼がピアノを弾くと、その背中はガス台に接近し、今にも火がつきそうだった。ピアノに向かっているとき、自分のまわりでどんな騒ぎが繰り広げられていようと、彼は全然気にかけなかった。たとえ作曲をしているときでもだ。ピアノの脚のあいだを子供たちが這いずり回っても、ラジオからカントリー音楽が大きな音で流れていても、ネリーが夕食の用意に立ち回っていても、委細かまわず、複雑な構造をもった曲づくりに励んだ。まるで古い学寮《カレッジ》の静かな個室に一人で閉じこもっているみたいに。

——誰かが彼やネリーに害を及ぼさない限り、モンクは何ひとつ気にかけなかったな。演奏さえできれば、自分の音楽を聴くものが誰一人いなくたってかまわなかった。麻薬所持で逮捕されて、キャバレー・カード（ニューヨーク市のナイトクラブで仕事をするためにミュージシャンやダンサーたちが取得を義務づけられた許可証。一九六七年までこの制度が続いた）を失って以来、六年ものあいだ、彼にとってはその部屋が演奏できるほとんど唯一の場所だった。

彼とバド・パウエルが車に乗っているとき、警察官に停止を命じられた。バドのほかには麻薬を所持しているものはいなかったが、バドはヘロインの入った包み紙をぎゅっと握りしめたまま、その場に凍りついてしまった。モンクはそれをひったくり、窓の外に放り投げた。それは水たまりの上に落ち、小さな折り紙のヨットのように浮かんだ。

モンクとバドはそこに座ったまま、パトカーの赤と青のライトがまわりを囲むのを見ていた。白く光ったフロントグラスを雨粒が流れ落ちていった。ワイパーがメトロノームのように規則正しく音を立てて往復した。バドは鉄条網に絡め取られたみたいに硬直していた。体から汗が噴き出してくる音が聞こえるくらいだった。雨に濡れた黒い警官の影が、こちらにゆっくり近づいてくるのをバックミラーで見ながら、これからどんなことになるのか、モンクには見当がついた。呼吸を落ち着け、それをじっと待ち受けるしかない。懐中電灯が車の中を照らし出し、モンクはそろそろと車の外に出た。水たまりが彼の足をぎゅっと握り、それからまたもとのなんでもない水たまりに戻った。まるではっとショックを受けて一瞬眠りから目覚めた人のように。

――名前は?

――モンク。

――証明書を持っているか?

モンクの手はポケットに向かった。

――ゆっくりな、と警官は身振りをまじえて言った。人を威嚇することを楽しむ、わざとらしいのんびりした声で。

キャバレー・カードの入った札入れを彼は手渡した。その写真は暗くて、顔ははっきりしていない。警官はちらりとバドを見る。彼の両目には雨と明かりが映っている。

――セロニアス・スフィア・モンク。あんたのことか?

――そうだよ。その言葉はくっきりと彼の口から出てくる。まるで歯のように。

――ご大層な名前だな。

血のようなネオンが映った水たまりに、雨が降る。

――もう一人は?

――バド・パウエルだ。

のんびり時間をかけ、警官はしゃがみ込んで、ヘロインの薬包を拾い上げる。中身をのぞき、指でつついて少しだけ舌に載せる。

――これはあんたのか?

彼は車の中で震えているバドを見る。そしてまた警官を見る。

――あんたのか、それともあいつのか?

モンクはそこに無言のまま立っている。雨が彼のまわりに降りしきる。彼は鼻をすする。

――それではあんたのものだということになるな。警官はもう一度キャバレー・カードに目をやる。そして煙草を捨てるみたいにそれを水たまりの中に落とす。

――そいつは当分のあいだ必要なくなるだろうぜ、セロニアス。

雨に打たれる自分の写真をモンクは見下ろす。それは緋色の湖に浮かんだ筏のようだ。

モンクは逮捕されたが、何ひとつ語らなかった。バドのためにならないことをしようというような考えは、彼の頭にはまったく浮かばなかった。バドがどんな状態にあるか、モンクにはよくわかっていた。モンクは風変わりだが、時によってまともになったりおかしくなったりする。しかしバドは手の施しようがない。麻薬漬けで、アル中で、頭がいかれていて、中身のない上着みたいにしか見えないときがよくある。そんな人間が、刑務所暮らしに耐えられるわけがない。

モンクは九十日を服役したが、刑務所について語ったことは一度もなかった。ネリーは面会に訪れ、出所できるようにあらゆる手を尽くしていると彼に言った。しかし面会時間の大半を彼女は、そこに座って彼の目の中にあるものを読み取り、彼が何かしゃべってくれるのを待つことに費やした。出所後、モンクはニューヨークで演奏することができなくなった。普通の職に就くという考えは、彼の頭の中にはまったくなかったし、だいたいその頃にはもう、誰かに雇われるというような状態でもなくなっていた。だからネリーが働いた。モンクは何枚かのレコードを録音した。何度かほかの場所に行って演奏もした。しかしニューヨークが彼の街だったし、そこを離れるつもりは彼にはまったくなかった。おおかた彼は自宅にこもっていた。横になって死んでる――彼はそう表現した。

「無の歳月（un-years）」とネリーは呼んだ。

しかしその歳月は、モンクが「ファイブ・スポット」のハウス・ピアニストとして迎えられたときに終わりを告げた。人々が聴きに来てくれる限り、また自分でそうしたいと望む限り、好きなだけそこで演奏してかまわない、と彼は言われた。ネリーはほとんど毎晩、店にやってきた。彼女がいないと、彼は落ち着きをなくし、緊張し、曲と曲とのあいだにとんでもなく長い間を置いた。ときどき演奏を中断して家に電話をかけ、ネリーに「変わりはないか」と尋ねた。電話口に向かってもぞもぞと、愛の優しいメロディーであると彼女の耳には聴き取れる声音をもらした。受話器を外しっぱなしにしてピアノの前に戻り、彼女のために演奏し、それがそのまま聞こえるようにした。曲が終わるとまた席を立ち、電話に硬貨を追加した。

――聴いてるか、ネリー？

――とても美しいわ、セロニアス。

――うん、うん、そして彼は受話器を、ごく当たり前のものを手にしているみたいにまじまじと見つめていた。

自宅をあとにすることを好まなかったのと同じように、言葉が自分の口から出ていくことを彼は好まなかった。口の外に出ていくかわりに、彼の言葉は喉の奥にどんどん引き下がっていった。まるで波が浜辺を打つことを嫌って、海に戻っていくかのように。言葉はもともとそとしか口にされず、まるで外国語を使っているときのように、単語はぎこちなく形成された。音楽に関して、彼は妥協というものをしなかった。世界が彼のやっていることを理解するまで、ただじっと待っていた。それはしゃべり方に関しても同じだった。彼の口にするもぐもぐやもぞもぞの微妙な意味を、まわりの人々がなんとか解釈できるようになるまで、彼はただ待っていた。たいていの場合、彼は限定された言葉に頼っていた。「シット」「マザファッカ」「ヤー」「ナー

（ノー）」、そしてまた誰にも理解できないことを口にするのが好きだった。凝った言葉を曲の名前にするのが好きだった。「クレプスキュール」「エピストロフィー」「パノニカ」「ミステリオーソ」。そういう大層な言葉は半分ジョークでもあった。彼の音楽があなたの身体に馴染むのが簡単ではないのと同じように、それらの言葉をあなたの舌に載せるのも簡単ではないというわけだ。

ときどき彼はステージから聴衆にささやかなスピーチをした。しかし彼の言葉は、唖のイバラの中に失われていった。

——やあ！　蝶々は鳥より速いか？　きっとそうだな。なぜかっていうと、うちの近くには鳥がいっぱいいるけど、蝶々が一羽いて、とにかく自分の好きに飛ぶ。ヤー。黒と黄色の蝶々だ。

彼はベレーとサングラスというういわゆる「ビバップ・ルック」の創始者である。しかしそんな格好はその音楽と同じく、すぐにユニフォームのようになってしまった。今では演奏をするとき、彼はきわめて保守的なスーツや、あるいはスポーツ・ジャケットを着ることを好んだ。そしてそういうなりに、どう考えても首を傾げざるを得ない帽子を合わせてかぶった。しかし彼がそういう組み合わせをすると、それはどこまでも自然に見えた。アジアの農民がかぶっている丸帽は、ネクタイとスーツには不可欠なアクセサリーなのだとさえ思わせられた。

——帽子をかぶることは、あなたの演奏に何か影響を及ぼすのですか？

彼の顔には大きな笑みが広がった。

——ナー。ははは。えーと、わからんな。たぶんそうかも……

ほかのメンバーがソロをとっているとき、彼は椅子から立ってダンスをした。静かに彼はそれを始めた。踵を打ち、指を鳴らし、それから両膝を上げ、両肘を上げ、回転し、首を振り、両腕を大きく広げたまま、あてもなくあちこちをうろつきまわった。今にもつまずいて転びそうに見えた。同じ場所でいつまでもぐるぐると回転を続け、それからふらつく足でピアノに戻った。頭の中にはやりたいことがくらくらするほど詰まっている。彼が踊るのを見て人々は笑ったが、それは当然すぎるほど当然の反応だった。というのは彼のよたよた歩きは、生まれて初めて強いアルコールを口にした熊の動作にそっくりだったからだ。彼は愉快な人間だった。彼の音楽は愉快な音楽だった。語ることこそ少なかったものの、彼の口にすることの大半はジョークだった。彼の踊りは導きの手段であり、音楽に入り込む道を見つける手段だった。彼は曲の内側に入り込まなくてはならなかった。その曲が身体の一部になり、自らがそこに内化され、木に食い込むドリルのようにならなくてはならなかった。いったんその曲の中に自らを埋め込み、その隅々までを熟知してしまえば、彼は外側から自在にその音楽を演奏することができた。内側からではなく。それでもそこにはいつも独特の親密さがあり、率直さがあった。なぜなら彼はその核心にいたし、その内部にいたからだ。彼は曲を演奏していたのではない。自分自身を演奏していたのだ。

——ダンスの目的は何ですか、ミスタ・モンク？　どうしてあなたは踊るのですか？

——ピアノの前にずっと座ってることに飽きるんだ。

モンクの音楽を正しく聴くためには、彼を見なくてはならない。グループの中で最も重要な楽器は——それがどのような編成のグループであれ——彼の肉体だった。実をいえば彼はピアノを演奏していたわけではない。その肉体こそが彼の楽器であり、ピアノは彼の肉体から音を、正しい速度と正しい量で引き出す方便に過ぎなかった。彼の肉体を残してほかのすべてを消し去れば、あなたの目には彼がドラムを叩いているみたいに見えただろう。ハイハットを叩くように足が上下し、両腕が交差して伸びている。彼の肉体が音楽のあらゆる隙間を埋めていく。彼を見ないで、その音楽だけを聴いていると、そこにはいつも何かが欠落しているように感じる。しかし演奏している彼の姿を見ていると、彼のピアノは、たとえそれがソロであっても、カルテット同様のサウンドを獲得する。耳が聴き損ねているものを、目が聴き取るのだ。

彼はどんなことだってできたし、それらはすべて正しいことに見えた。彼はポケットからハンカチを取りだし、それを持ったままの手でピアノを弾いた。鍵盤からこぼれ出てくる音符を拭き取り、もうひとつの手でメロディーを奏でながら、ハンカチで顔をぬぐった。まるで自分にとってピアノを演奏するのは、洟をかむのと同じくらい簡単なんだと言わんばかりに。

――ミスタ・モンク、ピアノの八十八の鍵盤についてどう思われますか？　それは数として多すぎますか、少なすぎますか？

――八十八の鍵盤で演奏するだけで、もうじゅうぶんむずかしいな。

ジャズの魅力のひとつは、自発性という幻想だが、モンクはピアノの前に座り、生まれて初めてこんなものを目にしたという様子で演奏する。あらゆる角度からそれに挑み、両肘を使い、がんと一撃をくらわせ、トランプ・カードを混ぜるみたいに鍵盤にぱらぱらとさざ波を立て、熱いものにでも触るかのようにひょいひょいと小突き、ハイヒールを履いた女の足取りよろしくぎこちなく指を動かす。クラシック音楽のピアノ奏法からすれば何もかも間違っている。出てくる音すべてが予想と違い、歪み傾いている。もし彼がベートーヴェンを弾いたなら、楽譜に終始忠実でありながら、キーの叩き方や、指が鍵盤に触れる角度のせいで、その音楽は不安定にされ、スイングさせられ、中身をひっくり返され、要するにモンクの音楽に変えられてしまうだろう。指をいっぱいに広げ、鍵盤の上で手をべろっと平らにしている。本来アーチ状になっていなくてはならない指先は、ほとんど上に向けられているみたいだ。
あるジャーナリストが彼に質問した。その特殊なキーの叩き方について。
——どうとでも、自分が叩きたいように叩くさ。

技術的に言えば限定された演奏家だったから、彼にできないことはそれこそ山ほどあった。しかし自分のやりたいことは、ひとつ残らずやることができた。つまりテクニックが不足しているせいでやりたくてもやれなかった、というようなことはひとつもなかったわけだ。言うまでもなく、彼の音楽を彼が弾いたように弾けるものはほかに一人もいない（まともにピアノを弾く人間なら、とても手に負えないようなちょっとしたことが、そこにはいっぱいあった）。そういう意味合いにおいては、彼は誰よりも技術的に優れていた。要するにそこでは需要と供給の完全な均衡が保たれていたのだ。なにしろモンクにとって、求めつつも得られないというものは、何ひとつなかったのだから。
彼はひとつの音を、あたかもその前に出した音に自分でも驚愕したかのように弾いた。鍵盤を打つひとつひとつの指がその先行する過ちを正し、その指が今度はまた新たな、正されるべき過ちを犯しているかのようだった。だから曲はいつまでたってもしかるべきかたちを取ろうとしない。ときどきその曲はすっかり裏返しにされてしまったみたいに聞こえる。あるいは間違った部品で拵えられたもののように聞こえる。彼の両手は、常に逆足を踏み出そうと努めている二人のラケットボール・プレーヤーを思わせる。実際、彼のフィンガリングは終始でたらめだ。しかしそこにはちゃんとロジックが働いている。モンクにしか通用しないロジックが。すなわち、常にもっともらしくない音を弾いていれば、予期されているものの陰画がそこに現れるということだ。聴衆は常に「この曲は本来は美しいメロディーを持っているに違いない」と感じる。しかし出てくる音は前後逆さま、形があべこべになっている。彼の演奏を聴いているかと、そわそわと落ち着きのない人を見ているような気分になる。聴いていて居心地がよくない。

こちらも彼と同じことをし始めるまでは。

ときおり彼の両手は空中で停止し、方向を変えた。まるでチェスをしていて、駒を手にしたままそれを盤の上空で動かし、躊躇し、最初の予定とは違う手を打つ人のように。それは無謀な一手のように見える。おかげで防御が台無しになるし、かといって攻撃作戦にも寄与するわけでもない。でもやがてあなたにはわかってくる。彼はゲームを根本から作り替えているのだということが。相手を無理にでも勝たせるようにする——それが彼の頭にあることだ。もしあなたが勝てば、あなたは負ける。もしあなたが負ければ、あなたは勝つ。ただの気まぐれな思いつきではない。そういうゲームができるようになれば、通常のゲームは単調な気の抜けたものに思えてくる。彼は既成の「ビバップ・チェス」をプレイすることに飽きていたのだ。

あるいは別の見方をすることもできる。もしモンクが橋を造っていたら、彼は構造上不可欠と考えられている部品をそこからどんどん取り去っていっただろう。そしてあとに残っているのは、装飾的な部分ばかりということになっただろう。しかし彼は、どうやったのかはわからないが、その装飾的な部分に構造材の剛堅さを吸収させることができた。だから存在しないもののまわりに、あたかもそれが存在するかのように、すべてをくっつけていくことができたのだ。普通に考えれば、そんなものが本来建っていられるはずはないのに、ちゃんと建っている。そしてそれが今にも崩れ落ちてしまいそうに見える——モンクの音楽がいつも今にもぷつんと途切れてしまいそうに見えるのと同じく——というところから興奮が生まれる。

それが気まぐれなものとの決定的な違いだ。ただの気まぐれは重要なものを何ひとつ生み出さない。気まぐれは低い賭け金で行われる勝負だ、それに対してモンクは常にもっとレベルの高い勝負を挑んでいる。彼は進んでリスクを引き受けるが、気まぐれにはリスクはない。人々は気まぐれであることを、何でも好き勝手な振る舞いをすることと考えているが、気まぐれにはそれほどの値打ちはない。モンクは自分がやりたいと思うことを自由気ままにやりながら、その行為を、独自の意志と論理を有する原則を持つ水準にまで高めた。

——だからな、ジャズのいいところっていえば、自分だけのサウンドを持てば、ほかの芸術分野であればとてもやっていけなかったような連中が、なんとかやっていけるというところだな。ほかの分野であればアタマから矯正されなくちゃならんようなことでも——つまりさ、もし作家になってたら、連中はとてもやっていけなかったはずだ。単語もつづれないし、句読点も打てないようなもんだからな。絵描きだってむりだ。まっすぐな線ひとつ引けやしない。しかしジャズなら、正しいつづりもまっすぐな線も必要ないんだな。だから、他人とはちがう物語《ストーリー》やら考えやらをアタマに詰め込んだ連中が、そういうなにやかやをジャズというかたちで表現することができたんだ。ジャズというものがなかったら、そんなことはまずかなわなかった。ほかのことをもしやろうとしても、銀行員にも配管工にもなれないような連中《キャッツ》がジャズの世界では天才と呼ばれる。まったくのゼロみたいなやつがね。ジャズはね、絵画や本には見ることができないものを見ることができる。ほかのものには引きだせないようなことを、人間から引きだすことができるんだ。

モンクは自分のサイドマンたちに、彼の音楽を彼が求めるように演奏することを要求したが、ミンガスがそうしたように、彼らに依存したりはしなかった。そこにあるのは常にモンクであり、彼のピアノだった。それこそが音楽の根幹だった。彼らが偉大なソロイストであるかどうかよりは、彼らがモンクの音楽をどれほどよく知っているかということの方が、モンクにとってては大事だった。彼の音楽は彼にとってあまりにも自然なものだったから、他人が自分の音楽を演奏するのに困難を覚えるということが、モンクにはどうしても理解できなかった。楽器の物理的限界を超えたことを要求するのではない限り、それがいかなるものであれ、サイドマンたちは彼が求める演奏ができて当たり前だと、モンクは考えていた。

――おれは一度、モンクに不平をもらしたことがある。彼の求めているパッセージを吹くことが不可能だと。

――これだとブレスができないということか、とモンクは言った。

――いや、そういうんじゃないけど……

――なら、そのとおり演奏しろや。

多くのミュージシャンがいつも彼に向かって言った。そんな演奏はとてもできないよと。しかし彼らはそこで選択肢を与えられた。お前、楽器を手にしてるんだろう。そいつをちゃんと演奏するか、それとも楽器を捨ててしまうかだ。どっちがいい？　そして彼らは、自分がそれを演奏できることを発見した。ミュージシャンでありながら、何かが演奏できないなんて筋の通らないことだ。モンクにそう言われると、みんなそういう気になった。ステージの上で、彼は演奏の途中で立ち上がり、ミュージシャンの一人のところに行って、耳元で何かを囁き、また席に戻って演奏を再開した。そんなときにも急いでいる様子はまったく見せなかった。曲に合わせて両手をふらふら振りながら、ステージをうろつきまわった。彼のすべての動作がそんな具合だった。

――そんなくだらんことはもうよしにして、スイングしろ。ほかのことができないのなら、ただメロディーを演奏していろ。そのままビートをキープしていろ。ドラマーじゃないからって、スイングしなくていいということにはならんぞ。

あるときコールマン・ホーキンズとジョン・コルトレーンが、譜面のパートを読み切れなくて、モンクに説明を求めたことがあった。

——あんたはコールマン・ホーキンズだろう。テナーの創始者と呼ばれている男だろう。そしてあんたはジョン・コルトレーンだろう。なあ？ 音楽は楽器《ホーン》の中にあるんだ。ホーンと相談すればなんとかやれるはずだ。

自分がどんな演奏をしたいか、モンクはおおかたの場合、我々にはほとんど何も説明をしてくれなかった。二三度質問をしたが、答えは返ってこなかった。その質問はほかの誰かに向けて、外国語でなされたものだと言わんばかりに、知らん顔して前を見ていた。尋ねた方は、そんな質問の答えはいちいち訊かずとも最初からわかっていたのだという気持ちにさせられた。

——これらの音のうち、どの音を出せばいいのだろう？

——どれを出してもかまわないと、彼は最後に言った。それはがらがら声の呟きみたいだった。

——これはどっちなんだい。Cシャープか、それともCナチュラルか？

——ああ、そのどっちかだ。

彼はすべての楽譜をすぐ手元に置いて、他人がそれを見ることを好まなかった。彼は何もかもを手元に置いた。外に出るときには、コートにくるまっていることを好んだ。冬が彼の愛好する季節だった。そしてあまり遠くまで行かないようにしていた。スタジオでは彼は小さなノートに楽譜を挟み、ほかの人々にそれを見せないようにしていた。自分が見終わると、いつもすぐにコートのポケットに突っ込み、厳重に保管した。

昼のあいだ彼は自分の中にくるまって歩き回り、音楽についてあれこれと考え、テレビを見たり、気が向けば作曲をしたりした。あるときには四日も五日もぶっ通しで歩き続けた。最初のうち歩く範囲は、南は六十丁目まで、北は七十丁目まで、西はハドソン河まで、東へは三ブロック。それからその周回範囲は徐々に縮まっていって、自宅のまわりのブロックだけになり、そのうちにアパートメントの部屋の中に限定された。休むことなく歩み続け、壁に抱きつき、ピアノには手も触れず、腰も下ろさなかった。それから丸二日ぐっすり眠り続けた。

時折いろんなものごとの間で身動きが取れなくなる日々があった。一日を動いてまわるための文法や、出来事をひとつにまとめている構文が、ばらばらに崩れてしまうのだ。単語と単語のあいだで、行動と行動のあいだで迷子になり、ドアを出入りするというような単純なことさえできなくなる。アパートメントの部屋が迷路のようになってしまう。何をどのように用いればいいのか、わからなくなった。事物とその機能が、自明のものでなくなってしまうのだ。部屋に入るとき、ドアがそういう目的のために存在しているのだと知って、彼は驚いているように見えた。何かを食べながら驚愕の色を顔に浮かべる。ロールパンやサンドイッチが彼にはとてつもなく神秘的なものに思えたのだ。この前にそれらを食べたときの味を、まったく記憶していないみたいだった。あるとき夕食の席で、彼はずっと黙り込んだまま、終始オレンジの皮を剝《む》いていた。まるでそんなものを目にしたのは生まれて初めてだと言わんばかりに。それから長く一筋に繋がった皮を見下ろして、ようやく口を開いた。

——いろんな形があるんだな。大きな笑みが彼の顔中に広がった。

あるいはまた、世界が侵害してくるように感じたとき、彼はそのまま動かなくなった。自分の中にぴったりと閉じこもった。まるで家具のように、そこに身じろぎもせず座っていた。とても静かだったので、目を開けて眠っているみたいに見えた。息づかいが髭を微かに震わせるだけだった。彼がただじっと座っているところを写したフィルムがある。微動だにしないので、もしそこに漂っている煙がなかったら、スチル写真と間違えてしまいそうだ。いずれにせよモンクと話をするのは、大西洋の向こう側と会話するようなものだった。言葉が相手に届くまでに時間がかかる。それも何分の一秒ではなく、十秒くらいかかることもある。あまりにも長い時間がかかるので、そのあいだに同じ質問を三度も四度も投げかけなくてはならない。神経が硬くなると、あらゆる種類の刺激に対する彼の反応のずれは、どんどん長くなっていって、最後にはまったく反応が戻ってこなくなった。まるで池に氷が張るみたいに、目に膜がかかってしまう。彼が困難な時期に陥るのはだいたい、ネリーから離れているときか、あるいは見慣れぬ環境に置かれているときだ。もし何かがうまくいかなくなったり、何らかの脅威を感じたりしたときには、彼はきわめて唐突に接続を切断し、自分自身の存在を消してしまった。電灯のスイッチを切るみたいに。

モンクがそんな風に自分の中に閉じこもってしまったとき、もしネリーが近くにいれば、彼女は「大丈夫だからね」と言い聞かせて夫を安心させ、彼が外に出る通路を自分で見つけるのを待った。そんな風に四日も五日もまったく口をきかなくても、彼女はモンクと一緒にいるのが好きだった。そのうちに彼は言葉の断食を破って、こう叫ぶ。

――ネリー！　アイスクリームだ！

――彼の中にあるのが何であれ、それはきわめてデリケートなものだった。彼はその何かをどこまでも静かに保持しなくてはならなかった。それが壊されることのないよう、そろそろと行動する必要があった。歩き回ることさえ、それをそっとしておくための手段だった。航海中の船のウェイターが、水入りのグラスをまっすぐにしておくために、トレイをあらゆる角度に向けて操るのと同じだ。自らの中にあるものが、ぴくぴくと暴れ回るのを抑えるために、彼は歩き続けたのだ。そのまま暴れさせておいたら、そのうちにくたくたになって倒れてしまう。それらはもちろん推測に過ぎない。モンクの頭の中で何が進行していたのか、正確なところを知るすべはない。彼はときには、あたかも冬眠する動物がもう目覚めても大丈夫なくらい暖かくなっているかどうか、外をのぞいて確かめるみたいに、その眼鏡を通して世界を見た。彼は自宅に包まれ、自らの奇矯性に包まれ、そして沈黙に包まれていた。一度彼と二時間ばかりともに過ごしたことがあって、そのあいだずっと彼は無言のまま座っていた。私は尋ねた。

——あんたの頭の中はいったいどうなっているんだい、モンク？

彼は眼鏡をはずして目の前にかざし、それを逆向けにした。あたかも彼の目を覗き込んでいる眼科医がその眼鏡をかけているかのように。

——見てみなよ。私は立ち上がってその眼鏡に目を当て、彼の目を覗き込んだ。そこにあるのは哀しみと、ちょっとした何かの斑点。

——何か見えたか？

——いいや。

——シット。ははは。彼は眼鏡を自分の顔にかけなおし、煙草に火をつけた。

私はネリーにも同じような質問をよくしたものだ。彼女はモンクのことを誰よりもよく知っていた。あまりにも身近に知りすぎていたから、私が何を尋ねても、彼がどれほど奇矯な行動をとっていても、彼女にはこう答えるしかなかった。

——だって、いつものセロニアスじゃないの。

モンクとネリーは、飛行機のファーストクラスで世界を飛び回るような生活を送ったが、もし彼がどこかの会社の清掃員や、あるいは工場の仕入れ担当係で、朝に起きて、夕方に帰宅して食事をとるような生活を送っていたとしても、ネリーはやはり同じように彼の面倒をみていたはずだ。彼女なしではモンクは無力だった。彼女は夫が着る服を選び、混乱して服もうまく着られないようなときには、手伝って服を着せてやった。そんなときモンクは、シャツの袖の中で拘束衣を着せられたみたいに硬直し、ネクタイを締めるという行為の複雑さの中に自分を見失っていた。彼が音楽を創り出せるようにしておくこと、それが彼女の誇りであり、達成だった。モンクが音楽を生み出すためには、彼女は不可欠な存在だったから、彼のほとんどの曲のクレジットに、共同作曲者として彼女の名前を添えてもいいくらいだった。

彼女は夫のために何でもやった。空港で荷物を預けるのも、柱みたいにぼんやり突っ立っていたり、そのへんでくるくる回転したり、あてもなく歩き回ったりしている彼のためにパスポートの手続きをするのも彼女の役目だった。人々はモンクのそばを通り過ぎながら、この男はいったい何をしているんだろうと、戸惑いの目で見た。浮浪者みたいに覚束ない足取りで歩き、婚礼で紙吹雪を投げるように両腕をさっと開き、行ってきたばかりの国でおみやげに買ってきたおそろしく変てこな帽子をかぶっている彼の姿を。飛行機に乗ると、ネリーはモンクのためにオーバーコートの上からシートベルトを締めてやった。人々はそれでもなお彼を好奇の目で見ていた。独立を間近にしているどこかのアフリカの国の指導者なのだろうか？ モンクの姿を見ていると、泣きたくなることがネリーにはあった。憐れんだからではない。彼もいつか死んでしまうだろうし、そうなったらもう彼みたいな人間は世界中探しても一人もいないのだということが、彼女にはわかっていたからだ。

ネリーは入院し、モンクは座って煙草を吸っていた。くすんだ日没が、雨で汚れた窓からじっと中をのぞき込むのを眺めていた。彼は壁の掛け時計を見あげた。その時計はシュールレアリストの描く時計のように傾いてかかっていた。ネリーはいろんなものがまっすぐであるべきだという考えを持っていた。ところがモンクは曲がったり歪んだりしたものが好きで、そういう考えに彼女を馴れさせるために、時計を傾いたまま釘で壁に打ち付けたのだ。ネリーはその時計を目にするたびに笑わずにいられなかった。

　モンクは部屋から部屋へと歩き回り、彼女が立っていた場所に立ち、彼女が座っていた椅子に座った。彼女の口紅を眺め、化粧品を眺め、彼女の眼鏡ケースを眺め、そんな何やかやを眺めた。病院に行く前に、彼女は家の中をすっかりきれいに整えていった。クローゼットの中にもぬけの殻のように、秩序正しくかかっている彼女の衣服の素地を触り、一列に並んで持ち主の帰りを待っている彼女の靴を眺めた。

　何もかもを彼女がやってくれていたので、アパートメントにあるすべての物がモンクにとっては謎であり、初めて目にするものだった。長く使い込まれて染みのついたカセロール皿、スチーム・アイロン。彼は鍋やフライパンを手に取り、それらが立てる聞き慣れた音を懐かしんだ。ピアノの前に座り、彼女がかつてうちの中で立てていた音をひとつひとつ思い出しては曲にした。彼女が服を着るときのかさこそという服地の擦れる音、流し台の水音、皿が触れ合うかたかたという音。ネリーは彼を「メロディアス・サンク（Melodious Thunk）」と呼んだ（Thunkはどすん・ずしんという物音のこと）。彼は妻のために、そのような音を表現した曲を書きたかったのだ。五分ごとにモンクは窓のそばに行って、外を眺めた。彼女が今にも通りをこちらに向かって歩いてくるのではないかと期待して。

　彼は毎日妻に会いに行ったが、彼女はそのたびに自分のことより夫の心配をした。モンクはただ黙って彼女のベッドの脇に座り、看護婦に「何かご用はありますか？」と尋ねられても、無言のままにこにこしていた。面会時間の始めから終わりまで、彼はずっとそこにいた。ほかにやりたいことなど何ひとつなかったからだ。

　アパートメントに帰るのはいやだったから、ハドソン河まで歩いていって、高速道路の向こうの河面に日が沈むのを眺めた。飢えた風が彼の煙草から煙をはぎ取っていった。彼はネリーのことを考え、彼女のために今書いている曲のことを考えた。ソロ・ピアノで弾くためのプライベートな曲で、自分以外の誰もその曲に触れることはできない。いったん書いてしまったら、それは完成品になる。彼はその曲をまったくそのままのかたちで弾く。伴奏もなし、アドリブもなし。彼はネリーに変化してほしくなかったし、同じように彼女のことを書いた曲にも変化してもらいたくなかった。河の対岸をじっと見ていると、黄茶色のぼんやりとした光がひとつ、チューブからしぼり出された絵の具のように、スカイラインの上に浮かび上がった。それからしばしの間、空はくすんだ黄色に染め上げられたが、やがてその光も薄れ、油の染みたような雲が再びニュージャージーの上空に重くたれ込めた。そろそろアパートメントに戻ろうかと考えた。しかし彼はその物寂しい夕暮れの中に留まり、河面を這うように進んでいく暗い船を、そしてその上に繰り広げられるカモメたちの悲嘆を、いつまでも眺めていた。

ボルティモアの「コメディー・ストア」で演奏するために車で出かける。同乗しているのはニカとチャーリー・ラウズ、どちらも彼の終生の友だ。モンクは何ごとにせよ、いったん始めたらほとんどの場合、死ぬまでそれをやめない人間だった。デラウェアでモーテルの部屋をとった。モンクは喉の渇きを感じた――それはつまり、彼は何かを飲まなくてはならないということを意味する。モンクにとっては万事がその調子だった。眠くなければ三日でも四日でも、一睡もせず起きている。そしていったん眠くなったら、それがどこであろうと、丸二日眠り続ける。何かが欲しいと思ったら、彼はそれを手に入れなくてはならない。モンクはロビーまで歩いていって、戸口を埋めるようにぬっと立った。その姿はフロント係の男の前に、暗い影として立ちはだかり、おかげで彼は驚いて飛び上がってしまった。フロント係が動転したのは、その男が真っ黒で、図体が大きかったからというだけではない。まるで宇宙飛行士みたいな足取りで、よろよろとロビーに入ってきたからだ。目つきだけではなく、全体の挙動そのものに、どきっとさせられるものがあった。そこには今にも倒れんとする彫像のような趣があった。

　ほかにも原因はあった。フロント係の男はその朝きれいな下着を探したのだが、部屋の中をどれだけ探し回っても見つけることができず、仕方なくもう三日も身につけたままのショーツをはいて仕事にでてきた。それは黄ばんで、微かな悪臭を放っており、誰かがそれに気づくのではないかと、その男は神経質になっていた。そしてモンクは部屋に入ってくると、くんくんと鼻で匂いを嗅いだ。それが事態を悪化させた。というか、それが事態が悪化していった原因のひとつだった。もし彼が清潔なショーツをはいていたら、あるいはそんなことにはならなかったかもしれない。だが実際には、その居心地の悪さ、一日ずっとちくちく感じていた痒さが、その巨大な黒人男がロビーに入ってきて、空気の汚染を感じとったみたいに鼻をくんくんさせたとき、とうとう耐え難いものになった。モンクが口を開く前に、空き部屋はないよと、彼ははねつけるように言った。ローマ教皇かアフリカの大司教みたいに見える、わけのわからない帽子をかぶったモンクは、相手をまじまじと見つめた。

――Saywhaman（なんだって）？　彼が口にした言葉は唾混じりで意味不明なものになった。火星から届くラジオ放送みたいにしか聞こえない。

――空き部屋はない。満室なんだ。

――Tayuhglassawar（水をもらえるかね）？

――水って言った？

――Yauh（そうだ）。

――水が欲しいんだね？

　モンクは哲人のようにこくりと肯いた。彼はその男のまん前にぬっと立ちはだかっていた。まるで通せんぼをするみたいに、視野を遮《さえぎ》るみたいに。モンクの中にある何かが、フロント係の身体を怒りで震わせることになった。あたかもストライキでピケを張り、そこから一歩も退くまいと心を決めた男のように、そのフロント係の前にモンクは立ちはだかっていた。相手がどんな人間なのか、フロント係にはうまく判断できなかった。浮浪者ではなさそうだ。服装からすると……しかし、なんてことだ、相手の服装は彼に何ひとつ教えてくれない。ネクタイ、スーツ、コート、どれもスマートなものだ。なのに着方ときたらとことん出《で》鱈目《たらめ》だ。シャツはズボンからはみ出しているみたいに思えるし、靴下ははいていないように見える。

——水はないよ。フロント係はようやくそう言った。蛇口を急にひねったとき、そこからごぼごぼと最初に出てくる錆混じりの水のように、その言葉はむらのあるしゃがれた音を立てた。

——水はない。彼は咳払いをし、もう一度繰り返した。彼は前よりももっと怯えていた。その黒人男の黄色い目は、宇宙の二つの惑星のようにじっと彼を見つめていた。もっと不気味だったのは、モンクが見つめているのが彼の目ではなく、その五センチばかり上の一点であることだった。彼は自分の額に手を触れてみたが、そこには何もついていなかった。

——水はないんだ。聞こえただろう?

その黒人は石になったみたいに、そこにじっと立っていた。何か黒人特有のトランス状態に陥ったかのように。それほど真っ黒な人間を彼は今まで目にしたことがなかった。この黒人は何かしらの精神的な問題を抱えているのかもしれない、という考えが彼の頭に浮かんだ。危険な偏執狂かもしれない。こんな妙な目つきでじっと相手を見ているなんて。

——おい、聞こえただろう、ボーイ? 彼は今では自信をいくらか回復していた。ボーイという言葉を口にしたときから(ボーイは南部で黒人を呼ぶときの蔑称)、彼にとって今ある状況は、二人の個別の人間のあいだに生じたことというより、むしろ図式的なものに変わっていった。世間一般の人々がこちらに立ち、背後に控えて彼を支持しているというような。

――このホテルには水もないのか？　満室だっていうんだから、ここには喉をからからにしたマザファッカがさぞやたくさんいるんだろうな。

――生意気なことを言うんじゃない。そんな生意気な口をきくと――

そのときモンクは前に一歩踏み出し、明かりを完全に遮って、ひとつのシルエットとなった。彼の顔を覗き込むことは、明るい真昼に、真っ暗な洞窟に足を踏み入れるようなものだった。

――なあ、面倒なことはごめんだぜ、とフロント係は言った。「面倒」という言葉は瓶のように砕けた。彼の椅子は反射的に数センチばかり、びくついた軋みを立てて後ろにさがった。目の前に断崖のようにそびえる男とのあいだに、一定の距離を保持しなくてはならない。男の手は両脇に垂れ、その指の一本には大きな指輪がはまっていた。そんなもので殴られたら、頬が裂けてしまいそうだ。もし銃が手元にあれば、おれはきっとこの男にそれを突きつけているだろうと、そのときフロント係は思った。あとになって記憶を辿り、その黒人がとった何かの行為がというよりは、そういう考えが自分の頭に浮かんだことが、事態を何よりもエスカレートさせたのだと思い当たった。ひとつの言葉が引き金になって、次の言葉へと結びついていった。「面倒」という言葉が「銃」という言葉を導き出し、「銃」がすぐさま「警察」という言葉に繋がっていった。

――今も言ったように、ここでは面倒はごめんだ。すぐにどこかに消えてくれ。さもないと警察に連絡する。

相手は石のように黙りこくってそこに立っていた。「グラス」と「水」という以外には、ひとつとして言葉を持たないように。顔に浮かんだ表情は大きく変化を遂げていた。その目には何も映らず、自分がどこにいるのかもわからず、頭が空白になっているみたいだった。今にも爆発してしまいそうなくらい、身体の内部がどんどん膨れあがっている。フロント係は恐ろしくて、電話するのをやめようかとさえ思った。電話をかけたことがきっかけになって、今じっとこもっている殻の中から、この男がぱっと飛びかかってくるかもしれない。かといって何もしないでいることは、もっと恐ろしかった。いちばんうまいやり方は、できるだけ平然とやってのけることだと彼は心を決めた。電話機を引き寄せ、ゆっくり受話器を取り上げ、メープルシロップの壺に指を入れるみたいにそっとダイアルを回した。

——警察ですか？　しゃべりながらずっと彼はその黒人に片目を、あるいは両目を向けていた。胸を上げ下げするほかには、彼はまったく動きを見せなかった。呼吸をしているのだ。

——ええ、出て行ってくれと言っても動かないんです。そこにじっと立って、なんといえばいいのか、面倒を起こしそうなんです……ええ、そう言ったんですが……ええ、物騒なことになるかもしれません。

彼はゆっくり受話器を戻した。彼の行為は今ではすべてゆっくりしたものになっていた。するとそのとき、もう一人の黒人と、いかにも金持ち風の女がロビーに飛び込んできた。

——セロニアス、何があったの？

彼が何かを言う前に、フロント係が口をはさんだ。

——このおかしなのはあんたの連れなのか？

彼の恐怖は引いていった。この状況はどうとでも自分の好きなように収めることができる、そんな自信が今では湧いてきた。まるで壁を這っている虫でも眺めるような目で、女はフロント係を見た。どこに行っても、常に特権という囲いに護られる種類の女だ。その丁重さでさえ、軽侮のひとつのかたちである。彼女がある者たちに向けて振りまく愛想の良さも、それ以外の人々に、自分たちはそのような富裕階級から排除されているのだと知らしめることになる。

——どうしたの、セロニアス？

彼はなおも口を開かなかった。ただじっとフロント係をぎらぎらと睨みつけているだけだ。

——遠くに行かない方がいいよ、レイディー。

警察がこちらに向かっている。彼らはあんたにも事情を聞きたがるだろう。

——何ですって？

——もうやってくるところだ。

まるで前もって打ち合わせができていたかのように、その英国女王みたいな話し方をする女と、もう一人の黒人は、大男をロビーから連れ出し、車に向かった。モンクは運転席に座り、エンジンをかけたが、まさにそのとき警察の車が到着した。三人の警官がのっそりと出てきた。フロント係が警官たちの背後に身を隠しながら、彼らを車まで案内した。質問が矢継ぎ早になされた。警官たちには丁重に振る舞うつもりは最初からなかった。どのようにこの場を収めるべきかわからなかったが、警官らしいタフな姿勢が自分たちに求められていることはよくわかっていた。キイを回してエンジンを停めろと、彼らは命じた。モンクはそれを無視し、相変わらずまっすぐ前方を睨んでいた。まるで霧の夜にじっと目を凝らし、視界の悪い道路に車を走らせているみたいに。一人の警官が手を伸ばして、自分でエンジンを切った。英国女が何かを言った。

——レイディー、あんたは黙っていなさい。全員外に出てもらおう。そいつが最初だ……おい、あんた、車から降りるんだ。

その黒人はステアリングの上にかがみ込んでいた。まるで嵐をくぐり抜けていく船の艦橋にいる船長のように、両手は完璧に舵に固定されている。

——おい、耳が聞こえないのか？　車から降りるんだ。いいから外に出ろ。

——おれにまかせろ、スティーブ。

もう一人の警官が頭を中に突っ込んで、モンクの顔の近くに寄せ、静かなほとんど押し殺したような声で言った。

——おい、この野郎、左巻きのニガー。十秒以内に車から降りなかったら、力ずくで引きずり出すぞ。わかったか？

黒人はそれでも動かなかった。大きな両肩。

ローマ教皇のような馬鹿げた帽子をまだかぶっている。

――よし、そういうつもりなんだな。警官はさっと手を伸ばして相手の肩をつかみ、身体を半分車から引きずり出した。しかし男の両手はまだ車のステアリングをつかみ続けていた。まるでそこに手錠で繋がれているみたいに。

――この野郎。警官は男の手首をつかんで引っ張り始めた。しかしその手首は太く、しっかり筋肉がついて、びくともしなかった。英国女は大声を上げ、警官たちも大声を上げていた。

――痛い目にあわせてやる。警官たちは互いに邪魔し合うような格好で、それでも一人が警棒を抜いて、それをモンクの手に振り下ろした。狭い車内だから制限はあるが、可能な限り激しく、素速く警棒を振り下ろした。血が滲むほど強く。両方の拳が膨らんできた。英国女は金切り声を上げていた。彼はピアニストなのよ。手が駄目になる。手が駄目に……

ヴァンガードは満席だった。モンクはソロ・ピアノを弾いていた。二人の大学生がピアノのすぐそばのテーブルを取ろうとして、ドアマンに交渉を持ちかけていた。

――冗談だろう。演奏が始まってからのこのこやってきて、真正面のテーブルをとってくれなんてね。みんな彼の両手が見たくて、ここにやってくるんだよ。

ボストンのホテルで、彼はもう一時間半もロビーの中を歩き回っている。四方の壁を点検し、絵でも見るみたいにまじまじとそれを眺め、両手で撫で回し、軌道を描くように部屋の中を回り、ほかの宿泊客を怯えさせていた。部屋を求めたのだが、断られた。おとなしく立ち去るように命じられた。出ていくとき、十分にわたって回転ドアの中を歩いていた。ピット・ポニー（炭坑の中で石炭を運搬する使役小馬）のように我慢強くドアを押していた。

その夜のギグでは、彼は二曲を演奏しただけで、ステージを降りてしまった。一時間後にそこに戻ってきて、さっきと同じ二曲をもう一度弾いて、そのあと半時間ばかりただじっとピアノを見つめていた。やがてバンドのメンバーがステージを降り、支配人がスピーカーから「フー・ノウズ」を流した。観客たちも帰ろうと席を立った。モンクは本当に、自分たちの目の前で頭がおかしくなってしまったのだろうかと案じながら。ヤジを飛ばしたり、苦情を言ったりする者は一人もいなかった。何人かは彼に話しかけ、その肩に手をかけた。しかし反応はなかった。そこにいる全員が、三十年後の世界にタイムトリップして、「ピアノの前のセロニアス・モンク」という特設セットの中に入り込んでしまったかのようだった。昔のジャズ・クラブの雰囲気を真似て再現した、博物館の展示の中に。

　そのあと、ネリーを求めてパニック状態になり、全速力で空港に向かっているとき、モンクは州警察官に停められた。疲れてくたくたになっていた彼は、一切口をきくことを拒否した。名前さえ告げなかった。彼は長く眠った。病院の中にいる夢を見た。目が覚めたとき、彼はスプーンで食事を食べさせられていた。崩れ落ちた建物の瓦礫に閉じこめられた男のように、彼は看護婦たちの顔を見あげた。まるで獣に対するみたいに、彼の目に光があてられた。彼は自らの中にしっかり閉じこもっていた。何かとても大事なものを抱えているのだが、それが何であったか思い出せない人のように。

　この男はずいぶん前から頭がおかしかったのだと、人々は言った。だからまるで古株の患者よろしく、ローウェルばりのパジャマ姿（躁鬱病でたびたび入院した詩人ロバート・ローウェルへの言及）でふらふら歩きまわっているのだ。彼がピアノでいくつかのコードを弾いたとき、正規の訓練を受けていない音楽本能がその手を痙攣させ、ある種の歪んだ美しさを叩きだしているのだろうと、医師たちは考えた。どたどたと稚拙に鍵盤を打っているだけだと。ほかの患者たちは彼の演奏を好んだ。ある者はそれに合わせて吠え、ある者はそれに合わせて歌った。一人の男と、死んでしまった彼の忠実な馬についての歌だ。ほかの数人はただ泣いたり、笑ったりした。

沈黙が埃のように彼の上に落ちた。彼は自分の中に沈み込んで、そこからもう出てこなかった。

――人生の目的とは何だと思いますか？

――死ぬことだ。

彼は人生の最後の十年間をニカの家で過ごした。ハドソン河を隔てたニュージャージーの側にその家はあり、高い窓からマンハッタンの風景をたっぷりと眺めることができた。彼はネリーと子供たちと一緒にそこで暮らした。彼はもうピアノには手を触れなかった。そんな気持ちになれなかったからだ。誰にも会わず、ほとんど口もきかず、ベッドからも出なかった。花鉢の匂いを嗅いだり、埃をかぶってしなっとした葉を眺めたり、そんな何でもない感覚を楽しんだ。

――彼の身に何が起こったのか、それはわかりません。何かに縮み上がって、そのまま戻らなくなってしまったのかもしれません。何かがさっと彼をかすめていったのでしょうか。車の流れの中に急に足を踏み出して、危うくはねられそうになった、そんな具合に。彼は自分の中にある迷路に入り込んで、道がわからなくなり、その中をうろつきまわっているんです。出口を見つけられないまま。

おそらく外部では何も起こらなかったのだろう。大事なのはただ、彼の頭の内部の気象であり、そこで急にすべてが雲に覆われてしまったのだ。以前にも何度か起こったことだが、それが今度は十年間も続いた。絶望によるものではない。むしろその正反対だ。それは充足のひとつのかたちであり、それがあまりにも満ち足りていたので、深い休眠状態に近いものが生まれたのだ。ちょうどあなたが一日中ベッドの中に留まっているようなものだ。新たな一日に直面するのが怖いからではなく、ただベッドから出ようという気持ちにならないから、そこに横になっているのが気持ちよいから、そうしているだけだ。誰だって「何もしない」という衝動を抱えているが、その衝動に全面的に身を任せることは希である。でもモンクは、いつだって自分がやりたいことをやることに馴れていた。もし十年間ベッドの中にいたいと思えば、彼は迷わずそうしたことだろう。何ひとつ後悔することなく、何ひとつ欲求を持つこともなく。モンクは思うがままに生きる人間であり、自己規範みたいなものは持ち合わせなかった。そんなものは彼にとってまったく不必要だった。仕事をしたいと思えば仕事をした。彼はもう仕事がしたくなかった。何ひとつしたくなかった。

――ええ、彼の中には多くの哀しみがあったと思います。彼の身に起こったものごと、その多くは彼の中に残りました。そのうちのいくらかを彼は音楽のかたちで表現した。怒りとしてではなく、あれやこれやの哀しみの断片として。「ラウンド・ミッドナイト」、あれは悲しい曲です。

ニューヨークの秋、落ち葉が足もとで茶色のぬかるみになり、目に映らぬほどの雨が降っている。靄が輪光のように樹木のまわりを囲み、時計は十二時を打とうと用意している。あと少しであなたの誕生日が巡ってくる、モンク。
街は浜辺のようにしんとしている。交通の騒音が潮騒のように聞こえる。水たまりの中でネオンが眠っている。閉まりかけている店、まだ開いている店。バーの外で人々が別れの挨拶をしている。それから一人で家まで歩いて帰る。仕事はまだ続いている。都市が自らを修繕しているのだ。
どこかの時刻に、すべての都市はこのような感覚を帯びる。ロンドンではそれは冬の夕方の五時か六時だ。パリにもそういう時刻はある。

夜遅く、カフェが店仕舞いする時刻だ。ニューヨークではそれはいつと決まっていない。朝早く、ビルの渓谷を光がよじ登り、街路がどこまでも——世界中が都市ではないかと思えるくらい果てしなくどこまでも——延びている時刻かもしれない。あるいは真夜中の鐘が雨の中に漂い、すべての都市の切望が、唐突に訪れた理解の明晰さと確実さを獲得する、このような時刻かもしれない。一日が終わりに近づき、人々は無力感ののしかかるような重みを、これ以上回避することができなくなっている。その無力感は朝から夕暮れへと、だんだん強いものになっていった。翌朝目が覚めれば、新たな日は明るく、気分もきっと持ち直していることだろう。それはわかる。しかし時間が経つにつれ、心は再びこのような静かな孤立感へと導かれていくはずだ。皿がきれいに片づけられているか、それとも流しの中に汚れた食器が積み上げられているか、そんなことはどちらでもかまわない。なぜならどのようなディテイルであれ——クローゼットにかかった衣服、ベッドの上のシーツ——それらが語る物語はみんな同じものだからだ。その物語の中で人々は窓際に歩いていって、雨に光る通りを眺め、どれくらいの数の人々が自分と同じように通りを眺めているのだろうと考える。どれくらいの人々が月曜日を心待ちにしているのだろうと考える。ウィークデイには目的が備わっている、しかしその目的は週末になれば消えて、そこにあるものといえば洗濯物と新聞だけだ。

　そしてまた彼らにはわかっている。そんな考えは、どのような種類の啓示をも意味していないのだと。なぜなら彼らはそれまでに自らを、どうにか耐えることのできる絶望の同一ルーティンの一部に、そしてまた毎日《エブリディ》へと絶えず分解していく要約の一部に、化してしまっているからだ。すべてを後悔しながら、それと同時に何ごとをも後悔しないでいられる一刻《いっとき》、一日のうちの一刻、そんなとき、すべての独身者の唯一の望みといえば、自分を愛する誰かが存在し、その誰かはたとえ世界の反対側にいても、自分のことを考えてくれていることだ。その時刻には一人の女が、自分のまわりに湿った都市がたれ込めているように感じている。どこかのラジオから流れてくる音楽を耳にし、上を見あげ、その黄色い明かりのついた窓の奥でどんな生活が送られているかを想像する。その時刻には一人の男が流し台の前にいる。テレビの前にひとつの家族が参集している。恋人たちはカーテンを引き、机の前に座った男は、ラジオから流れる同じ曲を聴きながら、このような言葉を並べている。

暗闇の中で雷鳴がうろうろとさまよっていた。雨粒が何滴かフロントグラスに散って、それから嵐が二人を呑み込んだ。風が畑の上をうなり声を上げながら抜け、車体を激しく叩いた。雨が屋根を激しく打った。ハリーはデュークの方を見た。デュークはシートにもたれ込むように身を沈め、前方をまっすぐ睨んでいる。対向車のヘッドライトが、フロントグラスに走る水流に、花火のように跳ねて光った。ともあれ、彼の音楽が作られていくのは、まさにこのようなエピソードからだった。彼の場合、音楽が音楽の形をとってやって来ることは希だ。すべてはムードとか、印象とか、彼が見たり聞いたりしたことから始まった。彼はそれを音楽に翻訳していった。フロリダのはずれをドライブしているとき、二人は目には見えない鳥の声を聞いた。その声はあまりにも完璧であり、あまりにも美しかったので、地平線を赤い縞に染める夕日をバックに、それがシルエットとして浮かび上がる様を目にしたと言い切ることもできそうだった。例によって二人には、車を停めるような余裕はなかった。だからデュークはそのサウンドをノートにメモし、後日「夕日とモッキンバード」という曲の原型とした。「蛍と蛙」という曲は、二人がシンシナティを出ようと車を走らせているときに着想を得た。高い樹木が並び、その背後をピンポン球のような月が照らしていた。蛍が空中に光り、あたりは蛙たちのげろげろというバリトンの声で満ちていた……。ダマスカスでデュークは、地震そこのけの車の轟音で目を覚ました。世界中のラッシュアワーが一度に、ひとつの街に押しかけたみたいな騒ぎだった。寝ぼけまなこをこすりながらも、彼はせっせとそれをオーケストラの楽譜に移し替えていた。ボンベイの明かり、アラビア海の上に浮かんだ空、セイロンのゴミ嵐――たとえどこにいようと、どんなに疲れていようと、それをノートに書き付けた。そこにどんな意味があるかなんて、いちいち考えもしない。あとになればそこに必ずや音楽的なポテンシャルが見いだせるはずだ。山や湖や通りや、女たち、娘たち、可愛い女たち、きれいな女たち、通りの眺め、夕日、海洋、ホテルからの眺め、バンドのメンバーたち、古い友だち……自分が目にする文字通りすべてが音楽に転じていく、そんな境地に彼は達していた。それは地球のパーソナルな地理学であり、色彩や音響や匂いや食べ物や人々、彼が感じ、手を触れ、目にするすべてのもののオーケストラ的伝記であり……そう、彼はサウンドにおける文章家だった。彼が取り組んでいるのは巨大な音楽的フィクションなのだ。常に追加を受けつつ、究極的にはそれ自体について、それを演奏するバンドの人々について語られる音楽的フィクション……

雨脚はしばし弱まり、それから前よりもいっそう強くなる。フロントグラスの向こうは、滝壺の裏から外をのぞいているような感じだ。風は狂人のようなうなり声を上げる。ハリーはしっかりハンドルを握り、デュークを見やる。この嵐が彼の音楽の中に入り込んでいくのに、あとどれくらいかかるんだろうなと考えながら。

ここはまるで降霊会のようだよ、バド

バド・パウエル

ここはまるで降霊会のようだよ、バド。明かりはほの暗く、蠟燭の炎が燃えている。机のまわりには、あなたの写真がいくつも立てかけられ、ステレオは「ガラスの檻」を小音量で流している。僕はサード・ストリートのこのアパートメントに座り、バド、あなたの音楽を通してあなたに近づこうとしている。

ほかのみんなにとって――たとえばプレズやモンクやミンガスにとって――音楽とは足跡だ。僕はそのあとを辿ることができるし、最後にはそれはいつも僕を彼らのすぐ近くにまで運んでくれる。彼らの動きを目にしたり、彼らの語る言葉を耳にしたりできるくらい近くに。でもあなたの場合はそうじゃない。あなたの音楽はあなたを囲み込み、封印してしまう。あなたの写真も同じだ。あなたの目はサングラスのような役をつとめ、その奥にあるものをひた隠している。あなたが世界から切り離されているというよりはむしろ、世界があなたに近づけないでいるように見える。たとえリラックスしているときでさえ、あなたは何かをしっかり護っている男のように見える。地所を囲んでいる金網の端に立って、写真に写されている農夫のように見える。あるいはこの写真――結核治療のために入っていたサナトリウムの外で、バターカップやジョニーと一緒に写された写真のように。あなたが写ったすべての写真と同じように、それは端っこで撮られている。季節の境界線で。そこには見えない樹木を通して、軽い雨が降りかかっている。あなたのレインコートは首のところまでボタンがかけられている。帽子は額に下ろされ、目を隠している。バターカップはハンドバッグを抱え、頭にスカーフを巻いている。あなた方三人は、もともとそんな余裕もなければ、楽しめるあてもないのに休暇にでかけ、悪天候につかまってしまった貧しい一家のように見える。あなたは写真のためにうまくポーズを取ることができない人々の一人らしい。あなたは動きを止めてしまう。まるでその画像の静けさは、あなたが動かないことにかかっているとでも言わんばかりに。あなたが少しでも長く静止していればいるほど、優れた写真が撮れると思い込んでいるみたいに。

ピアノの前のあなたの写真はそれとは趣を異にしている。バードランドで撮られたこの写真のように。あなたはその晩もまさに絶好調、相手が誰だろうとステージから追い落とすことができた。バードだろうがディジーだろうが、敵じゃなかった。何コーラスも続けてソロをとり、ビートに合わせて肩をすくめ、目を閉じ、こめかみの血管をうずかせる。汗が雨のように鍵盤に落ち、唇がめくれて歯がむき出しになる。右手は岩を流れる水のように音を立てて踊りまくる。足は床を叩いてリズムをとる。右手の動きが複雑精緻になればなるほど、そのリズムは強いものになっていく。メロディーは花のように咲きこぼれ、そして褪せて消えていく。推進力《モメンタム》は決して緩むことなく、やがて優美に苦もなく、バラードへと滑り込んでいく。鍵盤たちはあなたのもとにすり寄ってくる。互いに競い合うようにあなたのタッチを求めている。ピアノは百年にもわたって、このチャンスを待ち受けていたかのようだ。黒人男の手にとられ、サックスやトランペットのように奏でられるのがどんな気分かを知るためのチャンスを（バド・パウエルはそのホーンライクな右手を駆使する演奏で知られた）。曲と曲のあいだに客席に向かってうなり声を上げる。あなたの行く先々、人々があなたの名前を囁き合うのが聞こえる。バド・パウエル、バド・パウエル。

　音楽はあなたから何も奪い取らない。奪い取っていくのは人生だ。あなたに与え返されるのは音楽だ。しかしそれは対価として十分ではない。十分にはほど遠い。

　もう一枚の別の写真がある。一九六五年に撮られたものだ。その頃にはあなたはひとつの曲を満足に演奏することができなくなっている。ピアノは手のつけようのない、でたらめな楽器に変わり果てている。あなたはまたがるように椅子に座り、テイタムばりの髭をはやして、カメラに向かって微笑みかけている。テイタムばりに肥満してもいる。あなたは何日間もそのようにして自室に座り続けていたものだ。そうだね？　人々はあなたのもとを訪れ、あなたはそこにいた。どんな質問をされても返事をせず、世界に向けてただ穏やかに微笑みかけ、口を閉ざしていた。

　写真とは時間の忘我の中で捉えられた像だ。その像が溶けて、息を吹き返すのを待つのは、あなたと一緒にそんな部屋に座って、あなたが恍惚から抜け出し、動き、語り始めるのを待っているようなものだ。あなたの家を訪れ、そこにあなたと一緒にいるようなものだ。

　バド？　バド？……もしあなたがそう望むのなら、僕が二人ぶんの会話を引き受けてもいい。たぶんあなたが僕の話を聞いている様子から、何かを僕は読みとれるだろう。たぶん僕はあなたがその人生の痛みを、いくつかの曲の弾むようなオプティミズムによって、いかに帳消しにしていたかを学ぶだろう。「オブリヴィオン（忘却）」「ウェイル（悲嘆の叫び）」「ハルシネーション（幻覚）」「ウン・ポコ・ロコ（少し気が触れている)」といった曲だ。あなたが演奏するすべての音楽が、あなたの人生という苦悶に満ちた小説から破り取られたページであることを、僕は求めている。「ガラスの檻」があなたにとっての『ブルーの中で目覚めて』(ロバート・ローウェルの詩)であることを求めている。しかし実際には、それはピアノの小曲というかたちの中に氷漬けにされた交響曲のように聞こえる。あなたが演奏するスタンダード曲だってそのような特質を持っている。コンサート・ピアニストの絢爛さと威厳を。あなたは「月光と水玉模様」のような曲を取り上げ、それを宮廷おかかえ作曲家の手になる作品のごとく響かせる……

あなたは本当にしんとしてそこに座っている。バド、僕にはわからない。あなたに僕の言うことが聞こえているのかどうかさえ。僕はきっと、セットの合間にあなたにつきまとって、あなたが聞きたくもないような質問を浴びせ、勝手な話をしゃべりまくっている酔客みたいに見えることだろう。あなたが考えていることを——あなたが考えているとこちらが考えていることを——勝手に言葉にして口に出すような。僕には知りたいことが山ほどある。でもあなたは深い沈黙を守ったままそこに座っている。だから僕としてはあなたに向かって、ただ語りかけるしかないのだ。自分で自分の質問に答え、あなたの心に届く何かを、あなたをその静けさの中から誘い出すだけの真実に満ちた何かを、自分が口にすることをただ期待して。あなたが危険を避けるために、鍵のかかるところに閉じこもっていた時期についてのすべてを僕は知りたい。一九四五年の十週間と、一九四八年のほとんどすべてだ。いったん退院したものの、数ヶ月のちにはあなたはまたそこに舞い戻ってきた。一九四九年の春に再び施設を出て、一九五一年の九月にピルグリム州立病院に収容され、それからクリードムアに移され、一九五三年まで治療を受けていた。電気痙攣セラピー、鎮静剤……その日付を辿るのは簡単だ。でもそれはいったいどのようにして起こったんだ、バド？ 誰もその経緯を知らないようだ。あなたがそのとき二十五歳であったという以上のことは。まだ二十五歳という若さで、あなたは連中にばらばらにされ、その後死ぬまで、自分という人間を再びつなぎ合わせるために苦労をしなくてはならなかった。ハーレムのサヴォイ・ボールルームに入ろうとして、その店の用心棒に頭をメロンのように叩き割られてしまったのか？　それともあなたは酔っぱらっていて、あなたの頭を打ちのめす口実を探していた警官たちに取り囲まれたのか？　わめくと同時に懇願し、目の奥に涙を溜め、事態がもう誰の手にも負えなくなってしまっていることを感じながら。大股でそこを立ち去ろうとすると、手が伸びてきてあなたの腕を掴み、向きを変えさせ、何かまずい事態の渦中にいつもあなたを投げ戻す。人生のある種のものごとはそのようにして起こる。そいつはあなたが通りかかるのをじっと待ち伏せているのだ。雨のように我慢強く。

あなたは黒い靴を履き、黒いスーツを着て、雨傘を手に、まるでビジネスマンが会社に入っていくみたいに、トラブルのただ中に足を踏み入れる。カフェの明かりは近くの壁に「逆上(berserk)」という暴力的な言葉を殴り書きしている。側溝は既に割れたガラスで光っている。混じりけなく脅迫を含んだ険しい声が言う。

——お前に警告する。

あなたは目に恐怖を浮かべてその声のする方を見る。あなたに選べる道はどんどん狭まっている。いちばん手近にある顔にあなたは殴りかかる。迫ってくる制服の男たちのあいだをなんとかすり抜けようと必死になって。何本もの腕があなたを摑む。拳がひとつあなたの顔の片側を麻痺させる。よろけ、また身体のバランスを取り戻しながら、一本の腕が空中高く上げられるのを目にする。木の枝にするするとのぼって、そこから垂れ下がる絞首縄のように高く。それから警棒が振り下ろされ、長い悲鳴があがる。人が人に対してそんな酷いことができるなんて、と思うだけの時間の余裕がある。そんなに強く頭を殴打されたら、頭蓋骨が割れ、脳が砕かれ、命だって奪われかねないのに。一人の警官が口を開けて何かを叫ぶのをあなたは目にする。

――ノー、ノー。

振り下ろされる警棒が落ちてくるあいだに、あなたの手は一インチか二インチだけ上にあげられる。雷のような光があなたの頭を割る。永遠に続く雷光。銃が頭蓋骨につきつけられて発射されたようなもの、窓ガラスを金槌が打ったようなものだ。あなたは膝から崩れ落ちる。片手が持ち上がり、近くにいた警官のガンベルトにしがみつく。なんとか立ち上がろうともがきながら。最初の一打の衝撃は今ようやくあなたの頭を巡っているところだ。節くれ立った木材に与えられた斧のショック波のように。ノー、ノー、ノー。

――ああ、なんてことだ。

本当はそうではなかったのかもしれない。でもきっとそれに近いことであったに違いない。二十年後、あなたは苛酷な夜に目覚め、頭蓋骨に痛みを感じることになる。頭蓋骨はそれ自体をなんとか継ぎ合わせようと、なおも試みているる。それが起こったとき、あなたはまだ二十五歳だった。ナイフのように若くて傲岸不遜、欲しいものはなんでも手にはいると思っていた。泥だらけのブーツで「ミントンズ」の白くきりっとしたテーブルクロスを踏みつけていった。ウェイターたちはあなたを捕まえようとしたが、モンクがそのとき叫んだ。

――みんな動くんじゃない。

だから全員がその場に立ちすくんだ。あなたは子供が池の飛び石をつたっていくみたいに、テーブルトップを次々に踏み越えていった。たぶんあなたは潜在的に常にコントロールのきかないところがあったのだろう。しかしその潜在性は今ではすっかり解き放たれていた。ヘロインと酒のせいだ。酒を二杯も飲めば、あなたはそれだけでワイルドになった。なのにあなたは、まるで砂漠を這い出して蜃気楼に入ろうとする人のように派手に酒をあおった。酔っぱらうというより、収拾がつかない状態になった。バードランドで、ミンガスやブレイキーやケニー・ドーハムやバードと演奏したあの夜のように。その六ヶ月前にバードは自殺未遂をして、ベルヴュー病院で治療を受けていた。その夜がカムバックのステージだった。彼がもう全快したことを人々に示すためのものだった。ところがバードはファースト・ステージをすっぽかした。へべれけで、鍵盤はあなたの手の下で、まるで海に浮かんだ船のようにゆらゆら上下していた。曲は途中ですっかりばらばらになり、五度の音はことごとくミスタッチだった。ふと頭に浮かんだ曲からあちこちの部分を引っ張ってくるのだが、やがてそれも忘れて別の曲に移った。おしまいには間違った音符がもつれ合った、イバラの藪のような有様になった。

セカンド・セットをあなたは一人で始めた。笑みを浮かべてお辞儀をし、少しダンスをして、おかげであやうく客席に転げ落ちるところだった。それでもなんとかピアノの椅子にたどり着く。指が鍵盤の上をとりとめなく這い回り、まるでグラスの縁から酒が溢れてこぼれ落ちるように、曲《チューン》がフロアに垂れて水たまりとなる。ミンガスとドーハムが演奏に加わったが、今ではピアノはもうあなたが床に崩れ落ちるのを支える役目しか果たしていない。

バードが姿を見せる。また酔っぱらっている。前日の夜、あなたはバードのところに行って笑顔でこう言った。

——なあ、バード、いいか、お前の演奏はもうクソみてえだよ。ぜんぜんいけてないぜ。お前もうおしまいだよ。

バードは微笑みを返しただけだった。彼は最初の曲のタイトルを告げる。「ハルシネーション（幻覚）」だ。しかしあなたはバードが来る前にやっていた曲を弾き続けている。バンドはゆっくりと演奏を中断する。バードはもう一度曲名を告げる。しかしそれでもまだあなたは演奏をやめない。耳が聞こえなくなったみたいに。

――さあ、もういいだろ、バド。

――キーはなんだ。マザファッカ？

――キーはＳだ。シット（糞）のＳだよ、マザファッカ。

――クソみてえな曲の、クソみてえな……

そう言うとあなたは鍵盤に肘を叩きつけ、誰にもよく聞き取れない言葉を叫び、よろめきながらステージを降りる。足がずるずるとそのあとからついてくる。バードはマイクの前に立ち、のったりとした低い声で、何度も何度も繰り返して言う。まるで森の中で迷った人を呼ぶように。

――バド・パウエル。

――バド・パウエル。

――バド・パウエル。

クリードムア病院で、あなたは壁に鍵盤の絵を描いて、新しい和音を叩き出し、指を突き立てて、白い壁にいくつもの指紋を残す。バターカップが面会に来ると、あなたは彼女の両手を掴み、彼女の瞳の中に愛を求める。そこには常に愛と、質問が浮かんでいる。どれくらいかかるの？　あなたに少しでも早く良くなってもらいたい。でも彼女はまたこうも思う。どれくらいで、それがまた元に戻ってしまうのだろう？何かが終わりを告げ、別の何かが始まるのを常に待ち続ける。崩壊《ブレークダウン》の兆しが現れ、小さないくつかの出来事が彼の頭でもつれ合っていくのを……

ある日の午後遅く、彼は目を上げ、旗の影がそのブロックの最上階あたりにぴたりと投じられているのを目にする。近くのビルの屋上に星条旗が翻っているのだろうと思って、あたりを見回してみる。でも何も見えない。ただ暗い影のさざ波が壁の上に踊っているだけだ。翌日、彼は事物のテクスチャーの中に囁き声を聞く。建物の壁が震えているのに気づく。突然いろんなものが気になってくる。コーヒーカップをテーブルの真ん中に置くが、床に落ちて割れてしまう。削岩機が路面を打っているのを目にする。

圧搾空気ドリルが路面を砕き、破壊球が建物の壁を叩き破るのを目にする。歩道の上を滑るように移動する鳥の群れの影に驚かされる。何ブロックか先で、作業員たちが古いビルの非常階段を修理しているのを、彼は目にする。青と白のアーク式溶接機の光、その光はあまりにも明るすぎる。でもそれを知りながらも、ついじっとその光を見つめてしまう。目を背けたとき、明るい光の皿が視野に浮かんで、ふらふら漂っている。その残像が消え去るのを待つが、マグネシウムのまぶしさが彼の網膜を傷つけてしまっている。青い力として、銀色の煌《きら》めきとして、彼の脳裏に焼き付いてしまっている。

　突風が激しい音を立てて市内を吹き荒れている。竜巻が通りを総なめにしていく。精肉工場のある地域では、屑肉混じりの悪臭に空気が淀んでいる。裂かれた屠体が鉤に吊されている。凍った肉のピンクや黄色の彫刻だ。

　彼に呼びかける人々の声が聞こえる。単語はばらばらの音節に砕けて割れる。人々が彼を見ていることがわかる。彼に何かまずいところがあることに気づき、彼のあとを追っている。明るい陽光の中を雷光が走る。彼はクリスマスの買い物客の中に死者たちの顔を認めるようになる。

　大きなサンタクロースが微笑み、彼の顔の前でからからと缶を鳴らしている。ウィンドウのディスプレイは死者たちのためのプレゼントできらびやかだ。誰かが彼の腕に手を触れる。振り返るとアート・テイタムがそこにいる。顔に笑みを浮かべ、彼には理解できない言葉を口にしている。テイタムは彼の腕を取り、目の見えない人を扱うように導いていく。大通りからあまり人気のない通りに彼を連れて行く。人通りが少ないので、車道にもまだ雪がむらなく残っている。

　——あんたはもう死んでいるじゃないか。なあ、もう死んでいるはずだぜ、と彼は出し抜けにテイタムに言う。

　テイタムは笑う。

――ああ、そのとおりさ。

二人は凍りついた階段を地下のバーに向けて降りる。こぼれた明かりが雪を黄色く染めている。店内は琥珀色のランタンに照らされている。色とりどりの飾りリボンやデコレーションが、天井からぶら下がっている。バーの柱には、金箔がツタのように絡められている。密に浮かんだ煙の中を、テイタムのあとについて歩いていく。バーにいる全員が彼の顔を見て、声をかける。よう、いつ街に戻ったんだ？　今度はいつ演奏するんだね？　聴衆の叫びやかけ声が、彼には見えないステージから聞こえるトランペットの鋭い音色に、句読点をつける。黄色い霧のような明かりに目が慣れると、バーは死者たちでいっぱいであることが見て取れた。バディー・ボールデン、キング・オリヴァー、ファッツ・ウォラー、ジェリーロール・モートン……バーにいた人々はテイタムのために道を空ける。テイタムは酒を注文し、パウエルに渡してくれる。ピアノを弾いてくれるのかいと尋ねられると、またあとで、またあとでな、と返事をし、ビールをおごられると、それを受け取りながら。

――おれは死んでいるのかな、アート？　バドはテイタムの耳のそばでそう尋ねた。

――ああ、ていうか、お前さんは死ぬことについてもう心配しなくてもすむ段階に達しているみたいだぜ。なぜならそれは既に起こったことだからさ。

――なんで、自分で死んだと感じないのかな？

――ここでは誰も、自分が死んだとは感じないんだ。

ボールデンがこちらにやってきて、テイタムを抱きしめるのを彼は目にする。それからボールデンは彼の方を向いて、にっこりと微笑む。

――バド・パウエル、そうだね？　勢いよく握手をし、彼の肩をとんとんと叩きながらそう言う。彼はボールデンの写真を一度も見たことがない。でもそれがボールデンだとわかる。まわりのすべての人々が彼を見て肯く。もう二十年くらいこのバーに通っている馴染み客になったような感じだ。ボールデンは彼をキング・オリヴァーに紹介する。そしてすぐに彼は、このバーにいる全員が死者であることを忘れてしまう。自分が感じていた驚きを放棄してしまう。それが何かの偏見であるかのように。白人しかいない場所に入り込んだのに、誰一人肌の色に注意を払わないので、いつしかそのことを失念するみたいに、生者が一人もいないバーに自分がいることをすっかり忘れてしまうのだ。

再び外に出ると、火事で焼けたビルが石造りの津波のように背後にそびえている。影が彼のまわりにとぐろを巻く。一軒の店の赤と銀色の明かりの中に、彼は自らの姿をかいま見る。自分がガラスでできているのではないかと思って、そのウィンドウを蹴ってみる。彼の反映が震え、霜のように凍りつき、やがてゆっくりとしたガラスの霧雨が生じ、彼の顔は粉々になって床に散らばる。雨が降り出し、ほどなく彼のまわりで嵐が音もなく吹き荒れる。雹《ひょう》が物音のない街路をうがつ。誘いかける酒屋の明かり、黄色い雨のように街路を滑っていくタクシー、それらは賑やかな追っかけあいに満ちた無声映画よりももっとしんとしていた。ニューヨークはたぶん地球上でもっとも騒がしい場所だ。しかしそこにいながら、彼の耳には物音ひとつ届かない。一台の車が別の車の後ろに静かに回り込むのが見える。二人のドライバーが外に出てきて、怒りのジェスチャーを真似て、お互いの前で沈黙のダンスを踊る。雷光の痙攣が、街路を浸す。彼は歩道の縁から、ガソリンの色を浮かべた雨水の池へと足を踏み出す。足首のまわりを、雹が鉄条網となってもつれ合い、薄く氷結した湖上の星空のように、音もなく破裂する。彼は風を感じ、顔を打つ雨を感じる。しかし音はない。風や雨は外的なものではなく、彼の内奥で起こっている何かに対する、皮膚の不思議な反応のようだ。ひび割れた路面から吹き出す蒸気の中を、一台のタクシーが幽霊のごとく走り抜けていく。パトカーがゆっくりと通りかかる。赤と青の回転する光の大鎌によって、雨がざくざく刈り取られていく。

セントラル・パークでは雨が降り、雨が止んだ。雲が波のように月の前を横切っていった。銀色の影が暗い草の上を這った。稲妻がきらめき、届くあてのない雷鳴を待つ沈黙の長い間《ま》があった。輝かしい月光は、ヒュドラの首のような木の枝をくぐり抜け、いぶされた色合いになった。彼の耳に届くのは、自らの心臓の鼓動のみだ。足取りがだんだん速くなるにつれて、乱れのない低い鼓音もテンポを速めていく。やがて彼は走り出す。彼は震えている犬を目にする。シャツを脱いで、犬の前脚を袖に通し、腹のところでボタンをかけてやる。ズボンを脱いで首のまわりに巻いてやる。まるで大学生のスクール・マフラーみたいに。足にソックスを履かせ、靴ひもで結んで締めてやる。そして犬が夜の闇の中に消え去るのを見守る。池が行く手に現れる。彼は身を浮かべて池を横切ることにする。頭をずっと水面の下に沈めている。心臓の音がバスドラムのように大きくなるまで。そして海から浮かび上がったモンスターよろしく、対岸によじ登る。落雷が樹木を二つに切り裂く。彼は海草のようにどろどろした草の中に横たわっている。そして都市の灯を、空を横切っていく飛行機を眺めている。静かだ。天地創造の初日よりももっと静かだ。都市なんてものはむろん、風すら存在せず、音楽といえば神様の心臓の鼓動だけだった日よりも。ここに住むことにしよう。犬や猫を食べることにしよう。必要なら木を食べたっていい。秋になれば落ち葉を食べればいい。ゴミ缶の中か、それとも木の洞《ほら》で眠ればいい。

どこかのビルの戸口で丸くなっていると、懐中電灯の明かりが自分の方に伸びてくるのが見える。ブーツの足音が近づいてくる。ピストル、警棒、重いブーツ、手錠。ネズミたちが逃げ去っていく。閃光が彼の足指に触れる。それから銀色の光が彼の目を正面から切り裂き、彼は両手で目を覆いながら、後退する軍隊よろしくより奥に、古いゴミの匂いの中へと後ずさりする。彼は下着と、彼の失踪を短く報じた古新聞のほかには何も身につけていない。顔にはいくつかの切り傷があるが、それについての覚えはまったくない。光に頭を照らされたとき、彼は更なる殴打を覚悟する。

——大丈夫だ、大丈夫。パトロール警官は本能的に、迷子の動物に話しかけるときの言葉遣いに切り替える。明かりの中には、若い黒人がいる。その目は、何か恐ろしいものを目撃して、それを忘れることができないという色を浮かべている。

——大丈夫だ、大丈夫、彼はまたそう言う。相手の目に直接ライトをあてないように気をつけながら、ブーツで邪魔になるゴミをどかしつつ、うずくまった人影に少しだけ近づく。

——誰もあんたのことを傷つけたりしない。大丈夫か？　傷を負っているのか？

懐中電灯でざっと身体を調べてみる。小さな切り傷らしきものがいくつかあるが、ほかに特別傷はなさそうだ。

——なあ、あんたを傷つけたりしない。しょっぴいたりもしない。オーケー？　わかったね。名前は？……名前はないのか？　男は首を振る。しかしもうさっきほどは怯えてはいない。たとえ何を言われているのか理解できなかったとしても、警官の声のトーンが彼を落ち着かせた。

今ではもうパトロール警官は彼の隣にしゃがみ込んでいる。相手の肩に手をかけ、街灯の明かりにその顔が照らし出されるようにする。懐中電灯のスイッチを切り、もう一度その分厚い瞼に包まれた目を見る。口髭、短く刈り込まれているにもかかわらず始末に負えないほどくしゃくしゃの髪。意識して何かを考えたわけでもないが、目の前にいる男がバド・パウエルであることに、警官は突然思い当たる。ジーザス、なんていうことだ。勤務に就く四時間前、彼は「異教徒の踊り」を聴いて、妻に向かって「バドこそは世界でもっとも偉大なピアニストだよ」と言ったばかりなのだ。まさかそんなはずが……しかし彼は知っていた。バド・パウエルが精神分裂症を病んでおり、この何日か行方不明になっていることを。彼はもう一度黒人の顔を注視した。その目は何ひとつ物語っていない。恐怖の色が徐々にではあるが退いているという以上のことは何も。ああ、そうだ、間違いない。本人だ。

——あんたはバド・パウエルだ。そうだね？

彼はようやくそう言った。彼の声のトーンは優しさから、恭《うやうや》しさへと変化していた。

バドは相手を見た。何も言わなかった。しかし目の奥には安堵がうかがえた。夜中に誰かの家のドアをノックしていて、奥の方でやっと明かりがついた。そんな感じだ。目に見える以上に、黙って心に届く何かだ。彼はバドの手を取る。ひとつには彼を立ち上がらせるためであり、ひとつには純粋に握手をするためだ。彼は微笑みを浮かべ、思わずこう口にしてしまう。

——今日は私にとって最高の一日だよ、バド。本当の話。

精神病院はどこもみんな同じだ。秘密めいたヴィクトリア調の建物。そこでは治療用の器具と懲罰用の器具を見分けるのが困難だ。刑務所、精神病院、兵舎——それらはすぐにでも転用可能だ。治療の過程とは、矯正の過程でもある。すべての建物は潜在的な収容施設だ。

ある晴れた晩秋の朝、彼は精神病院を退院した。足下で砂利が音を立てるのがわかった。そこに車が待っていた。マネージャーと並んだ彼の写真をカメラマンが撮った。彼はカメラの方を見ていたが、何も見えていないようだった。何ひとつ顔には出さず、すべてを内側に抱え込んだまま、ただ写真撮影が終了するのを彼は待っていた。

彼は空気の匂いを嗅いだ。飛び立つ鳥たちのほかには、空には何ひとつなかった。鳥たちは放り上げられた布きれのように見えた。水たまりに自分の顔が映って、それは彼を見上げていた。そこに映った空は、宇宙のように深かった。彼はその像を踏まないように注意しながら車に向かった。足が水たまりをまたぐと、その像はぶるっと身震いをして消えた。

彼らは丸裸になった木々を通り過ぎた。そこにはうらぶれた葉がわずかに残っているだけだ。風はなかったが、しばらく前に強風が吹き荒れた跡がいたるところに残っていた。枝が焼けた木のようにだらんとぶら下がっていた。枝の黒い模様が、フロントグラスの上に自らをぞんざいに描くのを、彼は眺めていた。光と闇に顔をブラシでなぞられながら、車はハイウェイに出て行った。数多くの車、修理工場の看板。

——今、何時だい？

——ちょうど正午だよ。気分はどうだ、バド？

——良いよ。

——もう何も気にしなくていいぜ、バド。

墓場の前を通り過ぎるとき、彼は横の窓からそれを眺める。墓石のあいだの狭い道を一人の女が歩いている。黒いコートの上に赤い花がしっかりと握りしめられている。

——バターカップに会ったか？

——彼女はお前を待っているよ、バド。

——息子は？

——とても可愛い子だ。お前によく似ているぜ、バド。

——そうかい。

バドの目の表情。微笑んでいる宇宙がある。それもまだ生命が生まれる前の宇宙、それほど古く遡《さかのぼ》れるものだ。車は陽光の中、ハイウェイを進んでいく。怯えつつ、望みを持って。今夜彼はバターカップとベッドを共にするのだ。彼の妻と。

——バド

——バド

――ああ、バド、私の愛しい人。

両腕に彼を抱きしめる。彼の目の中に幸福の色を読みとり、すすり泣く。彼は戻ってきたのだ。彼のいない数ヶ月を自分がどうやって耐えてきたのか、思い出すことができない。彼の声が聞こえる。

――よう、バター、ベイビー、ベイビー。

――バド。

こうしてただ単純に名前を呼びあう、それが男と共にいることの意味だ。自分を彼に与えるということの意味だ。彼女の指が夫の頭に残った傷跡にのびる。その最も脆い場所に。それが恋人の本能だ。

くんくんと匂いを嗅ぎ、微笑み、枕に頭を載せ、彼女は言う。

――私の耳は涙でいっぱいになっている。

パリであなたは半分しか埋まっていないクラブで演奏する。時にはあなた自身がそこにいないみたいな演奏をすることさえある。ちゃんと演奏できるときだって、あなたは背中を痛め、かつてのような瞬発力を発揮できなくなった運動選手みたいな身体の動かし方をする。鍵盤に指を運ぶために、自分がどれほどの努力を払っているか、それを常に意識するようになっている。技術にあまりにも多くの集中力が注がれ、ジャズを立ち上げるのに必要なものが十分残されていないことは明らかだ。

あるいはそうではないのかもしれない。僕は常にこう信じてきた。芸術家とは、自らの身に起きたことを何もかも利点にしてしまう人種なのだと。それはあなたに関しても真実なのだろうか、バド？　あなたの身に起きたようなことさえ、すべてそっくり利点としてしまえたのだろうか？　あなたの初期の演奏は見事なものだ。それに異論を唱えるものはいるまい。だがあなたがまともにピアノを弾けなくなった日々にあっても、その演奏には何かしら特別なものがあったのではないか？　その創設にあたってあなたが大いに力を貸した言語を、今一度習いなおそうと懸命につとめている姿には、特筆に値するものがあったのではないか？　あなたが満足にピアノを弾けないことによって、その音楽はより高められたのだとは言えまいか？　絵画に加えられた損傷が、もはやそこにはない完璧性を逆に高めるみたいに。

あなたはパリが好きだ。あちこちの店の匂いが、コーヒーや香りの良い煙草の匂いが好きだ。春になって、女たちがサフラン色のドレスをまとう様子が好きだ。閉店間際のカフェに座って、ウェイターたちが椅子を積み上げたり、勘定を集めてまわったりするのを見るのが好きだ。この街では自分が、いちばん最後に帰宅の途につく人間のように感じられる、そのことが好きだ。それはニューヨークではまず抱けない感覚だ。

夕闇がセーヌ河にひっそりと、いつ果てるともなく降る夕方、あなたは川べりを散歩し、靴下を履いていない痩せたアフリカ人たちと会釈を交わす。切れ目なく広がる大理石の空の下をうろつき、カフェの屋外席に座り、通り過ぎる車を眺める。ただぼんやりと。あなたに声をかけてきた人々はみんな、赤ワインをねだられることになる。あなたはそれをちびちび飲もうと努める。満足の笑みを浮かべながら。やがてアルコールはあなたの頭の中で醱酵し、泡立つ。酒を飲まないように心がけてはいるのだが、あなたのまわりには、あなたに喜んで酒をおごり、質問を浴びせたがる人たちが必ずいる。あなたの瞳の中に隠された傷を探し求め、上着のボタンが掛け違えられていることを目に留め、あなたの吐く息に肺結核の血の匂いがするかどうか知りたがる人たちがいる。

——あれはエッフェル塔だよな、なあ？

——パルドン、ムッシュー・パウエル？

——エッフェル塔だよ。ほら、よく写真に写っているやつ。

——ウイ、ムッシュー・パウエル。

池の畔に置かれたワイア・チェアに座って、あなたはまるで世界の縁から外を覗いているような気持ちになる。雨粒が水面に映ったあなたの姿にへこみを作る。赤い毛糸帽をかぶった二人の子供たちがあなたの近くに立っている。一人がこう言う。

——La flaque d'eau, l'étang, le lac, l'océan.（水たまり、池、湖、大洋）

——T'as oublié la mer.（海を忘れてるよ）ともう一人が言う。

あなたは彼らを見つめている。言葉の広大さに呑み込まれながら。

パリにいるすべてのジャズ・ミュージシャンがクラブ・サンジェルマンに顔を見せる。ミルト・ジャクソン、パーシー・ヒース、ケニー・クラーク、マイルズ、ドン・バイアス。あなたはバターカップと共にやってくる。背筋をまっすぐ伸ばし、腕を彼女の腕に通し、暗闇の中で階段を降りるような歩き方で入ってくる。一歩一歩確かめながら足を出す。その目には、微かな用心混じりの幸福感のほか、どんな表情も浮かんでいない。

クラブにいる全員が、バーのまわりに集う一群のアメリカ人を注視している。彼らはお互いを抱き、手のひらをぱちんと打ち合わせ、相手の背中に愛情溢れる一撃をくらわせ、笑い声をあげる。クラブは煙のように渦巻く黒人英語で満たされる。人混みをかき分けて洗面所に行くとき、彼らは微笑みを浮かべ、「失礼します」と丁寧に言う。そしてそこで歩を止め、嬉しそうに賞賛の言葉を受け取る。握手をし、手にキスし、自分に格別の関心を払ってくれる相手の名前を尋ねる。それからまた「失礼」と言って、バーにたむろした仲間のもとに戻っていく。青年たちはガールフレンドに、あれがマイルズ・デイヴィスで、あれが誰でと、指さして教える。連れのいない若い男たちは、飲みかけのグラスと読みかけの本を持って椅子に座り、彼らの姿をただじっと眺める。彼らの仕草のひとつひとつつに糸口を探し求める。彼らの笑い方や話し方さえ、偉大さを具えているように見えるのだ。

しかしやがて彼らがステージに目をやったとき、その集団に沈黙が下り、それは更に深まる。沈黙は重みを持って店内に伝播していく。一人が囁く。

「バドが演奏する」

あなたがグループを離れるのを誰も目にしなかったし、あなたがピアノに向かうのも誰も目にしなかった。ピアノ椅子に腰を下ろそうという時になって、初めてみんなは気づいたのだ。沈黙は湿り気を帯びる。聴衆のあいだから声が聞こえる。

「彼はもう演奏なんてできない。無理だよ」

そして常に口ごもられた言葉《シラブル》が宙に漂う。

バド・パウエル　バド・パウエル。

氷がグラスに触れるからんという音が行き場所もなく融けていく。光の柱の中で煙が身をよじらせる。キャッシュ・レジスターが警報のような音を立てて開く。

鍵盤に何度か指を触れ、気持ちを集中させてから、「ナイス・ワーク」の演奏にあなたは飛び込んでいく。その曲をどのように演奏するか、いちいち考えもしない。すべてが一瞬のうちに起こる。まるで赤ん坊のときからそのガーシュインの曲を弾いていて、そんなもの目を閉じていたってどうにでもできるんだと言わんばかりに、あなたの指は自在に動き回る。すべてはあくまで自然にやってくる。呼吸をするのと同じだ。考慮の必要もない。あなたの両手は、鳥たちが空を知っているのと同じくらい、鍵盤の上をどう動き回ればいいかを知っているのだから。アメリカ人たちのあいだに安堵が広がっていく。すべての客がそれを感じ取る。まるで綱渡りを見物しているような気分だ。

――ゴー、ベイビー、ゴー。

――いいぞ、バド、いいぜ。

あなたの額に汗の玉が浮かぶ。あなたは微笑む。これまでの人生、すべてが順調に運んできたんだといわんばかりに。スポットライトがあなたの横顔を照らし、後ろの壁に完璧なシルエットを映し出す。影があなたのすべての動きを複写する。あなたの背中にぎくしゃくと揺れる人型がへばりついている。まるであなたをあざ笑うみたいに。

――そうだ、バド。

――ゴー、バド、ゴー。

それから、まるで綱渡りの芸人がよろめくみたいに、ぐらつきの最初の徴候が現れる。ひとつの音符に躊躇があり、指がもつれ、あなたはなんとか体勢を立て直すものの、やがてまた躊躇が訪れる。進路が覚束なくなり、あなたの両腕の影はあなたの背後で、鳥の翼のように鋭い軋みを立てる。それからつまずきがある。あなたの両手は互いにもつれ合ってしまう。おかげで推進力も失われる。その推進力さえあれば、多少混乱に陥っても、最後までなんとか突っ切れたかもしれないのだが。歌はばらばらに分解し、鍵盤は抜け出す道もわからない迷路と化してしまう。行く先を見失い、そして……そしていくつかの音符を叩いてみるが、それも見失って、あなたは曲の中に溺れていく。まるで大洋に呑み込まれるみたいに……そしてそしてそして。そしてもう鍵盤に指を触れる意味さえもが失われてしまう。

あなたは立ち上がり、両脚でピアノ椅子を後ろに押しやる。あなたの影はあなたの背後に高くそびえる。あなたの顔には荒廃の傷跡がうかがえる。そこには汗が噴き出している。あなたはポケットから白いハンカチを取り出し、顔中をごしごしと拭く。子供が黒板を消すときのように。あなたは自分を拭い去りたい、すべての記憶を消去したいと望んでいる。店内を覆った沈黙は、生きて呼吸するものであることをやめ、生命のあらゆる徴候を失った沈黙へと変じている。苛酷な戦闘のあとに樹木から垂れ下がっているような沈黙だ。あなたはステージを離れる。手が叩き合わされ、それは拍手になる。バターカップがやってきて、あなたの身体を抱く。あなたの腕は彼女の肩に回される。あなたの頰で脈打っている神経を鎮めるべく、彼女の指は上がっていく。その指の下で神経がどきどきと脈打つ中、あなたはアメリカ人の集団に向かう。彼らが拍手をすると、聴衆は文字通り、一人残らずこう理解する。一人の人間の身に、このような激しい損傷をもたらす音楽という形態には、何かしら恐ろしいものが含まれているに違いない、と。体操選手の演技を見ているのと同じだ。その敏捷さと力強さを当然のものと我々は見なしている。ところがほんの些細なミスが彼を床に叩きつけてしまう。そしてそこで初めて人は認識する。ほとんどありえないことが、ごく当たり前のこととして見せられていたのだと。そして真実を、その行為の本質を表現するのは、完璧な宙返りよりはむしろ衝突なのだと。それこそが記憶として永遠に人の心に残ることなのだ。

もう時間も遅い、バド、音楽は終わりを迎えた。蠟燭はすっかりかたちを失ってしまった。そろそろ空も白んでくる。僕は疲れた。しかしあなたは時間なんて存在しないかのようにそこにただじっと座っている。あなたは疲れたのか？　僕があなたに向かってこんな風にしゃべっていることに疲れたのだろうか？

バド、僕がこうして語ることに、あなたは少しでも耳を傾けてくれただろうか？　実際にこんな風だったのだろうか？　僕が想像したことは、いくらかでも真実だったのだろうか？　あるいはすべてそっくり間違いだったのか。でも僕はとにかく試みてみたかった。僕はあなたの口から物語を聞きたいと思うよ、バド。こちらが語るのではなく。でもそれが叶わないから、あなたがこう語ってもらいたいと望むように、僕はそれを語りたかったのだ。でも僕には語り手として、僅かな手がかりしかなかった。僕はあなたと一緒に演奏した人々に会った。あなたと一緒に演奏した人々と一緒に演奏した人々にも会った。ハーレムで行われたあなたの葬儀に参列した人にまで会った。その日、五千人の

人々が路上に列を作った。それを別にすれば、
僕が手にしていたのはレコードと写真だけだ。

それくらいしかあとには残されていなかった。
そしてこれだ、バド。今ではこれがある。

二人は踏切で停車した。ほどなく列車が大きな音を立てながらこちらに向かってきた。長い壁のような貨物列車が、轟音と共に目の前をゆっくり通り過ぎていくのを、二人は眺めていた。列車の重みに線路が軋んだ。デュークはバンドのために二両のプルマン車両を貸しきりにして、全米を鉄道で縦横無尽に移動していた時代のことを、今でもまだ懐かしく思っていた。それは南部の人種差別主義者や、黒人嫌いの粗野な白人たちから身を遠ざけるための繭のようなものだった。

彼にとって、列車くらい仕事をしやすい環境はなかった。曲のほとんどは移動の途中か、あるいはホテルでの慌ただしい数時間に書かれた。列車は彼に刺激のモーメントを与え、集中のための聖域を与えてくれた。母親が亡くなったとき、彼はプルマン車両の個室に閉じこもり、「リミニッシング・イン・テンポ（律動の中で回想する）」を作曲した。すべては南部を勢いよく抜けていく列車のリズムと動き《モーション》の中に捉えられている。列車や汽笛のおしゃべりは、何度も何度も彼の音楽に入り込んできた。とくにルイジアナでは、火夫たちが機関車の汽笛でブルーズを演奏した。夜に歌う女たちのような、ねっとりと狂おしいものだ。

　鉄道はちょうどアメリカ黒人の歴史を貫くように、彼の音楽を貫いていた。黒人たちが鉄道をつくり、鉄道で仕事をし、鉄道に乗って移動した。そして今、彼がここで、鉄道に乗って作曲をしているのだ。それは彼の引き継いだ伝統だった。ある時テキサスで、一群の鉄道労働者たちが、引き込み線に入ってくる列車の窓の中をちらりと見た。そして彼が楽譜に汗を垂らしながら、身を屈めて作曲しているところを目にした。一人が窓をとんとんと叩いた。彼の邪魔をしたくはなかったが、ただどうしても「やあ、デューク」みたいなことを言いたかったのだ。デュークはにこにこしながら立ち上がって、自分が今書いている曲のことを話した。それは「デイブレイク・エクスプレス」、鉄道をつくった男たちについての曲だった。

　――掘って、また掘って、ハンマーをふるって、それが六ヶ月。そして汽車が飛ぶように通り過ぎる。ひゅう、ってな。ぽっぽー……

　その音楽をみんなに説明すると、彼らの目に誇りの色が浮かぶのがわかった。列車で旅行するたびに、彼はそんな具合に記憶を貯め込み、自分が目にしたものごとに合ったトーンを後日探し求めていった。サンタフェの夕日の焼けた赤、あるいはオハイオの夜を舐める炎のような黄色。空全体が溶鉱炉のさび色の熱気に染まっている。

　きりなく続く列車が通り過ぎるのを待っているあいだ、二人の耳の中で、車輪とレールの立てる騒音が鳴り響いた。

——長い列車だったね、とハリーがようやく口を開いた。車のギアを入れ、ごとごとと踏切を越えながら。

——まったくな、とデュークは言った。車は加速して先を急いだ。後ろを振り返ると、その貨物列車は汽笛を鳴らしながら、ゆったりと南に向かって去っていった。

彼は楽器ケースを携えるように、淋しさを身の回りに携えていた

ベン・ウェブスター

ヨーロッパは大陸というよりは、ひとつの鉄道網だった。彼はそれを巨大な地下鉄線のようなものとして捉えた。それは彼をひとつの場所から別の場所へと、ひとつのクラブから別のクラブへと運んだ。彼はスーツを着て旅したが、数日後にはそれはパジャマみたいにくしゃくしゃになっていた。ネクタイも同様だ。最初のうちはカラーにきちんと締められているが、最後にはクリスマス・パーティーの残り物の飾りテープみたいに、首にただまとわりついているだけのものになった。彼は誰にでも話しかけた。笑ったり、悪戯をするのが大好きな子供たちや、食堂車で飲んだくれている人々や、同じ車両に黒人男と乗り合わせたことにいささか眉をひそめている老婦人たちにも。そんな彼女たちも、彼の瞳の中に赤ん坊のような輝きを認めると、心を許した。それは大人になってもなお、少年の面影を残す自分の息子たちを思い出させた。彼が誰であるかを知っている人々にたまに出会うこともあった。彼らは販売ワゴンがやってくると、酒を買ってごちそうしてくれた。求められればテナーを取り出して演奏したりもした。

二十年ののち、人々はそのときの出来事をみんなに語ることだろう。パリ行きの列車に乗ったら、向かいの席に酔っぱらった黒人の大男が座っていた。中折れ帽は後頭部に押しやられ、シャツのボタンは今にもはち切れそうで、上着のラペルには卵の染みが跡になっていた。そいつとしばらく話をした。その男はぶっきらぼうに「ウイ」と「ノン」を繰り返すばかりで、自分が話すフランス語の響きがおかしくて笑っていた。

そしてジャズのことが話題になったとき、相手が誰であるかが突然わかった。二人は握手をする。柔らかく軽い手だ。熊の手がこんなだったらいいのにとあなたが望むような優しさがそこにはある。彼の音楽が自分にとってどれくらい大事なものであるかを、あなたは彼に説明する。彼がデューク・エリントンとともに吹き込んだレコードをあなたは何枚も持っている。とくに「コットン・テイル」。かつてデュークがあなたの自宅から二百マイル離れた町で公演したことがあり、あなたはそこまで車を運転して行って、その夜のうちに家に戻ってきた。それもただ彼に会いたいがために。これまでに知り合ったミュージシャンたちについて質問をし、彼の語る話に耳を傾けた。まるでクリスマス・プレゼントの包装をほどく子供たちのように目を輝かせながら。販売ワゴンがやってくるたびに、あなたは酒を買ってごちそうする。そして最後に、断られることはないだろうとわかってはいても、それでもなおおずおずとあなたは切り出す。ここで演奏してはくれまいかと。彼は頭上の荷物棚からよっこらしょと楽器ケースをおろし、愛するものの写真を見せるときのように——それがまさにそのとき彼のやっていたことなのだが——ケースの蓋をぱちんと開け、楽器を組み立て、リードを湿らせ、マウスピースを調整した。咳払いをし、煙草を灰皿に置き、プレイを始めた。遠くの並木を抜けてくる陽光が、ストロボのように点滅しながら彼を照らした。かたん・かたんというレールの音にかぶせるように、彼はゆっくりと――そのホーンのサウンドがまったくの息づかいと化し、それが金属なんかではなく、人の血肉によってできたものだと思えるようになるまでゆっくりと――足でリズムをとった。今では太陽は黄金色の野原の向こうから斜めの光を送り、その光が彼の顔を捉える様子は、宇宙空間に浮かんだ惑星の写真をあなたに思い起こさせる。太陽は彼の顔の片側を鮮やかに浮かび上がらせ、もう片側をまったくの暗闇の中に置き去りにしている。彼のプレイは、ゆっくりしたものになればなるほど、より強さを増していく。それは蝶の羽ばたきのごときヴィブラートの中に消えていったかと思うと、やがてすぐに巨大なすすり泣きのようなサウンドとなって車両を包んでしまう。彼の頬がひらひらと動く様や、息継ぎのときに頭をぴくぴく引きつらせつつ首を傾げる例の動作を目の前にしながら、あなたはそのとき強く心を決める。この先、黒人《ニグロ》に対して誰かがどこかで差別的な発言をするようなことがあれば、どのような場であれ、黙って見過ごすようなことはするまい。相手を殴り倒すとまではいかずとも、最低限その場をさっさと立ち去るくらいのことはしよう。

誰一人として、たとえモーツァルトやベートーヴェンを呼んで、自分のサロンで演奏をさせた王侯たちであろうと、これほど特権的で親密な音楽的体験をしたものはほかにあるまい。なにしろベン・ウェブスターがあなた一人のために演奏しているのだ。しかし何にも増して素晴らしいのは、彼が演奏を終え、楽器を傾けて中に溜まった唾液を床に落としているちょうどそのときに、列車が速度を緩め、あなたが降りるべき駅が視野に入ってきたことだ。あまりに早すぎる。しかしなおかつ、それはまさに正しいタイミングだった。そのときには既にベンはべろべろになっていたし、それはあるいはものごとの完璧性を損なうことになったかもしれない。彼に礼を言うとき、あなたの胸はプライドでいっぱいになる。そこには心と心がぴたりと触れ合う瞬間がある。別れの握手をするとき、相手の両目にもやはり涙が溢れる。それはカタツムリの這ったような跡を頬に残す。列車が駅を出ていくとき、彼の方に向かってもう一度大きく手を振る。スーツを、ナプキンやハンカチやテーブルクロス代わりに使う、酔っぱらった大男。彼もまた手を振り返している。

　そう、ヨーロッパを列車で旅しているときほど、彼が幸福だったことはなかった。田舎が都市へと変わり、それがまた田舎へと戻っていく。駅に着くと人々が降り、別の人々が乗り込んでくる。ばたん・ばたん・ばたんとドアが閉められ、列車が駅を出て行くとき、最初の動《モーメント》きはほとんど感知できない。重い車輪がレールの上を滑り出す、指を鳴らすような響き。すべての重みが進行《モーション》へと引き寄せられ、惰力が克服される。列車に乗っているあいだ、何が起ころうと彼は気にしなくなった。手帳をのぞき込んで、そこにぐしゃぐしゃに書き込まれた日程を調べ、何とかその字を読みとり、自分がナポリでのギグに既に二時間遅刻しており、しかもそこまではまだ四百マイルの距離があることが判明しても、気にはしない。列車が素晴らしいのは、いったんそこに乗り込んでしまえば、あとはもう何も考えなくていいところだ。それはあなたが行きたいところに、あなたを勝手に連れて行ってくれる。しかしそれに乗り込むのは、また別の問題だ。列車に乗り込むのは、ときとしてクマンバチを捕まえるよりもむずかしい作業になる。列車の出発時刻を調べてから、その時刻に駅に到着するまでのあいだには、実にいろんなことが持ち上がる。しっかり三十分前に駅について、構内のバーで時間を潰すつもりで、結局は列車に乗り損ねてしまうことだってある。今日のようにもっと早い時間の列車に乗るつもりで、乗り損ねてしまうこともある。実をいえば彼は、予定していたより三本分遅い電車に乗っていた。やれやれ、参っちまうな。もし列車をひとつ逃すたびに一ドルずつもらっていたら、今頃はきっと金持ちになっていたことだろう。そうやって彼の演奏を聴き逃した人々から、一人一ドルずつもらっていたら、百万長者になっていたはずだ。ナポリ、その街にたどり着くのはなんだってこうもむずかしいんだろう。

彼はボトルの蓋を開け、ぐいと大きくひと飲みした。そして自分の顔が映ったガラス窓越しに、星のないヨーロッパの夜を見つめた。長いあいだただずっと野原が続き、それから急にまわりの音量が上がった。列車が切り通しを勢いよく通過していくことが、それでかろうじてわかる。やがて窓に映った自分の顔を横切るようなかっこうで、線路に並行する道路が見えてくる。彼の眼球が、まるで二個の青白い月のように、その風景をまじまじと見つめる。しばらくのあいだ、列車は一台の自動車の隕石のようなライトを追いかける。しかしやがて線路はぐっと右にカーブし、心ならずも列車を違う方向に引き離していく。

彼は座席の上で大きく伸びをして上を見上げ、荷物棚の網がたわんでいるのを目にする。車両はまるで酒場のように煙草の煙で霞み、窓ガラスは結露のためにぐっしょり湿っている。メロディーのいくつかの断片が頭に浮かび、やがて薄らいで消えていく。まるで暗い農家の窓にともった黄色い明かりのように。彼は中折れ帽を目の上におろし、疾走の中でゆっくりと眠りに落ちた。

口が毛糸のようにからからになって、ちょくちょく目を覚まし、そのたびに列車がわけのわからない場所に停車していることを知った。乗り降りする乗客が一人もいない名も知れぬ駅、駅員たちがコーヒーカップを手に立って、列車が動き出したらコーヒーの残りを足元に捨てようと待機していた。

彼は楽器ケースを携えるように、淋しさを身の回りに携えていた。それが彼の傍らを離れることはなかった。ギグの終わったあと、ファンたちと話をし、あるいはたまたまそこに何人かの友だちが居合わせれば、彼らと話をしたあと、バーに行って、他に誰もいなくなるまでそこに居座り続けたあと、よろめく足で住まいに帰ったあと、ポケットの鍵を捜して、それが静まり返った錠前のまわりでごりごりとこする音を立てるのを聞いたあと、ドアを開けて、出たときとまったく同じ様子のアパートメントに足を踏み入れたあと、ソファの上にサックス・ケースを投げ出したあと——それだけのことをすべてなし終えたあとで、たとえどれだけ夜が更けていても、彼は常にふと、このように思ってしまう。まだ誰かと話し続けていたい、誰かがコーヒーを作ったりカクテルを作ったりするぶくぶくという音や、かちゃかちゃという音を聞いていたい、と。アパートメントに戻ると、彼は酒瓶の蓋を開け、何口かあおった。そしてヴェストとショーツというかっこうで腰を下ろし、できるだけ小さな音でサックスを吹いた。アムステルダムに住んでいるあいだ、彼は夜中に、たとえ何時であれ、アメリカにいる友だちに電話をかけまくった。しかし今のところ、そこにあるのは楽器だけだ。そして彼はそれを使って、デュークかビーン（コールマン・ホーキンズ）か、あるいは他の誰かに語りかけようと試みる。一時間かそこら、彼の手は酒瓶と楽器とのあいだを行き来する。

朝が来て、自分がソファの上に大の字になって寝ていることを発見する。楽器を両腕に抱えて。そこに慰謝を求めたわけではない。こうして素朴な保護の素振りを楽器に与えているのだ。その近くには、酒瓶が横倒しになっている。まるで飲みすぎてぶっ倒れてしまった男のように。瓶の首近くにあるカーペットの小さな染みは、夜のあいだにそいつが吐いた跡だ。時には酒瓶はまだその中身を、小さな水たまりみたいに残している。しかし今日は、その中に収められているのは、窓から斜めに差し込んでいる陽光だけだ。それは瓶中の船のようにそこに落ち着いている。ソファに寝ころんだまま、彼はアパートメントの内部を見回す。部屋は真昼独特の静けさに包まれている。世間の人々はみんな仕事に出かけ、耳に届くものといえば、犬が吠えるわびしい声、子供の笑い声、通りの少し先で工事をしている音、そんなところだ。彼は風呂に湯を溜め、狭いタブに横になって煙草を吸う。その湯気でひからびた頭のスポンジを湿らせる。聞こえるのは、ぽつんぽつんという蛇口から水が垂れる音、彼の動作によって生じるぴちゃぴちゃという音、彼の肌が浴槽にこすれる音、それくらいだ。外国暮らしをしていると、頭はどんどん空っぽになっていく。まだ煙草を吸いながら、彼は大きなタオルで身体を包み、窓を開けて、冷ややかなブロンド色の陽光を部屋の中に入れる。レコード・プレーヤーに目覚めの音楽をセットし、コーヒーを作るためにガス台まで歩いていく。ポットには昨日のコーヒーの残り滓がぎっしり詰まっている。それだけたっぷり時間があれば、人はどうしても自分の動作のひとつひとつを意識するようになる。手がマッチに伸び、ガスの火を細め、湯が沸くのを待つ。パンをスライスし、トーストにバターを塗り、ヴェストとショーツの上にパンくずをこぼし、その日の最初のレコードを聴く。彼はまるでビールでも飲むみたいにコーヒーを流し込む。ごくごくと飲み、間を置かずにまたごくごくと飲む。湿ったトーストを口の中で転がし、コーヒーの黒い液体の中にそれが崩れていく感触を楽しむ。

朝遅く——他の人びとにとっての午後が彼にとっての朝にあたる——彼は茶色のオーバーコートを着て、帽子をかぶり、散歩に出る。公園の中を散策し、落ち葉を眺め、やはり相応の季節を迎えているベンチを眺める。秋の光は黄色みを帯びた白色で、ずいぶん低く差し込んでくるので、どんなものにだって反射してしまう。生気を失った木の葉にだって、短く刈り込まれたあとのバラの茂みにだって。誰かがあるベンチの上に新聞を置き去りにしていった。彼は腰を下ろしてそれを読む。彼が理解できるデンマーク語の単語の数は知れている。しかし活字が塊になり、パターンをつくっているのを目にするのは悪くない。両手で新聞を持ち、ここにはいったい何が書かれているのだろうと推測する。そのようにして新聞を眺めることを、外国に住むようになってから彼は習慣としてきた。それはいつも彼に、ファンプ・ヒントン（ベーシストのミルト・ヒントン）が一九五〇年代にテレビ・スタジオで撮った彼やピー・ウィーやレッド・アレンの写真を思い出させた。まったくもう、ファンプのやつときたら、それこそしょっちゅうカメラを持ち出して、ベースを弾いている時間より写真を撮っている時間の方が長かったくらいだ。でも彼が写真を撮っていても、誰かに撮影されているという気があまりしなかった。多くの場合、カメラマンに写真を撮られていると、自分から何かがこっそり抜き取られるような気がしたものだ。でもファンプは違う。彼の場合はなんというか、友だちが無一文になっていて、あなたから金を借りたいのだが、プライドが邪魔をして、貸してくれと言い出せなくて、だからあなたはお願いだからこれを受け取ってくれ、あげるわけじゃなくて、ただ貸すだけだからとその友だちを説得して、それでなんとか彼の気持ちもおさまって、それならばということになり、やっとその金を持っていってもらった、というような雰囲気なのだ。

　彼ら四人はテレビ番組の短いセットに出演することになっていて、そのリハーサルを待っていた。しかしひとつの部屋で一緒に時間待ちをしている男たちのあいだには、何か不思議な雰囲気があり、おかげでテレビ・スタジオがまるで福祉局のオフィスか、あるいは医院の待合室みたいに見えることになった。ピー・ウィーはジャズ・ミュージシャンにはほど遠い見かけだった。一九四〇年代の英国の喜劇俳優のように見えた。がみがみ小言ばかり言う女房を持った小役人の役をやらせたら似合いそうだ。実を言うと、彼は一度人を撃ったことがあった。そして十年ものあいだ、スコッチとブランディー・ミルクだけで生きてきた。食物など一切口にしない。フォークで小さなステーキ肉を一口食べることさえ、彼には一苦労だった。半パイントのウィスキーを飲まないことには、ベッドから起き出すことができなかった。身体はすっかり弱っていたので、酒屋までの道のり、街灯の柱の一本一本にしがみつかなくてはならなかった。長いあいだ行方の知れなかった友だちに出会ったみたいに、すごくしっかりと。そのあげく一年間病院に入っていた。肝臓と膵臓が壊滅的な状態になっていた。でも病院を出ると、彼は再び飲み始めた。背丈はベンと同じくらいだったが、ベンが目一杯大柄であるのと同じくらい、目一杯がりがりだった。

ベンは新聞を読んでいた。ピー・ウィーは煙草を吸いながら、半ば投げやりに、スポーツ・ジャケットのサイズが自分にぴったりだというふりをしようと努めていた。でもそれはなぜか彼には大きすぎるのと同時に、小さすぎた。ネクタイはまるで襲いかかる酔っぱらいみたいに、彼の首をきりきりと締め上げていた。ズボンの裾とソックスとのあいだに見えるラードのように白い肌は、四十年にわたるズボンとの摩擦のおかげでつるつるにすり切れてしまったとでもいわんばかりに、毛がまったく生えていなかった。ヒントンはカメラをしばらくいじっていたが、やがて椅子から立ち上がって何枚か写真を撮った。ほかの三人はろくに関心を払わなかった。レッドは手を伸ばして、ピー・ウィーの煙草をとった。そのあとレッドは自分のズボンの裾をたくし上げ、「おやまあ」とか「なんと」とか、そんなことを言い続けていた。そして胴体を前に少し傾けていた。

ベンは咳払いをしながら、新聞を眺め回していた。彼はそういうことをするのが好きだった。記事を読むでもなく、ページをめくるでもなく、ただおもむろに紙面を見渡すことが。レッドは彼の肩越しに新聞をのぞき込んでいた。ピー・ウィーはかすかに足を揺すり、脚を組んだりほどいたりしながら、何でもいいからとにかく新聞以外のものに目をやろうと試みていた。その新聞は彼が買ったものであり、とうに読み終えていたのだが。しかしとにかく三人が一列になって座り、一人が何か読むものを手にしていると、残りの人間には、その一人がそれを読むのを眺め、彼が読み終えるのを待つ以外に何ひとつすることがない。彼が読み終えれば、誰かがそれを譲り受け、残りの人間に「それを両手に持っているのが自分ならどんなにいいだろう」とうらやましがらせることになる。ベンは咳をし、咳払いをし、鼻をかんだ。ピー・ウィーはため息をつき、腕時計に目をやり、鋭い音を立てて歯の間から息を吸い込んだ。レッドはまた身を屈め、「まったくもう」と言い、おならをひとつした。ピー・ウィーは肺炎にかかった人のように鼻をかんだ。

――なあ、ここでおれたち三人の立てている音を、そのまま録音すりゃいいのにな、素敵なトリオ演奏になるのに、とベンが言った、頬をふくらませ、息を吐き、新聞をぱたぱたと畳みながら。

ピー・ウィーは脚を組んではそれをほどき、レッドはズボンを引っ張り上げていた（もう膝のあたりまでそれは上がっていた）。ベンはポークパイ帽を頭の更に後ろに傾け、みんながそれまでずっと待ち受けていたひと言を発した。

――どっか飲めるところを探しにいくか。

それははるか昔、何千マイルも離れた場所で起こったことだ。しかしそのときのことを思い出すと、彼の口元に微笑みが浮かんだ。彼は新聞を下に置き、吐く息が煙となり、バラードのように空中に漂うのを眺めた。鼻をかみ、何ひとつ動くもののない空を見渡した。落ち葉を掃く優しげな音が聞こえた。空は大理石のような模様を描きながら、冬へと向かっていた。地面は次第に固くなっていった。短い夏は既に終わりを迎え、彼の目にするところ、あたりは秋や冬の気配に満ちていた。自転車に乗った人が彼の方にやってきて、彼の名前を呼んだ。

――おはようございます、ウェブスターさん。

相手が誰だかわからないまま、彼は手を振り返した。ひゅうっという音を残し、タイヤの響きが遠ざかっていった。誰もが彼を知っていたし、敬意を持って接してくれた。そのようなちょっとしたことでも、たとえば誰かがにっこりして彼の名前を口にするだけでも、あるいは犬が走ってやってきて頭を撫でてもらいたがるだけでも、涙が思わず溢れた。彼は何ごとによらず涙もろかった。自分が何かまずいことをしたことに気づいても、簡単に泣き出した。あるいは誰かに優しくしてもらっても。どんなことにせよ、誠意を示されると、つい涙がこぼれてしまう。

　誰かをこてんぱんに殴りつけることがあっても、次の瞬間にはしくしく涙を流したりしているのだ。

　あるいはすべての亡命者は海辺に、海洋に引き寄せられるのだろうか。ドックや港の様々な作業が立てる物音には、固有の音楽がある。そして彼はときどきこう思った。ブルーズにおける憂愁の美というものはすべて、霧笛の中に要約されているのではあるまいか、と。沖合に向かってそれは悲嘆の声をあげ、行く手に待ち受ける危難を男たちに警告する。

　彼は水辺の近くで演奏することを次第に好むようになった。コペンハーゲンでは、クラブが店仕舞いしたあと、港まで歩いていって、灰色の海上に仄かな色合いの太陽が顔を出すのを眺めながら楽器を吹いた。海は完璧な聴衆であり、完璧な耳で彼の演奏を聴き取った。それはすべての音符を少しばかり深め、少しばかり長く引き延ばした。明け方の海の光の中で、あるいは漂う宵闇の霧の中で、船員たちは碇を降ろした船の手すりにもたれ、沖仲仕たちは積み荷を降ろす手をやすめ、波止場の調性《トーン》を楽器で再現しようとする彼のプレイに耳を澄ませた。時おり酔っぱらった船員が片腕に娼婦を抱き、もう片腕の入れ墨を見せながら、彼のわきをよろよろと通りかかった。彼の演奏に数分間耳を傾けてから、ありもしない帽子に向かってコインを何枚か放った。彼の演奏は、まるで潮の満ち干のように強靭であり、また安逸だった。大地は一隻の巨大な船に過ぎず、それは波間に漂いつつ故郷を目指す——彼の演奏はあたかもそう訴えかけているようだった。水は埠頭に打ちつけ、彼が必要とするゆったりとしたリズムを作りだした。太いロープは強い力に引き寄せられ、ぴんと張っていた。呼びあうカモメたちが空中に輪を描き、彼の演奏の振り子にあわせるように弧を描いた。一度、二頭の鯨が光の境目のほんの少し先で、水面に躍り出たことがある。そして再び尾鰭を振りつつ波間に没する前に、寄せくる潮のようなそのブルーズの叫びに、耳を澄ませた。そして彼のサウンドをみやげのように携え、海洋の深みに戻っていった。誰かがその話を聞かせてくれたとき、彼は泣いた。絶滅を危惧されるひとつの種が、同じ立場にある別の種に漠然とした親近感を抱きつつ。

アムステルダムで彼は、木の葉が浮いた暗い運河の畔で演奏した。英国ではチェルシー・ブリッジを渡り、エンバンクメントに向かって歩いた。橋の明かりが、こちらに向かって流れるようにやってくる人々の群れに親切心らしきものを賦与していた。ピンストライプのスーツにこうもり傘というかっこうのビジネスマンたち、スカーフとハイヒールに身を固めた女性たち。彼はテムズ河を見下ろした。河はひどく年老いて、疲れ切っており、ほとんど動くことさえしない。どちら側に目をやっても、橋がどこまでも重なって続き、河はくねりながらその先の方で見えなくなっていた。夕方のラッシュアワーだ。人々はパブに集まる。あるいは家路を急ぐ。葉を落とした樹木のあいだから見える、トースト色の明かりに輝く我が家を目指して。青みを帯びた靄の中を宵の一刻が泳ぎ、街灯が紺色の水面を真珠のように飾っていた。その風景を前にして彼はホームシックを感じるが、おかしなことに、彼が懐かしく想う場所はロンドンなのだ。インク・ブルーの空に含まれている何か、木々のあいだからのぞいている明かり、そんなすべての下部をゆったりと、あくびをしながら流れていくテムズ河。今こうやって目の前にしていながら、それらはまるで記憶みたいに感じられる。過去に目にしたものを人々に話して聞かせている、そんな気持ちになる。

それはおそらくロンドンという街が、人々がたぶんこんな風だろうと想像する、そのままのものだからだろう。タクシー、赤いバス、バッキンガム宮殿、パブ、細かな霧雨、そういう何やかや。あるいはどこに足を向けても、必ず観光名所に出くわしてしまうこと。トラファルガー広場、国会議事堂、ピカデリー・サーカス、ビッグ・ベン——彼はその前で写真を撮られ、レコード会社はその駄洒落を面白がってアルバムのカバーに使った。

彼は咳をし、鼻をかんだ。これもまたロンドン名物だ。人はほとんどいつだって風邪をひいている。まったく、こんなじめじめした場所に来たのは初めてのことだ。橋をあとにして、白っぽい通りから通りへとあてもなく歩き、一軒の小さなパブの前に出る。看板が弱い風に吹かれて、軋んだ音を立てている。彼は煙草の煙でもうもうとした店内をかきわけるように進み、ビールを注文し、カウンターの一画に自分の場所を確保する。人々はあとからあとから押しかけ、彼の肩越しにポンド紙幣を突きだし、生ぬるい黒ビールの滴るグラスを受け取っていく。一度に五杯も六杯も抱えて運んでいく。店内は酒飲みたちのわめき声で満ちている。喧嘩の自慢話をし、中身が三分の一ほどになるとすぐにグラスを上げ、お代わりを注文する。絶え間ない喧嘩と飲酒——こんな場所にはこれまでお目にかかったことがない。金曜日か土曜日の夜、ソーホーあたりで、ステージの休憩時間にあたりをうろつきながら、いったい何度殴り合いを目にしたことだろう。とても数え切れない。ここはたしかにおれ好みの街かもしれない。故郷を離れた故郷、そんなところか。

彼自身はこのところ、前ほど喧嘩をしなくなった。そんなに遠い昔のことではないが、誰かに飛びかかりそうになって、危ういところで自らを押しとどめた。そのときに彼はこう思った。このような激しい炎を、おれは楽器のためにセーブしておかなくてはならないのだ、と。酒が二三杯入ると、また昔のように喧嘩にはやる思いが彼をひっぱった。でも更にグラスを五杯、六杯と重ねていくと、攻撃性のようなものは彼の中からこぼれ落ち、消え去っていった。そしてアルコールの輝かしい沼地に、単身残された。最近では放っておいても自然に酔っぱらえるようになった。一日の終わりには、勝手にそういう状態になっているのだ。かつて誰かが彼に言ったことがある。ガラスというのは完全な固体ではなく、板ガラスを立てておけば、目に見えないくらいではあるけれど、底の方が広がっていくものなのだ、と。底の部分は、ほんの僅かにだが、てっぺんの部分より幅が広くなる。彼にとって、世界そのものがそんな具合になりつつあった。すべてがたわみ、こぼれ出し、床にへなへなと沈み込んでいくのだ。昔はそうではなかった。飲めば飲むほど、頭に血が上っていったものだ。気がついたときには彼はいつも、舞い散るガラスや、壊れたテーブルや、割られた頭のただ中にいた。重量挙げ選手のように誰かをひょいと担ぎ上げ、窓の外に投げ出していた。あるとき彼は白人の青年と話をしていた。すると一人の酔っぱらった船乗りがやってきて、ベンを相手に何ごとかくだをまき始めたが、ベンは相手を殴りつけて床に沈め、瞬時にそのけりをつけた。それから再びグラスを手にし、カウンターにもたれかかり、片足を意識のない船乗りの身体に載せたかっこうで、中断させられた話の続きを始めた。彼は派手な殴り合いの喧嘩にどこまでも向いた男だった。相手がナイフを抜いたりしない限りということだが、どんなに強く殴られても、まるでこたえないみたいだった。衝撃はそっくり身体が吸い込んだ。あとになって節々に痛みを感じることがあっても、それが殴り合いによるものなのか、それとも二日酔いによるものなのか、見分けられなかった。ただ一度、ジョー・ルイス（ボクサー。一九三七年から四九年にかけてヘビーウェイト級の世界チャンピオン）に殴りかかったことがあって、そのときはさすがに肋骨二本にひびが入った。しかしベンは泥酔していたのでそれにも気づかなかった。

彼は一貫して、がっしりと逞《たく》しい体軀を持った男だったが、三十代も半ばを迎えるころには、その身体は更に嵩を増そうと、虎視眈々チャンスを狙っているように見えた。時を経るごとに、彼の体つきと楽器のトーンはほとんどうり二つになっていった。大きく、重く、そして丸くなっていったのだ。ステージに立つ彼を前にして、まず目につくのは、丸い腹と、丸々した顔、両目の下についたぽったりとした大きな袋だった。尖った部分はどこにも見あたらない。演奏するとき、その目は顔の中にくるりと巻き込まれ、首と頰はぷっくり膨らみ、彼が丸ごとひとつの完全な球体になろうと試みているかのようだった。昔から一貫してスローな演奏を好んだが、今では身体の動きそのものまですっかり緩慢なものになって、その身体が求める動きと、彼の生み出すサウンドとのあいだに、見事な調和ができているみたいだった。彼はバラードをどこまでもゆっくりと演奏したので、時間《タイム》が彼の上にずっしりとのしかかる様まで聴き取れそうだった。ゆっくりとプレイすればするほど演奏の出来は良くなった、とも言えよう。彼は長い人生を生きてきたし、ひとつひとつの音符に込めるべきものが数多くあったのだ。しかし同時に、彼の中のある部分はまったく成長しなかった。まるで小さな子供のような心を持ち、時としてただただ楽器に向かってすすり泣いているようにも見えた。だからこそ、ただシンプルで愛らしい曲を演奏していても、彼は聴く人の心を引き裂くことができた。彼は巨大なサウンドを持っており、彼がそれを宥めるように、限りなくソフトな音色を奏でるとき、農場労働者が生まれたての動物の赤ん坊を両手でそっと包んでいるみたいにも聞こえた。あるいは建築現場で働く労働者が、一束の花を愛する女に贈っているみたいにも。「コットンテイル」での彼は、拳闘選手の拳のような逞しいサウンドを繰り出すが、バラードを演奏する彼は、音楽をか弱い動物のように扱う。その動物は冷たくなり、死に瀕していて、人の吐息の温かみだけがそれを蘇生させられるのだといわんばかりに。そしてまたひどく衰弱しているので、ほんの微かな吐息ですら、相手には突風のように感じられてしまうのだというように。

——あなたの音楽哲学とは、と尋ねられたとき、デュークは言った。「私は大きなほろりとした涙が好きだ」と。ベンもそれに同感だった。彼はバラードや感傷的な小唄を好んだ。感傷とはお手軽な情動だ、と言うものもいる。しかしジャズに関してはそれはあてはまらない。あそこまで優しい音を楽器で奏でることは、そしてスイングしつつ、なおかつ人の感涙をそそるというのは、普通にできることじゃない。それをお手軽と呼ぶことはできない。人がジャズを演奏する——人はそこで必ず代償を払っているのだから、その情動は常に正当なのだ。そのために演奏するんだ。音楽の歴史を見ればそれはわかる。ベンがブルーズや、あるいは「イン・ナ・センチメンタル・ムード」を演奏するとき、感傷の定義なんぞどこかに吹き飛んでしまう。彼の演奏は何があっても甘ったるくはならない。なぜならベンの場合、それがいかにソフトな演奏であれ、常にその近辺には咆吼《ほうこう》が身を潜めているからだ。

彼のバラードのフィーリングはノスタルジアから来ている。彼はいつもカンザス・シティーでのジャムセッションの日々を懐かしく回想した。そこでは毎日のように、夜を徹して楽器による果たし合いがおこなわれた。歓声と仲間たちに囲まれ、対戦相手をステージから追い落とそうとする。この頃は、ソロが終わって人々が拍手するとき、彼は聴衆に挨拶を送るべく、右手をあげて振った。ちょうど今、昔からの友人が楽器ケースを肩にかけて、飛び入り演奏をするべく店に入ってきたみたいに。本当に友人たちが訪ねてきたときには、彼はメロンのスライスのような満面の笑みを浮かべ、声を上げて笑った。そしてそのときにあらためてこう思った。こんな風に腹から笑えることが、最近はなんて数少なくなっていたんだろう、と。そういう機会はどんどん減っていった。デュークと演奏旅行をしながら、あるいはハーレムでジャムをやりながら過ごしていた日々は遠いものになった。ハーレム——降りしきる雨の中を走り、「ミントンズ」の店内に駆け込んだとき、一人の若者がテナーを吹いていた。彼は鳥の首でも絞めるみたいに、楽器と格闘し、楽器に悲鳴をあげさせようと、のたうちまわらせようとしていた。ぜいぜいと息をし、流れる汗を床に垂らして。音のもつれや結び目が、もつれてはほどけ、ほどけてはもつれるのをベンは聴いていた。サックスがそうやって金切り声をあげ、苦悶にあえぐのを聞くのは、彼にとっては愛する子供が誰かに打たれているのを目にするようなものだった。その男に見覚えはなかった。ベンはのっそりとステージに上がり、若者がソロを終えるのを待ち、それから言った。まるで相手ができたらめに扱った楽器が、自分の楽器であるかのような口ぶりで。

——テナーってのはな、そんなにせかせかした音で吹くようにはできちゃいないんだ。

ベンは若者の手から楽器をもぎ取ると、テーブルの上にそっと置いた。

——お前さん、名前はなんていうんだ?

——チャーリー・パーカー。

——なあ、チャーリー、あんな風にサックスを吹いていたら、はたの人間がみんな、頭がおかしくなっちまうぜ。

それから鼻を鳴らして大きく笑った。まるで盛大に音をたてて鼻をかむみたいに。そして雨の中に出て行った。酔っぱらったカウボーイから危険な武器を取り上げた保安官よろしく。

彼は決して後ろ向きの人間ではなかったが、

音楽の生命がこのような場面にどれほど依拠しているかを承知していた。ジャズは彼にとっては、決してむずかしいものではなかった。そのへんは、あとの時代のミュージシャンとはずいぶん違う。彼の本質は常に変わることなく、人々がただブロウするために集まっていたような時代に根ざしていた。その根底にあるのは、音楽に貢献するということだった。こちらから何かを差し出すことであり、サックスなりピアノなり、それぞれの楽器の中に、独自のサウンドを見いだすことだった。彼のあとに出てきたミュージシャンたちは、自分たちには音楽の未来に対する責務があると感じていた。それぞれの楽器の未来についてのみならず、音楽全体の未来について、そういう思いを抱いていた。この先十年の状況を一変させるような何かを、自分たちは成し遂げなくちゃならないと考えていた。しかしその六ヶ月後に別の誰かが出てきて、それをまた根底からひっくり返してしまうのだ。彼らの演奏するすべての音符には苦悩がこもっていた。新しいサウンドを得たいがために、彼らは楽器にありとあらゆることをさせた。首を絞め、うめき声を上げさせ、悲鳴をしぼり出した。音楽はどんどん複雑になり、なんとかまともに演奏できるようになるまで、三年も四年も勉強しなくてはならなかった。ベンにとってジャズとはそんな面倒なものではなかった。それは格闘すべき相手でもなく、頭の中のイメージに合わせて作り替えるべきものでもなかった。彼にとってジャズとは、ただ単にサックスを吹くことだった。

——もし君がジャズを好きなら、君はベンを好きになるはずだ。ジャズは好きだけど、オーネットは好きじゃないと言うものもいるだろう。デュークを好きじゃないと言うものだって、あるいはいるかもしれない。しかしジャズを愛しながらベンを愛さない、なんてことはあり得ない。

彼は孤独を携えて移動していたが、その一方で自分のサウンドを慰謝として携えてもいた。楽器が彼の我が家《ホーム》だった。楽器と帽子。彼は帽子をかぶっているというよりは、その中に住まっているようだった。ポークパイ帽と中折れ帽は、まるでユダヤ教徒のスカルキャップみたいに、いつも後ろに押しやられ、そこに辛うじてしがみついていた。朝目が覚めて、その決して潰れることのない帽子が、自分の頭にまだ載っていることを知って、彼は喜んだ。それは今のところ、彼にとって「温かい心持ち」に最も近いものだった。長いあいだ異国の地に暮らしながら、ふと気がつくと我が家のベッドに戻っている、そんな温かい心持ちだ。帽子とサキソフォン、それはいうなれば伝統《トラディション》なのだ。彼が決して離れる必要のないホーム。

——ベンは英国の田舎を見てみたいと言った。だから我々は彼の住んでいるアパートに寄って、彼をピックアップし、車でどこまでも延々と続く郊外住宅地を抜けて、田舎に向かった。都会からすっかり離れたというほどじゃない。そこに見るべきものがほとんどないことを知って、ベンは衝撃を受けていた。鉄道もなければ、広告板も看板もない、何もない。すべてがだんだんまばらになっていくだけだ。いくつかのパブの前を通り過ぎたが、どれも「王冠亭」だとか「キツネと猟犬亭」だとか、そんな店名だった。すれ違う車は決まって黒い色だった。空はずっとどんより曇って、灰色に染まった田舎にようやく入った頃には、雨がしとしとと降りだした。低い丘陵が、我々のまわりで高くなったり低くなったり、そこに雲がまとわりついていた。

我々は幹線道路から少し引っ込んだところに車を停め、座席に腰を下ろしたまま、エンジンを切った静けさの中でしばしの時を過ごした。私はベンにゴム長靴を貸し、彼はそれになんとか苦労して足を突っ込んだ。そして我々は狭い小径を重い足取りで歩いた。水たまりに足を踏み入れながら、一歩一歩よたよたと歩いていった。壊れたゲートの前を過ぎ、キイチゴの茂った荒れた生け垣の前を過ぎた。雨はとても細かくて、空気に含まれた湿気と見分けがつかないくらいだった。我々は一列になって進んだ。私の妻が先頭に立ち、それからベンが続いた。彼ははあはあ息をしていた。彼の吸う煙草の煙が雲のように立ち上っていた。小径を辿っていくと、小さな森に入った。樹木の作り出す重い暗闇に、我々は目を慣らしていった。少しのあいだ雨脚が強まり、頭上高いところで雨が葉を打つ音を耳にすることができた。森の外れに来たところで、ベンは言った。もうくたくただ。ここで待っているから、君たちだけで行ってきてくれと。我々の進む小径は、いくつもの野原の端をまわりこむように長いループを描き、それから丘陵の登りにさしかかった。ベンがそろそろ待ちくたびれているんじゃないかと少し気になってきたので、我々は森を抜けて引き返した。しかし森の中で、自分たちの通ってきた道をみつけるのは簡単ではなかった。十分もしないうちに、我々は方向を見失ってしまった。ベンにたまたま出くわしたのは幸運と言うしかない。彼はさっき別れたまさにその場所でじっとしていた。我々は彼に出会ったとき、来た道を引き返しているつもりで、実は森の外れに向かって進んでいたのだ。彼はとても巨大に見えた。トップコートに丸まって、ポークパイ帽をひょいとかぶり、まわりの風景から完全に浮き上がっていた。私は声をあげて彼の名を呼ぼうとしかけたが、その光景には幸福なものがあって、それを乱したくなかった。地平線の近くで雲が割れて、太陽の光が差した。いくつかの木が暗い影になり、ほかの木々は黄金色の光に染められた。森は湿った沈黙に包まれていた。聞こえるものといえば、葉の間から垂れる水滴の音だけだ。鳥たちは樹木の高い枝から飛び立ち、野原を横切っていった。ベンは森の外れでゲートの柱にもたれかかり、野原の向こうを見ていた。遥か先には一軒の農家があり、煙突から煙が立ち上っていた。暗い丘陵の上を雲がのんびり流れていた。我々は物音を立てないように、そこでじっとしていた。その土地ではついぞ見かけない珍しい、美しい鳥に出会ったときのように。

　君は私に尋ねる。彼の音楽は私にとってどのような意味を持つのか、と。私は彼の音楽を、その午後を思い起こさずには聴けない。私にとっては、彼の音楽はまさにそのときのとおりに響くんだ。私にはそれこそがまさに、彼の音楽が意味するものだ。ほかに語るべきことはないな。

まだ明るくはなっていないが、夜の暗闇は夜明け前の灰色に席を譲っていた。家々に灯がともり、木々は痩せた牛のように地平線に並んでいた。

デュークは手を伸ばしてラジオをつけ、初期のジャズを回顧する番組にダイアルを合わせた。キング・オリヴァーのレコードがかかり、よく知られたジャズの歴史のひとこまが紹介された。ニューオリンズの娼家が閉鎖され、そこで演奏していたミュージシャンたちがミシシッピ沿いに北に移動し、おかげでジャズがアメリカ全土に伝播したのだと。デュークはそれをほとんど聴いてもいなかった。彼の頭の中にひとつのアイデアが形作られていった。彼はラジオを消し、考えを巡らせた。鉛筆でダッシュボードをこつこつと叩いた。そうだ、そんな風に進めればいいのかもしれない。今から何年も先、一人の男が車で田舎を走りながらラジオを聴いている。そこから始まる。過去の音楽がそこでかかっている。ルイ・アームストロングとか、その手の音楽じゃない。ついこのあいだまで演奏していた、あるいは今まさに現役で演奏しているモダン派の連中だ。しかしこの男がラジオを聴いている時代には、彼らは既に亡くなっている。男は彼らの生きた様子を知らないし、その音楽はレコードを通して知っているだけだ。過去を振り返る未来の男を描くのだ。その音楽が今から三十年四十年後にどう聞こえるか。その男が耳にする音楽と、それを聴きながら彼が考えることの両方を、表現するように努めるのだ。

――なあ、ハリー、いいことを思いついたぞ。

――どんなことだね、デューク？

――ちょっとしたことだ、と彼は言った。そしてダッシュボードの中に紙片を探し求めた。

太陽が地平線の上にちらりと顔を見せ、木々の黒いまつげの間から目を細めるように世界を覗いた。空は黄金色を混ぜたブルーに染まり、車はほんのわずかにスピードを上げた。新しい一日とのランデブーに遅れかけている、とでもいわんばかりに。

彼のベースは、背中に押しつけられた銃剣のように、人を前に駆り立てた

チャールズ・ミンガス

アメリカは絶え間なく彼の顔に吹き付ける強風だった。アメリカと彼が言うとき、それは白人のアメリカ《ホワイト・アメリカ》を意味した。そしてホワイト・アメリカと彼が言うとき、それは彼が好まないアメリカのあらゆるものを意味していた。風は彼に対して、小柄な人々に対するよりいっそうきつくあたった。小柄な人々はアメリカを微風と見なしたが、彼の耳はそれを暴風ととらえた。たとえ樹木の枝がそよとも動かず、アメリカ国旗が家屋のわきに星条模様のスカーフのように垂れ下がっていようと、彼の耳はその脅威を聴き取った。それに対する彼の対応は、怒鳴り返すことだった。それが挑みかかってくる（と彼が感じる）のと同じほど激しく、それに挑みかかるのだ。二つの巨大な伝説の戦車《ジャガナート》が、大陸ほどの幅がある路上で、猛烈な勢いでぶつかり合った。

自転車に乗ってグレニッチ・ヴィレッジを抜けていくとき、車体は彼の巨体の下で、ひしゃげてしまいそうだった。曲がり角のひとつひとつに、風が待ち伏せをしていた。彼の顔に向かって汚物――新聞紙や、空き缶や、食物の包装

紙や、砂利や、油拭きみたいにぼろぼろのカーディガン――を投げつける暴徒として。彼は進みながら、他の道路利用者たちと長距離走的な口論を続けた。そのサイド・ミラーにうっかりどすんと肩をぶっつけてしまったステーション・ワゴンの運転手と、四ブロック進むあいだずっと罵声を交換していた。自分の邪魔をするすべての人間に対し、彼は怒鳴り声を上げた。そして誰もかもが彼の邪魔をした。トラック、自家用車、タクシーを運転する人々、歩行者たち、自転車に乗った女性たち、誰だって同じことだ。そこに違いなどありはしない。なにも人だけではない。穴ぼこがあり、駐車中の車があり、長く続きすぎる赤信号があった。

怒りは常に彼の中にあった。冷静なときでさえ、彼の怒りのパイロット・ライトはしっかり点滅していた。ことあれば即座に怒りの噴火に移れるように。口を閉ざしているときも常に、頭の一部は怒鳴り声を上げていた。どうして自分がそんな風になるのかはわからなかったが、そうしないでは生きていけないということはわかった。彼の怒りはエネルギーのひとつの形態であり、身体を舐める炎の一部なのだ。だからこそ、自分の中で進行しているすべてを収納しようとすれば、彼は巨体にならざるを得なかった。ただし自らをそっくり収めるには、ビルディングくらいのサイズの身体を持たなくてはならなかっただろう。彼はまるで、数秒ごとに気温が著しく変化する土地のようなものだった。ただどんな気温であれ、常にそれは沸騰していた。冷たく沸騰し、熱く沸騰し、雨に沸騰し、霜に沸騰し、氷に沸騰した。

彼の身体はそれ自体の気象を持っていた。その形態は一ヶ月単位で変化した。あっという間に五十ポンド肥り、同じくあっという間に同じだけ痩せた。あるときには肥っていたし、あるときにはただ巨体だった。しかしおおむね、彼はどんどん大きくなっていった。その身体は古いセーターのような様相を帯びていった。

彼は様々な食餌療法や薬品を試みたが、一晩のうちに三度か四度の夕食をかき込むのが習慣になっていた。どの皿も、サイド・オーダーやエクストラで山盛りになっていた。仕上げのデザートとして、アイスクリームが二皿ばかりたいらげられた。アイスクリームはどれだけ食べても、食べ足りなかった。それがどのような味であれ、どんな調性《キー》であれ、まったく気にならなかった。彼は一度、食餌療法で四十ポンド痩せたが、誰一人その変化に気づかなかった。一軒の家くらいの大きさのある書庫から、薄い本を二冊ばかり抜いたようなものだったからだ。自らのサウンドを定めなくてはならなかったのと同じくらいしっかりと、彼は自らのサイズを定めなくてはならなかった。そして伝統はこう告げていた。大きければ大きいほど良い、と。体重の増加は彼を決して鈍重にはしなかった。肥れば肥るほど、彼はその強烈さを増していった。ずだ袋ははち切れそうなほど膨らんでいた。

彼は等身大以上《ラージャー・ザン・ライフ》だ、と人々は言った。人生《ライフ》とは小さくひ弱なものであるみたいに。何サイズか身体より小さく、動くたびに今にもはち切れてしまいそうな上着であるかのように。

Mingus Mingus Mingus——それは名前ではなく、動詞だ。思考さえもが行動のひとつの様式になる。内的モーメントのひとつの様式になる。

徐々に彼は自分の楽器に匹敵する重さと奥行きを獲得していった。彼はとても大柄になったので、ベースはまるでダッフルバッグのようにその肩に軽々と担がれた。重さはほとんど気にならないみたいだった。彼が大きくなっていくにつれて、ベースはどんどん小さくなっていった。彼はそれをどやしつけて、自分の望むがままに使い回すことができた。ある人々はまるで彫刻家のようにベースを演奏する。扱いづらい石の塊から音符を彫り出すみたいに。ミンガスはまるでプロレスをするみたいにその楽器を演奏した。近くに引き寄せ、懐に入り込み、首根っこを摑み、弦をはらわたのように弾《はじ》いた。彼の指はやっとこのように強力だった。彼が親指と人差し指のあいだに煉瓦をぎゅっと挟んで持ち、二つの小さな窪みをあとに残すのを目にしたと主張する人々もいる。それから彼は弦にひどく優しく指を触れた。まるで人跡未踏の地に咲いたアフリカの花の、そのピンク色の花弁に一匹の蜂がそっととまるみたいに。彼が弓弾きをするベースは、教会の千人集会がハミングするような音を出した。

Mingus Fingus――ミンガスは指で弾く。

音楽は、どこまでも拡大していく「ミンガスであること」というプロジェクトのただの一部分に過ぎない。日常のあらゆる動作や言葉には、それがどのように些細なものであれ、いずれ劣らず――靴紐を結ぶことから「瞑想《メディテーションズ》」を作曲することに至るまで――彼自身をたっぷりと吸い込まされていた。彼という人間と、その音楽の総体は、ほんの一瞬の彼の姿に表わされている。彼が読んでいるところを撮ったヒントンの写真のように……

ミンガスは腰を下ろす。彼が腰掛けると、不必要なまでの力によって椅子をねじ伏せているみたいに見える。しかしミンガスに関して言えば、あらゆることが過剰なのだ。彼はニューヨーク・タイムズを取り上げ、ページを荒っぽく繰り、「このクソはいったい何なんだ?」という風にそれをぺっと広げる。それがいつもの新聞の扱い方だ。彼はしばらくせわしなくそれを読んでいく。まるで誰かの上着のラペルをとらえるみたいに、両手でしっかりと両端をつかみながら。あちこちの数行を読んで、前に飛び、後ろに飛び、ちょっとした細部で立ち止まり、それからいくつかのパラグラフ全体をさっと流し読みし、そのあとでまたそこに戻る。そのように彼はひとつの記事を、四つか五つの違ったやり方で読むことになる。ただし当たり前の読み方だけはしない。読書能力に問題のある人のように見える。眉間に深いしわが寄り、唇は、まるで聞き耳を立てている老人のように、今にも言葉を形づくりそうに見える。彼が身を動かすたびに、その椅子はおならをするような音を立てたり、軋んだりする。紙面に目を注ぎながら、彼はドーナッツを食べる。片手でそれを二つに割り、片方を口に入れる。まるで小鳥を食べる蛇のように。それを嚙んで呑み込み、コーヒーで押し流し、新聞についた粉を払う。彼は読み終えた新聞をむかついたように床に放り投げる。それを目にすることにもう一刻も耐えられないと言わんばかりに。

　別の写真、ここでは彼はレストランにいる。銀行家風のお堅いピンストライプの服を着て、山高帽をかぶり、黒眼鏡をかけている。ミンガス男爵。その写真を撮ったすぐあとに彼はぐっすり眠ってしまう。食事が運ばれてきたときに、彼は目を覚まし、すぐにウェイターたちを呼びつける。その偽の英国訛りはバードから教わったものだ。

——いいかね、君《オールド・チャップ》……

それとかわりばんこに口のきき方を変える。

——ようよう、兄さん……ウェイターくん。

　隣のテーブルから非難がましい顔つきでこちらを見ているカップルを目に留めると、彼は両手でステーキをつかみ、細かくちぎり取り、派手に音を立ててそれを囓り出した。まううう、にゃうううう、まうううう——殺したばかりのネズミの肉に食いつく獣のようだ。誰かが彼にひとことでも声をかけたら、ひと暴れする準備は整っている。

　彼はステージの上で、消火用の斧を持ってファン・ティゾールを追いかけ、ティゾールの椅子を真っ二つに割ったことで、デュークの楽団をクビになった。デュークが「A列車で行こう」の演奏にかかろうとしていたまさにその時の出来事だった。あとになってデュークは微笑みながらこう言った。どうしてそうすることを前もって言っておいてくれなかったのかね？　そうすれば何かしらをスコアに書き込んでおいて、いくつかの和音《コード》を添えてあげることができたのに。デュークは誰一人クビにしたことはなかった。だから彼はミンガスに退団してくれることを求めた。

ミンガスに耐えられる人間は一人もいなかったし、ミンガスの方も誰に対しても、何に対しても耐えることを拒否した。何ものにも自分の邪魔はさせないと。彼は心を決めた。そしてその結果、人生は障害物競走となった。もし彼が船であったなら、海が彼の前に立ち塞がったことだろう。自分の行動が逆効果を招いていると気づいたときには、それは既に、独自の奇妙なやり方で、成果を上げ始めていた。

ミンガスにとっては矛盾というようなものはあり得なかった。何かが彼によって為されたり、口にされたりしたという事実は、その何かに自動的に完全性を与えることになった。そして彼の音楽は、すべての区別を葬り去ることを誓言していた。作曲されたものと即興で作られたものとのあいだの区別、プリミティブなものと洗練されたものとのあいだの区別、荒々しいものと優しいものとのあいだの区別、好戦的なものと叙情的なものとのあいだの区別。前もってアレンジされたものは、反射作用のような即興性を持たなくてはならなかった。彼は音楽というものを、その元の根っこのところまで辿ることで、前に進めていきたかった。もっとも未来志向の音楽は、その伝統のいちばん深いところまで掘り下げたものになるだろう。それが彼の音楽だ。

若い頃、彼は西洋音楽の理論に通じていることを鼻にかけていたものだ。ロイ・エルドリッジに「お前はなんにもわかっちゃいない。コールマン・ホーキンズのソロをひとつも知らず、それを口ずさむこともできないようじゃな」と言われるまでは。彼にしてみれば、そんなことは前からわかっていたのだが、自分にそれがわかっていたと気づくためには、誰かに面と向かってそう言われることが必要だった、というわけだ。それ以来鉛筆を手に、机に向かって作曲に励む作曲家を馬鹿にするようになり、譜面に音楽を書くことをすっかりやめてしまった。

——彼は何によらず紙に書かれたものを嫌った。そうすることで流動性が失われると考えていた。その代わりに我々のために、ピアノでいろんなパートを弾いてくれた。メロディーをハミングしたり、作品の枠組みや、そこで使えるスケールを説明したり、二度ばかりざっと通しでやってくれた。歌ったり、ハミングしたり、足を踏みならしたり、使えるものは何でも使った。それからみんなにあとは任せた。やりたいことをやりたいようにやってみろ、ということだ。

ただし我々のやりたいことは、彼のやりたいこととぴったり同じでなくちゃならなかった。

ステージの上で彼は声を張り上げて指示を出し、リズム・セクションをこっぴどく罵った。演奏が気に入らないと、曲の途中で「やめろ、やめろ」と叫んだ。聴衆に向かって、ジャキ・バイアードはまともにピアノが弾けないから、ここですぐさまクビにすると告げ、もう一度その曲を頭からやりなおし、半時間後にはさっきクビにしたピアニストを再雇用した。

彼のベースは、まるで囚人の背中に押しつけられた銃剣のように、みんなを前に前にと駆り立てた。それに加えて指示が雨あられと降り注ぎ、腕力を振るうという絶え間のない脅迫があった。何が起こるか予測もつかなかった。サイ・ジョンソンが顔を上げると、ミンガスがベースを放り出してこちらに向かってくるところだった。口をジョンソンの顔の前に突きだし、唾を吐きかけながら、彼がどれくらい役に立たないホワイト・マザファッカであるかを並べ立てた。そして両手の拳でピアノをがんがん叩いた。まるで相手を床に押し倒して、その顔を殴りつけているみたいに。ジョンソンの恐怖は怒りに変わった。そして彼もげんこつでピアノを思い切り叩き始めた。それがミンガスの顔であるかのように。

――このホワイト・ボーイはちゃんとピアノが弾けるじゃないか、とミンガスは大きな笑みを顔に浮かべ、ピアノの発する耳を聾する騒音をものともせず叫んだ。ははは。

バンドのメンバーの半分を一晩で解雇することも時としてあった。もっと多くの場合、まるで次の噴火を恐れて、火山のふもとの肥沃な土地を離れていく人々のように、メンバーは彼のバンドから去っていった。脅迫や罵声の洪水に耐えられなくなったからだ。それでも彼のもとに留まる人々もいた。彼らには、ミンガスの創造性と怒りは分離不可能なものだということがわかっていたからだ。音楽を創るためには彼は、挑発とそれに対する反応とが見分けられなくなるまで張りつめた段階に、歩を進める必要があった。人生においても音楽においても、彼はものごとが実際に起こりもしないうちに、それに反応した。常にビートのほんのわずか前を行っていた。しかしそのことを承知していても、またそれに加えて彼を愛していても、ミンガスの怒りから身を護る役には立たなかった。二十年にわたってミンガスの音楽のために、また彼のことを思ってやってきても、いったん何かが持ち上がると、彼は殴りかかってきた。ジミー・ネッパーのとっていたソロが気に入らないからといって、つかつかと彼のもとに歩み寄り、腹に一発を食らわせ、とっととステージを降りてしまった。ネッパーはそれでもまだ彼のもとに留まっていたのだが、再び殴られ、歯を二本ばかり折られ、唇を無茶苦茶にされたときには、さすがに堪忍袋の緒が切れた。彼はミンガスを告訴した。自分が「ジャズ・ミュージシャン」であると言われたとき、ミンガスは自分の弁護士に向かって「ちょっと黙っていろ」と身振りで指示した。ステージの上で彼の意に染まない演奏をしたミュージシャンに対するのと同じように。

――おれのことをジャズ・ミュージシャンと

呼んでくれるな。おれにとって「ジャズ」という言葉は「ニガー」と同じなんだ。それは差別用語であり、黒人が二級市民だということであり、つまりはバスの後部席に座ってろということなんだ。

証人席でネッパーは首を振った。彼は既にミンガスのもとに戻りたくなっていた。

彼はほかのすべての楽器に強引に割り込んだ。マイルズやコルトレーンは自分のサウンドを補完してくれるミュージシャンを捜し求めたが、ミンガスが求めたのは、彼自身が姿を変えて、ほかの楽器にも持ち込まれることだった。自分の雇うドラマーに常に不満を抱いていた彼は、それまでいた打楽器奏者を例によって人前で手痛い目にあわせた直後に、ダニー・リッチモンドと巡り合った。ドラムを始めてまだ一年にしかならない二十歳の青年だった。ミンガスは彼に、自分がまさに求めるドラミングを叩き込んだ。自らのイメージの鋳型に彼を押し込んだのだ。

――そんな小洒落た叩き方をするんじゃない。おれがソロをとっているんだぞ、このやろう。

ダニーは彼のもとに二十年間留まり、ミンガスの音楽アイデンティティーにただただ包摂されることに、自分の音楽アイデンティティーを見出してきた。ミンガスがますます肥えるにつれて、ダニーはますます痩せていった。まるで彼のメタボリズムまで、ミンガスのそれと均衡を取るべく順応しているみたいだった。

――彼と演奏していると、たしかに**びびる**ことはよくあった。でもほかのバンドではまず味わえない昂揚感にぶっ飛ぶこともあった。自分たちがバンドというよりは、まるで追い立てられる家畜の群れみたいに思えてくることもあった。ミンガスの大きな罵りの叫びが、一転して励ましの雄叫びになるんだ。

――それ、それ、そのとおりだよ。彼の声が鞭となって、馬の背中をびしばしと叩くんだ。

——それ行け、ほれ行け、ってね。

音楽がその強度を高め、彼の内部にあるそれよりも高いレベルの圧力にまで達したとき、モーメントはきわめて切迫したものとなり、何ものにもそれを阻むことはできなくなった。全員がそこに死にものぐるいでしがみついているみたいに見えた。ミンガスが音楽を凌駕するように咆吼し、ときの声を上げるのはまさにそのときなのだ。それを強要することによって、彼自身は台風の目のような静寂を獲得できる。恍惚となったフランケンシュタインのように、彼は怒鳴り吠えた。そこには自分が怪物を解き放ってしまったことに対する怯えもあり、ものごとが自分のコントロールを超えてしまったことに対する喜悦もあった。ミンガスは幸福だった——そのスリルに、そのような凄まじい奔流にかなうものは何もない。全速力を出しているときのバンドは、疾走するチータたちのようだった。象に追いかけられているチータたち。その象は常に、その大きな足で今にも彼らを踏みつぶしてしまいそうに見える。

彼は自分の音楽に生活を、また街の騒音を、あまりにたっぷりと詰め込んだので、三十年後に、「直立猿人」や「ホグ・コーリング・ブルーズ」や、他のそのように荒々しく力のみなぎった曲を聴く人々は、そこにある叫びや苦悶が、レコードで楽器の奏でているものなのか、それともけたたましく窓の外を過ぎていくパトカーの、赤と白に光るサイレンの音なのか、うまく区別がつかなくなってしまうことになった。ただその音楽を聴いているだけで、人はその音楽に参加し、そこに付け加えられることになった。

——彼はおれたちを罵り、脅した。バンドのみんなをね。でもそれは、聴衆に向かって長々とお説教を垂れることに比べたら、取るに足らないことだった。彼は自分の演奏中におしゃべりをしたということで、人々を叱りつけ、それから三十分にわたって延々と独白を続けた。目につく人間を片っ端からこきおろした。言葉は時速百マイルの勢いで口から切れ目なく出てきた。言葉は横滑りしたりもつれたりしながら、あらゆるところにまき散らされた。彼は人々が冒頭の数語を聞き逃したと気づくより早く、もうセンテンスの終わりに達するのだった。人々が彼の言わんとする骨子を把握したときには、本人はもう何か別のものの攻撃に移っていた。クラブのオーナーや、ブッキング・エージェントや、レコード会社や、批評家たち。誰が相手であれ、彼には言いたいことが山ほどあった。

彼の音楽は農園における奴隷たちの叫びに近づいていった。彼のしゃべりは思考の生々しい混沌に向かっていた。口から発せられる意識の流れだ。彼の思考は集約——つまり静寂、沈黙、長い期間にわたる深い没頭——の対極にあった。彼は素速く移動し、多くの場所をカバーすることを好んだ。彼にとっての思考とは、相似するものを連ねていくことだった。それはちょうど

あれのようなものだよ、あれと同じだよ……という具合に。

彼の音楽を求めると同時に、お馴染みの攻撃的長広舌をも期待してやってくるものもいた。たいていの人は困惑したままそこに座っていた。口答えする人間は歯を叩き折られることを覚悟しなくてはならなかった。一人の酔っぱらいがしつこく一つの曲をリクエストした。ミンガスが演奏したくない曲だった。最後に彼はその酔っぱらいの顔の前にベースをぐいと差し出した。

——あんたが演奏しろ。

彼がローランド・カークと出会ったとき、それは生後間もなく生き別れになった兄弟が巡り会ったようなものだった。カークはまさに黒人音楽の生き字引とも言うべき男だった。彼はそのすべての知識を頭の中にではなく、身体に蓄えていた。それを知識としてではなく、感覚として蓄えていた。彼は思考をおおむね捨て去り、感覚を闊達な知性のレベルにまで引き上げてい

た。彼は夢の中から導きを得ていた。自分が三本のホーンを同時に吹いている光景を、彼が最初に目にしたのも夢の中だった。自分をラサーンという名前で呼べと告げられたのも、また夢の中だった。

カークはミンガスに似ていた。彼が演奏するものすべては叫びや、怒声をその内に有していた。それは黒人音楽の脈打つ心臓であり、悲しみの、希望の、反抗の、苦痛の叫びだった。またそれだけではなく、挨拶でもあった。友だちや兄弟に向かって、自分がそちらに向かっているぞと知らせる呼びかけだ。他の部分でどのようにジャズが変化しようと、その叫びだけはそこになくてはならなかった。モードがどうこうという話を取り去ってしまえば、そこにはスイングがある。スイングの背後にはブルーズがある。ブルーズの背後には叫びがある。畑で奴隷たちが呼び合う大きな声だ。

カークが姿を見せると、ミンガスはその盲目の男を自分の車に乗せて、あちこち運転してまわった。角をぎゅっと急速に曲がり、道路の穴もかまわず乗り越え、警笛を鳴らし、道路脇に溜まった水を派手に跳ね上げた。すべては目の見えないカークに身体で感じさせるためだった。窓をおろし、濡れた路面が立てるしゅうっというタイヤ音を聞かせた。ワイパーにもときどき軋みを立てさせた。周期的に警笛を鳴らした。それらの音に負けじと（Uターンをしようと、びっしり混み合った車の流れに丸々三分間、直角に車の鼻先を突っ込んでいたときでさえ）ミンガスは一人で延々と話し続けた。質問や、意見や、主張を並べたてた。それが止むのは、他のドライバーや自転車乗りに向かって、激しい侮蔑の言葉を山ほど投げつける時だけだった。

——あんたはそいつに乗ろうとしているのか？　それともそいつにケツの穴をファックさせているのか？

数秒ごとにカークは熱意を込めて肯いた。手を伸ばしてミンガスの腕に触れた。そのとおりだ、と言うように相手の肩をばんばんと叩き、笑った。朝、カークはダイナーでミンガスの向かいの席に座った。食事を次々に平らげていくミンガスの食欲に恐れをなしながら。ドライブの途中、二人は既に二軒のレストランに立ち寄っており、ミンガスはそのたびにガルガンチュア的な量の食事と飲料を腹に詰め込んでいた。ダイナーに入ると、ミンガスはまず山ほどのブルーベリー・パンケーキとクリームを平らげ、今は卵とダブルのベーコンと、ソーセージとハッシュブラウンに猛然ととりかかっていた。ポテトにフォークをずぶりと突き刺した。まるでそれらはまだ地中にあって、引っこ抜かれなくてはならないと言わんばかりの勢いで。

——あんた、ポテトが好きかね？

——とくにそうでもない、とミンガスは言った。口の中は食べ物でいっぱいになっていたので、言葉は文字通り穴を穿つように出てこなくてはならなかった。

——あ、でもポテトが好きなんだろう？

——ああ、おれはポテトが好きだよ。

——そして卵も。

——ああ、卵もなかなかうまいぜ……ようよう、ウェイター、こっちにコーヒーをもうちっとくれないか？　あんたもコーヒーいるかい？

——うん、もうちっともらおうかな。

ウェイターが二人のマグカップにコーヒーを注いでいる間、ミンガスはカークの黒眼鏡を見ていた。この男はどれくらい正確に、声や、体重や、動作の立てる音から、ミンガスという精神をつかみ取っているのだろうと。

——オーヴァーイージーだね、とカークはずいぶん時間がたってから言った。

——そうだよ。

——よし、よし。いつ月が地球に衝突してもおかしくはないって、知っていたかね？

——どこでそんな話を聞いたんだ？

——どこでだったかな？　実際にその話を聞いたのかどうかも確かじゃない。

——まったく、もう、くしゃくしゃのトーストで口をいっぱいにしながら、ミンガスは笑った。

――なあ、ミンガス、卵ってどんな格好をしているんだい？

――卵が？

――ああ、卵がどんな風に見えるか、教えてくれよ。

――あんた、いくつのときに目が見えなくなったんだ？

――二歳のとき。

――太陽は見たことあるか？

――ああ、見たと思う。太陽のことは覚えているからな。

――卵の黄身はそれに似ている。太陽のようなもんだ。黄色くて、明るくて、そしてそのまわりに雲がかかっている。

――太陽みたいだって？ ふうん。なかなかうまい表現だ。人は目を閉じるとね、太陽を聴くことができるんだ。しっかりと目を閉じればな。ときどきテナーサックスで太陽の音を出そうとするんだ。月の音も出そうとする。でも太陽やら雲やらを相手にやるときほど、月とはうまくやれてないな。

それらがいったいどんなものなのか、カークがろくに認識できないうちに、色彩はどんどん霞んでいった。何度か夜に、青い靄のかかった空を背景に木の枝がさわさわと揺れている様を自分が眺めている、という夢を彼は見た。あるいはひらけた空間を一匹の犬が、家や野原のある風景に向けて駆け抜けていくところを、彼は眺めていた。そんな風景を目にしたことはなかった。というか、自分がそういうものを目にした記憶を持たなかった。海を夢で見たことはなかったが、それがどんなものか思い浮かべることはできた。海を聞き、その匂いを嗅ぎ、そこから彼は膨大な量の水の像を作り上げた。その惑星の巨大なクレーターや峡谷を満たしてしまうほどの水だ。彼はその音をひとつの強い力として感じとった。水を岸辺に打ち寄せ、また引き戻す力として。子供の頃に聴いたゴスペル音楽の中にも、それに似たものがあった。集会の信者たちのあいだを抜けていく、ゆったりとした前後の揺れだ。

　天候もまた独自の音を持っている。雪が降ると、すべての音がくぐもる。地面は足もとで軋み、苦悶の声を上げる。晴れた日には音は澄んで青く響く。秋の宵には彼の耳にするすべての音に霧の輪郭がかかる。都市にあっては、行き交う車に地面がごろごろと音を立てている。警笛や叫びや怒鳴り声、通風口から吹き出す蒸気のしゅうっという音が止むことはない。そこでは沈黙は、他の騒音の穴埋めをするのに必要とされる、最小限のレベルの音に過ぎない。

　カークの目がある場所に、ミンガスは自分の顔の反映を見た。食べ物を噛んでいる顔だ。自分の音楽が、盲人にとっての太陽のようなものであることを彼は望んだ。あるいは空腹な人間によって貪り食われる食事のようなものであることを。それくらい直接的かつ本能的で、必要性を有するものであってもらいたかった。そしてまたそれ以外の何かでもありたかった。カークのおかげで絶対的な確信を感じることのできた何かだ。農場《プランテーション》でも聞こえていたはずの他のサウンドが、そこにはあるはずなのだ。仕事がひとつ終わったとき、それがどこであれ、状況がどのように苛酷なものであれ、そこに聞かれるであろうサウンド——人々が声を合わせて笑う声だ。

　彼はカークを降ろし、自分のアパートメントに戻った。彼がそこで目にしたのは、混乱をきわめた情景だった。開いた窓から吹き込んだ風が、部屋中に紙をまき散らしていた。どこで暮らしていても、彼は常にせっせとものを溜め込んだ。彼の身体がせっせと体重を溜め込むのと同じように。店に入って何か気に入ったものが見つかると、それが何であれ、同じものを棚一つぶんごっそり買い込んだ。そしてやがて、自分がそのようないざという場合に備えて購入したがらくたやら、走り書きしたノートやら、放棄されたプロジェクトなんかに囲まれて身動きが取れなくなると、何もかもを片づけてしまった。両手にいっぱい紙を抱えてデスクの抽斗に、まるでかまどに燃料を放り込むみたいに、ごっそり放り込んだ。あるいは街の近郊にゴミを運んでいくみたいに、部屋のできるだけ遠くの隅にそれらを押しやった。

　彼の頭は抽斗のようなものだった。その中に詰め込まれているのはこうしようと思ったことの名残であり、来るべきものの断片だった。長い書き物は、それ以前の書き物の残骸に満ちていた。そして彼は、これまでに自分が書いた何やかやを、ひとつの作品《ピース》にすべて詰め込むという方向にどんどん向かっていた。それにまた、彼の自伝としての性的ファンタジアもあった。それは一冊の本というよりは、何百という数の、ゆくゆくは選り分けられ、編集され、整理されるはずのノートでぎっしりになった抽斗のようなものだった。散文の堆肥《コンポスト》の山だ。二週に一度くらい、彼はそこにまたシャベルでいくつかの章を放り込み、それが醱酵して、扱いやすいかさに縮むのを待った。彼の音楽を聴くのは、溶けていくバターに印刷された本を読むのに似ている。ピリオドが文章の真ん中に滑り込み、単語が互いに混じり合っていく。同じ理由で彼の書く本も、ひどい混乱をきたすことになった。自分の言葉をページに固着させることがどうしてもできないのだ。

　彼は音楽の中ですべてを語れると信じていた。しかしそれでも、彼には語りたいことがもっとあった。彼はステージから聴衆に暴言を吐き、タイプでせっせと手紙を書き——ジャズ専門誌に、合衆国労働省に、マルコムXに、FBIに、シャルル・ド・ゴールに——そしてジャズ批評家に脅迫状めいたものを送りつけた。「私以外に、私のブルーズを歌うことのできる人間はいない。私がお前の口もとを殴ったら、悲鳴を上げることのできる人間がお前以外にいないのと同じように。だからこれから二度と私の近くに寄らない方がいい」。上院委員会はどうしてこれほど数多くの黒人ミュージシャンが貧民同様の状態で人生を終えることになるのか調査するべきだと、テレビで発言した。彼はギャングに自分の命が狙われていると主張した。そして他人には、おれのギャングの友だちにお前を殺させるぞと警告した。とにかく口に出したいと思うことは何だって口にした。彼にしてみれば、何かを口に出せない理由なんてまるでなかったからだ。人々は——ひっそりと——言った。お前は自分をいったい何様だと思っているんだ、と。これに対する答えは簡単だった。彼は自分をチャールズ・ミンガスだと考えていたのだ。唯一無二のチャールズ・ミンガス様だ。

彼はアメリカという名前の株式会社の手中から抜け出すために、ありとあらゆる前線で闘った。自分の創作手段と、その創作物を自分で所有することを求めた。自分のレコード・レーベルを立ち上げ、正式なニューポート・フェスティヴァルに対抗するもうひとつのフェスティヴァルを立ち上げた。拡声器を持って町中を車で巡り、こっちのフェスティヴァルに来てくれと言ってまわった。まるで「ミンガスに、ミンガスに一票を」と告げてまわるみたいに。彼は自分のクラブを持ちたがった。自分がダンス音楽を演奏できるダンスホールを、音楽と美術と体操の学校を持ちたがった。何ごとも彼を満足させはしなかった。自分が金を一から十までだまし取られていると確信すると、メール・オーダーだけでレコードを販売することにした。おかげで人々から金をだまし取っているとして、彼の方があやうく訴追されるところだった。人々は小切手を送り、レコードが届けられるのを待ったが、それが届くことはなかった。彼らはいったいどうなっているのかという問い合わせの手紙を書いたが、それらは結果として「チャールズ・ミンガス・エンタープライズ」に混乱を付け加えるだけのことだった。ミンガスは起業家に向いた人間ではなかった。電話に手を伸ばそうとすると、そのたびに机の端っこに置いたコーヒー・カップに手を引っかけて、開いた抽斗の中に落っことしてしまうような人間だった。

そんなわけで、たまたま机の中にある書類はどれもこれも無惨なありさまになっているというだけではなく、電話をかけてきた人が最初に耳にするのが「もしもし。どのようなご用でしょう？」という愛想の良い挨拶ではなく、「こんちくしょう！」というミンガスの怒鳴り声であるというのは、まず間違いのないところだった。電話をかけているといつも、ミンガスは何かを食べたいという衝動に襲われた。おかげで商談は口いっぱいに何かを頬張った状態で行われた。手はひっきりなしにポテト・チップスの袋に伸び、すでに混み合っている口の中に、更にチップが放り込まれた。送話器には食べ物のかすが飛んでくっつき、会話はまるで電波の弱いラジオ放送を聴いているみたいに、しばしばばりばりという騒音の中にかき消された。とはいえ、彼が言わんとする骨子は常にどこまでもクリアだった。ミンガスにとって交渉とはつまり、罵声を飛ばすことだった。「ろくでなしの、ホワイト・マザファッカ、このすっとこ野郎、てめえ、そっちに行ってぶっ飛ばしてやるぞ」、そして受話器をがちゃんと叩きつけて電話を切る。数秒後にもう一度それを取り上げ、そこに聞こえるのがぶーんという発信音ではなく、まだ虫の息で並べ立てられる不平の声であることを知ると、彼は電話機ごと壁に投げつけた。そして一時的にせよ満足したうめき声を上げるのだった。

彼はものを蓄積するのと同じほどの速度で、ものを破壊した。彼が粉砕したあれこれの残骸が、それこそニューヨーク中に散らばっていた。半ば損なわれた状態であれば、それらの価値ははねあがった。ある夜、「ヴィレッジ・ヴァンガード」で彼は店主のマックス・ゴードンにギャラの支払いを即金で要求した。手元に現金がなかったので、ミンガスはナイフを出して相手を脅迫するという真似に及んだ。フロアにある瓶を叩き割った。まるで禁酒法時代の警官が、隠匿された密造酒を見つけたときのように。ほかに壊すものはないかとあたりを見回し、拳で照明器具を叩き割った。店はそれを「ミンガス・ライト」と名付けて、そのままにしておいた。観光客の話のたねにいい。ミンガスは破壊のミダス王だった。彼の破壊するものすべてが伝説になった。

ドイツでも彼は暴れまくった。ドアを壊し、マイクロフォンを壊し、録音機器を、カメラを壊した。ホテルでも、コンサート会場でも、同じように壊した。ミンガスに言わせれば、行く先々でバンドを待ち受けていたナチ風の歓待に対するプロテストだった。ミンガスとバンドのほかのメンバーは帰国したが、エリック・ドルフィーだけは一人あとに残って自分の音楽を演奏した。ドルフィーがベルリンで、彼が誰であるかも知らないような人々に囲まれて死んだとき、音楽史におけるすべての残酷さと不正義が、優しく柔和なエリックの身の上に収斂《しゅうれん》したように、ミンガスには思えた。ジャズとは、その音楽を演奏するあらゆる人間の上にのしかかる呪いであり、脅迫だった。彼が別れの音楽として書いた「ソー・ロング・エリック」は今ではレクイエムとなっている。

彼はドルフィーを必要としていた。ドルフィーのプレイはきわめてワイルドであり、人の予測を遥かに超えたものだったので、ミンガスは自分がその演奏によって鎮められていることを発見した。ミンガスは誰よりもワイルドにフリーに演奏することができたが、彼の見るところ、喧噪や悲鳴をまき散らすアヴァンギャルドの若者たちには、自分の楽器をしっかり習得しようという気持ちすらないみたいだった。彼は短い期間、ティモシー・リアリーの主宰する、LSDの影響を受けた即興創作プロジェクトと関わりを持ったが、彼がリアリーに向けて言ったことは、いわゆる「ニュー・シング」「ニュー・ミュージック」の騒音専門家たち全員に、等しく適用できることだった。

——お前ら、まるでインプロヴァイズ《即興》できないじゃないか、ミンガスはまわりのふらふらした足取りの連中に向かって、首を振りながらそう言った。何かをインプロヴァイズする、それがおれたちのやるべきことだ。

フリージャズはせいぜいよく言って、長い目で見れば何かの役には立ったかもしれない逸脱だった。やがて人々は、それが出口のない袋小路であることに気づくだろう。そしておそらくは、前進するための唯一の真実の道は、音楽をより強くスイングさせることだと認識するだろう。このあと二十年を経て、身体から騒々しい悲鳴をすべて絞り出したあとで、シェップのような人々はブルーズを演奏することに立ち戻っているだろう。それはまず確かなところだ。

人々はドルフィーを前衛的で実験的だと考えたが、ミンガスが聴くところ、ドルフィーがやっているのは、大声で叫ぶことだった。まるですべての死せる奴隷たちに向かって呼びかけるように。それこそがブルーズというものだと、ミンガスは一貫して承知していた。ブルーズとは死んだ人間に向けて、彼らを呼び戻すべく演奏される音楽であり、生者の世界に戻る道筋を教えるための音楽なのだ。でも今では彼は、ブルーズのある部分はそれとは正反対の成り立ちのものなのだと知った。それはあなたが自ら死者と化したいという渇望なのだ。それは死者を見出そうとする生者を助けるための音楽なのだ。彼の叫びは今では、エリックを呼ぶ声となっている。その叫びは彼に道を尋ねている。彼の居場所を尋ねている。その演奏は墓掘り人夫のシャベルの動きとなってスイングする。湿った土がずしりと手にこたえる。

あるとき彼とバードはステージの合間に、輪廻再生について話していた。

——お前さんの言うことにも一理あるな、ミンガス。ステージの上でそれについて話そうじゃないか、バードはそう言うと、楽器を手にさっさとステージに歩いていった。ミンガスとエリックも同じことをした。ステージの上で、アルトとベースを用いて語り合ったのだ。互いに説明し、修正を加え、反論した。しかし今、彼がエリックに向かって呼びかけても、返ってくる声はない。エリックには自分の声が聞こえているはずだ、ミンガスにはそれがわかる。でもエリックは演奏を返さなかった。そうするには時間がかかるのだろう。息子が時間をかけて父親に似てくるのと同じように。父親の魂というものは、彼が死んでしばらく間を置いてから、息子の仕草のひとつひとつに現れるようになる。だから伝統がドルフィーの魂と仕草を吸収し、誰かがバス・クラリネットなりアルトなりを、それが死者の歌を伝える媒介であるかのように、エリックがそれを通して語りかけられる媒介であるかのように、演奏するようになるまでに、しばしの期間を要するのだろう。人はバードや、ホークや、レスター・ヤングをそこかしこで耳にするが、それほど頻繁にエリックを聴くことはまずないだろう。しかしどこかで誰かが常に、彼を呼んでいるはずだ。そしてもしその人が正しい声で必死に呼びかけるなら、彼は返事をするだろう。その声は耳に届くことだろう。

エリック。エリック。エリック。

そしてミンガスが死んだとき、人は彼を聞き取るために、その名を必死に呼ぶ必要はないだろう。ただベースを取り上げればいい。そうすれば彼はその部屋にいる。ジョニー・ダイアニや、フレッド・ホプキンズや、チャーリー・ヘイドンを聴けば、そこに彼はいる。ちょうど彼を通して、オスカー・ペティフォードやジミー・ブラントンが語っているのが聞こえたのと同じように。

そして彼は自分の息子にエリック・ドルフィー・ミンガスという名前をつけた。追悼としてではなく、期待として。

「ファイブ・スポット」で彼は両肘に穴の開いた古いセーターを着て、破れたズボンをはいていた。ぼろを着た貧乏な農夫のように見えた。それはディナー・ジャケットを着て彼の音楽を聴きに来る白人たちを恥じ入らせるためだった。

彼はそこで「メディテーションズ」を演奏していた。エリックに向かって呼びかけ、語りかけようとしていた。しかし代わりに聞こえてくるものといえば、ステージのすぐ脇に座った一人の女の、氷がグラスに当たるみたいなちゃらちゃらした声だけだった。話に夢中になって、自分がどこにいるか、彼女はすっかり失念しているみたいだった。ステージの上に誰がいて、何を演奏しているかなんて、むろん考えてもいない。ミンガスは自分の行動の是非について思いなす何分の一秒か前に、頭が切れてしまう人間だった。自分が女に向かって怒鳴り声を上げているることに気づいた時には、彼は既にそのテーブルを蹴り倒していた。テーブルが床を打った時には、彼は既に大股にステージから降りていた。グラスが床に散らばる派手な音が収まったとき、彼は女が自分に向かって何かを叫び返している声を耳にした。カウンター席にいた一人の酔っぱらいの声がそれに加わった。もしコンドルに言葉がしゃべれたなら、そう発したであろう声で。

——チャーリー、そいつはやりすぎだぞ。いくらなんでもやりすぎだ。

一瞬彼は考えた。そいつの頭を砂糖の袋みたいに、割れるまでカウンターに叩きつけてやろうかと。しかしそういう考えが頭に浮かぶときは常に、つまり前もって考える余裕があるときはということだが、実際には何ごとも起こらない。あるいは何か別のことが起こる——あまりにも唐突で、彼自身にとってさえ不意打ちであるようなことが。彼はベースのネックの部分をぎゅっと摑み、観客を怖い顔で見渡しながら、彼らに懇願した。彼は、誰でもいい、一人の観客をまっすぐ睨んだ。その人物は後日語る。ミンガスにそうやって睨みつけられているとき、そのベーシストの瞳を、ミンガスという人生のすべてがほとばしりよぎるのを、自分は目にしたと。そのいっとき、その男には留保なく理解できたのだ。ミンガスであるというのが、いったいどういうことなのかが。すべてのものごとは重みを持ち、どんなことであれ肩をすくめて適当に払いのけられなかったし、そこから逃げ隠れもできなかった。彼は自分の感じたことに支配され、何の抵抗もできなかった。

ミンガスはベースを思い切り壁に叩きつけた。楽器が割れる鋭い音があり、弦が共鳴し、あたりに反響した。彼はベースのネックだけを摑んだ格好で、そこに取り残された。ネックは今では四本の弦だけで楽器の胴体にくっついており、おかげでそれは操り人形の亀のように見えた。楽器は彼の体重を受けて割れ、分解し、ニスを塗られた木材の海となった。イエスのように彼はその海の上をまっすぐ歩いていった。両手に持っていたネックをぽとりと下に落とした。全員が押し黙っていたが、カウンター席の酔っぱらいだけが声を張り上げていた。

――ああ、ヘヴィーだぜ、チャーリー、こいつはヘヴィーだ。

もう一度その男を見たが、殴りつけたいという気持ちはもう消えていた。彼の怒りは既に色を失い、透明なものに変わっていた。そして流し台に垂れる水滴みたいに切羽詰まったものになっていた。店内の沈黙を引きずるように、彼は通りに出ていった。

ベルヴューで彼が最初に気づいたのは、匂いだった。すべてが浴室並みにクリーンで、それからタイルや壁が白く光っているのが見えた。それから音が聞こえた。消毒済みの器具がかちかちと触れ合う音、長い狂気の廊下を行き来するワゴン、その車輪が立てるきしきしという音。そして夜がやってくると悲鳴が聞こえた。夜を徹して、誰かが悲鳴を上げていた。眠りに就いているときでさえ、ミンガスにはその金切り声が聞こえた。それは彼の夢を貫き抜けていった。ベルヴューのヘルヴュー《地獄の眺め》。朝になると再び慌ただしい病院の沈黙がやってきた。毎日の終わりに待ち受けている夜の悲鳴について口にするものは誰一人いない。鎮静剤を飲まされ、薬物治療で怒りを鈍磨され、毛布のような静けさにくるまれ、彼はただベッドに横になって天井を見ていた。白い空に並んだ惑星のような照明がそこにある。

彼はベースを制圧したが、征服することはできなかった。時折彼は友だちに対するように、ベースの肩に腕をまわすことがあった。でもほかの場合、それはひどく巨大な楽器に見えてきて、まるで石の詰まった袋みたいに引きずらなくてはならなかった。それはほとんど彼の手には負えない、彼を圧倒するものになってきた。欠かさずに練習をしていないと、その弦は触れただけで彼の指を切った。それだけではなく、指のこわばりがどうしてもとれなくなっていた。こわばるというより、まったく麻痺しているように感じられる日々もあった。足の指も同じだ。両手そのものをうまく動かせなくなることもあった。麻痺はじりじりと腕を這い上がり、両肩に向かっているように感じられた。その進行はとても遅々としたもので、病状は悪化などしていないと自らに言い聞かせることも可能なくらいだった。

セントラル・パークでは、ベーコンの縞を思わせる夕日が、凍った地面を赤く染めていた。氷結が池の温かい中央部分を徐々に締め上げていくのを、彼は眺めていた。そして自分が全身麻痺状態になりつつあることを知った。フラメンコと同じく——そのことに彼は何年か前、ティファナで気づいていたのだが——ジャズの動き《ムーブメント》は遠心性のものだ。人はそれを常に身体から逃げていく鼓動として感じる。つまり心臓から外に向けて離れていくのだ。その軌跡として足がタップされ、指が鳴らされる。それは通り過ぎた風に舞う落ち葉のように、そのムーブメントの強烈さを銘記している。麻痺とはまさに、そのようなジャズのムーブメントを真っ向から否定するものであり、対立するものだ。それは末端から開始する。手や足の指先から。内側に向けて進行していく。その進捗のすべての軌跡を消し去りつつ、心臓へと向かう。

ベースの上に楽音を探すことがますます困難になってくる。どこを押さえればいいかはわかるのだが、指に十分な力が入らない。だからピアノに向かう。でもやがて指が木のように硬くなり、鍵盤も押さえられなくなる。楽器が弾けないと、作曲することがよりむずかしくなる。マイルズは頭の中で聞こえた音楽をそのまま楽器に移し替えることができる。しかしミンガスは違う。それを実際に音として出さないことには、音楽が聞こえてこないのだ。彼にとって作曲とは、それを静かに、聴衆のいないところで演奏することなのだ。作曲するためには、彼は楽器を弾かなくてはならない。でもそれができなくなっている。ミンガスの音楽とはつまりミンガス自身のことだ。音楽の動きがすなわち彼自身の動きであり、彼が動性を失うことにより、その音楽はモーメントを失っていった。それは広がりを持ちながらも動きのないもの——名詞になっていった。

彼は電話を手に取る。まるで二頭筋を鍛えるためにバーベルを持ち上げる人のように、そろそろと。相手はカークだ。ラサーン。もう一年以上彼の声を聞いていない。この前に話をした少しあとにカークは卒中に襲われ、半身が麻痺していた。もう二度と演奏はできないだろうと、医師に告げられていた。最初のうち、歩くこともできなかった。なんとか歩けるようになると、次は階段を上ることに取りかかった。それができるようになると、今度はサキソフォンを吹くことを目指した。それだけの力を取り戻すのに半年かかったが、おかげでまた楽器が吹けるようになったよ、と彼はミンガスに言った。たとえ身体の半分がまだ麻痺していてもな。

——半身が麻痺していて、どうやって楽器が吹けるんだよ？

——まだ腕が一本残っているからな、ははは。

——片手でサックスを吹くってのか？

——これまで二本の腕で三本のサックスを吹いていたんだぜ。一本の腕で一本のサックスを吹くくらい朝飯前さ……おい、聞いているか、ミンガス？
——ああ、聞いてるぜ、と彼は言った。涙が頰をつたうなま温かい感触があった。
——来週演奏するから、聴きに来てくれよ。
——ああ、きっと行くよ。

カークが人に助けられるようにしてステージに上がるのを、ミンガスはカウンター席から見ている。カークはいつものように、ベル、帽子、ワイルドな服、そんな派手なあれこれで満艦飾だ。しゃべり、笑みを浮かべ、まわりに誰がいるかを声で聞き取る。すべてをきちんとセットしてから、彼は吹いて吹いて吹きまくった。一本の腕がリスのように素速くキーを駆け上り駆け下りた。もう片方の腕はその隣に力なく垂れ下がり、無関係な物体のように、ただだらんとしている。彼が苦しそうに息を吐き、はあはあとあえいでいる様は、まるで死そのものを戸口で押しとどめているみたいだ。盲目で半身不随で、まっすぐ立っているのがやっと、身体の外に流出していくエネルギーを押しとどめるのが精一杯という力しか、彼には残されていない。エネルギーはステージから流れ出し、部屋を満たしていった。ソロが終わるとカークは椅子にぐったりと倒れ込み、ラウンドとラウンドのあいだのボクサーのように激しく喘いだ。くらったパンチのせいで頭は朦朧としている。再び演奏にかかれる力が戻ってくるまで、彼は楽器を操る方の指を何度も何度も繰り返し曲げていた。死から蘇った盲目の男。麻痺した自らの両手の中で、赤い血の氷が疼くのが、ミンガスには感じられた。

指がうまくコントロールできず、ピアノが弾けないときには、彼は曲を歌ってテープ・レコーダーに吹き込んだ。少し前まで、彼の吹き込んだレコードは、発売される前にスタジオの棚に何年か置きっぱなしになっていたというのに、今ではレコード会社は、彼の手がけたものなら何によらず熱心に求めていた。アイデアのちょっとした萌芽のようなものであってもかまわない。作曲された様々な断片がまき散らされた。将来いつか——高名な作家が未完の小説を残して死んでいったときのように——誰かがそれらのメモを用いて、丸ごと何曲もまとめ上げようと試みるかもしれない。長年にわたって彼の自伝を求めるような人間は一人もいなかった。しかし来るべき年月、人々はその抜けたページを求めて、必死に探し回ることになるだろう。もとはと言えば、彼らがミンガスにそれを捨てさせたようなものなのだが。彼がしゃべった、あるいはがなり立てた声を録音したテープでさえ、再加工されてレコードのかたちで発売されるだろう。バーやクラブでは人々がほらを吹くだろう。ミンガスがどんな風に自分たちを怒鳴りつけたかについて。どんな風に彼らを階段から突き落とし、家財を壊したかについて。彼はそのことを確信していた。

ベース部門で人気投票の一位に選ばれたとき、まず彼の頭に浮かんだのは、自分がまだ若くて火を吹くような凄まじい演奏をしているとき、どうして一位に選ばれなかったんだろうということだった。もし自分が無難な演奏をし、スタジオ・ミュージシャンとして働き、その報酬を貯めていたとして、その金でおれはいったい何をしただろうと、彼は考えてみる。車輪のついた家があればいいな、と彼は言った。それこそ大車輪のような激しい演奏をしていたのだもの、車輪のついた家を持ちたい。それが今では車輪のついた椅子に閉じ込められている。

話すことさえむずかしくなってくる。彼の舌はまるで老人のペニスのように口の中でだらんとしている。言葉を形づくろうとしても、口の中に真綿を詰められたみたいに、うまく音にならない。彼の身体は地下牢のようになる。内側に向けて刻々と壁が狭まってくる監獄だ。彼の熾烈《しれつ》さがそれをかろうじて瀬戸際で食い止めていた。自らの熾烈さがミンガスを殺したのだ、と言うものもいた。しかしその熾烈さが、彼を生かし続けもしたのだ。

そしてホワイト・ハウスで、オールスター・コンサートとパーティーが催された。ジャズがアメリカ文化と世界に大いに貢献したことが、公式に認められたのだ。愚かしい催しではあるが、同時に偉大な催しでもあった。みんながそこにやってきた。バードもエリックもバドもいなかったけれど、生きているものはみなそこに集まった。彼は車椅子に座っていた。両手も両脚も動かすことができず、自らの内に閉じ込められていた。現存する最高のジャズ作曲者として紹介を受け、人々が一斉に立ち上がり、ミンガスに熱烈な拍手を送ったとき、彼は感きわまった。大粒の涙が彼の頬をつたい、嗚咽の混じった大きなすすり泣きに、彼の巨体がひきつった。大統領が飛んでいって、彼をねぎらった。

彼はメキシコに旅行をした。太陽が自分を解凍してくれないか、自分の血液の循環を封じ込めている積氷を溶かしてくれないかと思って。彼は太陽の下に座り、動きのない沙漠の熱気に囲まれ、その顔は大きなソンブレロのつばの陰に入っていた。彼の身体はとてもしんとしていたので、自分が息をしているということすら実感できなかった。まわりでは何ひとつ動かなかった。太陽はぴたりと留まった銅のシンバルだった。それは三日間にわたって、変わり映えのしない空の同じ場所に浮かんでいた。凪もなく、砂の一粒さえ動かなかった。

身体がひどく弱ったとき、空の高いところを一羽の鳥が漂っているのが見えた。その翼にさえ、動きはまったくなかった。その影は彼の膝の上に落ちていた。すべての力をなんとかかき集めて、彼はそいつを撫でた。その羽毛に指を走らせた。

彼らがやっと車を停め、朝食をとる頃には、あたりはすっかり明るくなっていた。長い時間車中にいたせいで、身体の節々が痛んだ。ぎこちない歩き方で二人はダイナーに入った。背後で網戸の扉がばたんと閉まった。店内はトラック運転手たちで既に混み合って、賑やかだった。彼らは食事をするのに忙しく、古いブルーのセーターと皺《しわ》の寄ったズボンをはいたエリントンに注意を払うものは誰もいなかった。朝の太陽が窓から盛大に差し込んでいた。

あくびをしながらデュークは、思い出せないくらい昔から常食としてとり続けてきた食事を注文した。ステーキとグレープフルーツとコーヒーだ。ハリーは卵料理を注文し、デュークがゆっくりとコーヒーをかきまわすのを見ていた。デュークのすべての動作は眠たげだったが、それはついさっき目を覚ました人の見せる眠さだった。これから眠りに就こうとする人の見せる眠さではない。彼の両目の下にある袋は、取り損ねた眠りの蓄積を意味していた。それを解消するにはおそらく十年はかかっただろう。しかしデュークはその借りを少しずつでも返していくどころか、来る夜も来る夜もせいぜい四時間か五時間しか眠らず、ますます負債を増やしていくことになった。おそらく楽団の中核《コア》をまとめていたのは、彼らの集団的疲弊であったのだろう。ある程度時間がたつと、へとへとに疲れていることが中毒的になり、疲れがないとうまくやっていけないことになる。人々はデュークに忠告した。少しペースを落とした方がいい。休みをとって、リラックスした方がいいと。ごもっともだ。しかし何をして休み、リラックスすればいいのだ？

二人は黙って食事をした。料理を食べ終えると、デュークはすぐにいつものデザートをとり始めた。何種類ものビタミン剤を山ほど、水で流し込む。

——そろそろ行くか、ハリー？

——いいとも。勘定をすませよう。

二人はどちらもウェイトレスの姿を探す。そうしながら、既に気持ちは車の方に向かっている。

その二十年はただ単に、彼の死の長い一瞬だったのかもしれない

チェト・ベイカー

彼はベッドの端に腰掛けている。顕微鏡をのぞき込む科学者みたいにトランペットの上にかがみ込み、それを優しく吹く。ショーツのほかには何も身につけていない。片足は古い屋敷の時計のようにゆっくりビートを叩いている。トランペットの先端は床に触れんばかりだ。女は彼の首に顔をつけ、両腕を肩に回し、その片手は彼の背骨の緩いカーブをなぞって降りていく。その指が彼の肌に描く模様によって、奏でる音が決定されているとでもいうように。彼とトランペットは、彼女の手によって奏でられる一体の楽器なのだといわんばかりに。彼女の指は今度は、背骨の膨らみをひとつひとつ辿って上り、やがて首の後ろの髪の生え際に触れる。剃刀でカットされたぎざぎざの部分に。

最初にレコードで聴いたとき、彼の演奏はいかにも細くデリケートで、ほとんど女性的に思えた。あまりにも控えめで、始まったことにも気づかぬうちに、ソロは終わっていた。彼の演奏を特別なものにしている何かを、彼女が聴き取れるようになったのは、二人が恋人になってからだ。最初のうち、このように彼が演奏し

ているとき――愛の営みが終わり、彼女が眠りの縁をさすらっているとき――この人は私のために演奏してくれていると彼女は思った。でもやがて彼女は知る。何があろうと彼は、自分自身以外の誰かのために楽器を吹いたりはしないのだと。それがわかったのはちょうどこんな風に彼の演奏を聴いているときだった。彼女は脚を開いて横になり、彼の精液がさめて彼女から流れ出ていくのを感じながら、わけもなく唐突に理解したのだ。彼の演奏の優しさがどこから発しているかを。これほど優しく演奏ができるのは、彼がその実人生において真の優しさを知ることが一度としてなかったからだ。彼の演奏するすべては推測の内にある。ここにこうして横になり、汗の露に軽く湿った、乱れたシーツの形づくる砂丘や谷間を目にしながら、「彼は自分自身以外の誰のためにも楽器を吹かない」なんて、とんでもない考え違いだったと彼女は悟る。彼が演奏するのは、自らのためですらない。彼はただそれを吹いているのだ。そういうところは彼の友人であるアート・ペパーとまさに対極にある。アートは音符のひとつひとつに自らのすべてを注ぎ込むタイプだ。チェトは音楽に自らを一切含めない。そのことがまさに彼の音楽に哀感をもたらしているのだ。彼が演奏する音楽は、彼に見捨てられてしまったものとして感じられた。彼は古いバラードやスタンダード曲を、一連の長い愛撫をもって奏でた。しかしそれはどこにも導かれることのない、無へと沈下していく愛撫だった。

彼は常にそのように演奏してきたし、これからもそのように演奏していくだろう。ひとつの音符を吹くごとに、手を振ってそれに別れを告げる。手を振らないことさえある。演奏する人々に愛され求められることに、それらの古い唄は慣れている。いろんなミュージシャンたちに抱きしめられ、自分たちが新しく生まれ変わったと感じてきた。そんな唄たちは、チェトに置き去りにされたように感じた。彼が演奏するとき、その曲には慰謝が必要になった。思い《フィーリング》がたっぷり込められているのは彼の演奏ではなく、唄そのものなのだ。そこには傷つけられたという感触《フィーリング》がある。ひとつひとつの音符が少しでも長く彼のもとに留まろうとし、彼に向かってそうさせてくれと懇願する様が、きっと聴き取れるはずだ。唄そのものが、耳を傾けるすべての人々に向かって悲鳴を上げている。お願い、お願い、お願い。

それを聴きながら、あなたはそれらの唄の中に、美しさのみならず智恵もまた含まれていることを知る。それらをひとつに合わせ、唄は一冊の本となり、心に向かう夢の手引きとなる。「さよならを言うたびに（Every Time We Say Goodbye）」「とても信じられない（I Can't Believe You're in Love with Me）」「今宵の君は（The Way You Look Tonight）」「君にぞっこん（You Go to My Head）」「すぐ恋に落ちて（I Fall in Love Too Easily）」「君のほかには誰ひとり（There Will Never Be Another You）」。すべてはそこにある。世界中の小説を集めたって、男と女と、彼らの間で星のように煌めく一刻について、かくも能弁に語るものはあるまい。

ほかのミュージシャンたちは古い唄たちの中に、彫琢し変容できるフレーズやメロディーを求める。あるいは楽器《ホーン》を用いて自らの歌心をかきたて、曲に同化しようとする。しかしチェトにしてみればそんなことはすべて、唄の方で勝手にやってくれることだ。チェトがやらなくてはならないのは、すべての古い唄の中にもともと含まれている、損傷を負った優《テン》し《ダ》さ《ネス》を導き出すことだけだ。

だからこそ彼は決してブルーズを演奏しなかった。もし彼がブルーズを演奏したとしても、それは本物のブルーズではない。何故ならブルーズが包含する連帯や宗教性を、彼は必要としなかったからだ。ブルーズは彼が守ることのできない約束だった。

彼はトランペットをベッドに置いて洗面所に行く。ドアがかしゃりと閉まる音を聞いて、彼女は胸を打たれる。こんな些細な別離でさえ、悲しみの色に染められているのだ。彼の背後でドアが閉められるたびに、それは来るべき最終的な別離の予兆のように感じられる。彼の吹くすべての音符が最後の音符の予兆として感じられるのと同じだ。即興演奏は透視のひとつの形態であり、彼は未来のための悲歌《エレジー》を吹いているかのようだ。

彼は常に去りつつあるように見える。あなたは彼と会う約束をする。彼は三時間か四時間遅れてくる。あるいはまったく姿を見せない。何日も何週間も行方がわからなくなったりもする。その理由も連絡先も告げることなく。そして驚くべきは、そのような男を愛するのがいかに容易くまた中毒的であるかということだ。あなたは自分が見捨てられたと感じるが、それがかえって関わりの深さを示すようにも感じられる。すべての人々が身のうちに抱え込む寂寥のすぐ間近まで、彼はあなたを連れて行くからだ。乗客のまばらな地下鉄に乗り合わせた知らぬ人《ストレンジャー》の顔が訴える寂寥のすぐそばにまで。二人が愛を交わし、彼が身を離したすぐあとでさえ、その絶頂から数分を経ずして、彼女は既に彼を失いつつあると感じる。男の中には愛を交わしたあとに、女たちの身体に情熱のしるしを――子宮で育っていく子供のような何かを――残していくものもいる。たとえ一年間会うことがなくても、女たちは彼らの存在を、彼らの愛を身体の中に豊かに感じることになる。でもチェトがあとに残していくのは空っぽの気持ちだ。そこに豊かにあるのは彼を焦がれる気持ちであり、次回への望みだけだ。次のときこそは、次のときこそは……。

そして自分の求めるものが彼から与えられることなど決してあり得ないと気づいたときには、彼女の求めるのはチェトその人だけになってしまっている。涙が目を刺し、そこで彼女はふと思い出す。チェトの友人がかつて、彼の演奏を評して言っていたことを。チェトがひとつの音符を長く保って吹くとき、それは女が今まさに泣き出そうとする瞬間を彷彿させると、その友人は言った。グラスの縁から水が溢れるように、彼女の顔から美しさがこぼれ落ちようとしている。そして男は彼女の心を傷つけぬためなら——実際にはもう傷つけてしまったのだが——どんなことでもしようという気になっている。彼女の顔はあまりに静謐で完璧であり、そんなものがこの一瞬を越えて維持されるはずはないと男にはわかる。それでもなお永遠を思わせる何かがそこには含まれている。かつて男女の間で語り合われてきたすべての言葉の歴史を、彼女の目は湛えている。そして男は言う。「泣かないで、泣かないで」と。その言葉こそがほかのどんな言葉にも増して、相手を泣かせてしまうと知りながら……

バスルームで彼は自分の顔に銀色の水をかける。両手からこぼれる水銀の球の間から自分の顔を見上げる。彼を見返すのは、すべてを内側に引き込まんとする内的引力のごときものに造作を制御された顔だ。縮んだ両肩、傷跡と破れた血管を浮き上がらせた両腕。彼が両手を下におろすと、鏡の中の像も同じ動作をする。両手は細い手首から、まるで鹿の角のようににょっきりと生えている。彼が微笑むと、鏡の像はにやりと笑みを浮かべる。不気味な笑みだ。一本の歯も残っていない。見えるのは堅くなった歯茎だけ。

この唐突な亡霊の出現にも彼は恐怖を覚えない。さっき鏡を見たときから既に三十年が経過したということもあり得るのだ。彼にはそれがわかる。彼にとって時間はそのような起こり方をする。なにしろ彼はトランペットの音を長く、永遠に感じられるほど長く保持できるのだから。そして持続されている間、その音はいつまでも続くように思えた。

前にも一度起こったことだった。同じように出し抜けにそれは起こった。二年ほど前の十一月のある午後、彼はリハーサル・スタジオに向かって歩いていた。砂粒混じりの強風に身を折っていると、通りの反対側に並ぶオフィスの窓に映る、革コートを着た自分の姿がちらりと目に入った。彼はそういうことが起こるのを好んだ。自分が長いタペストリーのごとき映像の中の、誰か別の人間になっているのをたまたま目にすることを。オフィスの入り口に邪魔され、その反映の連続はちょっとの間中断された。再びその続きを目にしたとき、彼は驚愕した。そこに映っているのは自分ではない。革コートを着た一人の老人が彼を見返している。そちらに近づきながら、彼はその老人の外見をより仔細に見て取る。老人も威嚇的に視線を返しながら、彼の方に摺り足で寄ってくる。顔には木の幹のような深いしわが刻まれている。顎鬚、しょぼしょぼした長い髪、淀んだ目。その目はほんの僅か先にある地平線を凝視しているようだ。彼が歩道の端まで行くと、老人も同じことをする。辛抱強く車の流れを睨みながら。堅く結ばれたその唇は、前に見たことのあるヨーロッパの老女を思い出させた。迫害や痛みに彼女たちが慣れっこになっていることが、その口元からわかる。痛みを中に押し込めたまま、唇はしっかり封印されている。それを叫びと共に外には出してはならない。そんなことをすれば、自分たちがどれほどの苦痛を忍んでいるかを認めざるを得なくなるし、それは耐え難いものになるだろう。何が起こるかを既に知りながら、彼は老人に向けて手を振る。相手が同じ行為を同時的に、鏡像として左右逆に行うのを目にする。何が起こっているか、その意味がありありと理解できたので、それ以上その出来事について考える必要もなかった。彼は向きを変え、風の鋭い刃先に向かって歩き続けた。

彼は気の趣くまま次々に女のもとを去っていった。去るべき理由などないこともしばしばだった。そしてまたふらりと彼女たちのところに戻っていくのが常だった。彼が特定の曲に繰り返し戻っていくのと同じように。彼は実に多くの女のもとを去っていったので、ときどきこう思わずにはいられなかった。自分が彼女たちからいつか離れていくとわかっていること、それこそが、彼女たちが自分に惹かれる理由ではないのかと。どこまでも一貫して利己的であること、信頼できないこと、あてにならないこと――そして傷つきやすいこと――それは世界でもっとも魅力的なコンビネーションだ。彼は一度ある女に向かってそのことを口にした。彼女は言った。そんなもの、世界でもっとも卑しい智恵でしかない。それくらいどんなヒモだって知ってるもの。

そう口にした女はタロット・カードと手相を見ることができた。あなたの未来を教えてあげると彼女は言った。彼は二十八歳、怖いものなんかなかった。彼は女の向かいに座って、土産物屋で売っているような水晶玉を見つめた。彼の前にはロウソクの火に照らされたカードが並べられていた。それらが叙述する色彩と美しさに彼は魅了された。イメージの世界は、彼が歌ったり演奏する唄によってもたらされる世界よりも更に単純で、包括的だ。

――人生におけるすべての組み合わせと可能性は、これらのイメージの中に含まれている、と彼女は真剣な口調で言った。

女の両手がカードを並べ、一枚のカードを指さし、次のカードを指さしていく様を彼は見守った。そしてこれからの二十年が彼のために用意している長い悲嘆の物語に耳を澄ませた。彼は最後までそれを黙って聞いていた。女が何らかの反応を待っているのを見て、彼は煙草に火をつけ、薄い煙を静かに吐いた。そして女の膝に手を置いて言った。

――まあ、ぼちぼちやろうぜ。

常に女たちがいた。また常にカメラがあった。レコード業界は今にも黒一色に染まってしまいそうなその天空に、白人のスターを配することを求めていた。彼らにとってチェトの登場は願ってもないことだった。程よい遠方を見るような気配が彼の目にはあった。カウボーイの瞳だ。でもそれと同時に彼には、シャイな少女が肩越しに振り向いてカメラを窺うような物腰があった。まるで自らを楯に自分を隠しているような。彼はカメラをそそのかし、自らの身体をそれに委ねた。バードランドのステージで彼は目を閉じ、片腕をわきにだらんと下げ、髪を額にはらりと落とし、トランペットをブランディーの瓶のように持ち上げ、唇をつけている。それを演奏しているのではなく、それをあおっている。いや、あおっているのでもない。そこからすすっているのだ。上半身裸で、ハリーマの腕の中ですねたような顔をし、トランペットは彼女の膝に置かれている。

一九六一年のボローニャ、タキシードにボウタイという格好、キャロルは黒いドレスに真珠のネックレス、男たちはわきをすり抜けていくときに、彼女のむき出しの腕にそっと手を触れる。カメラのフラッシュがそこら中で光り、人々は互いの足を踏みつけ、飲み物をこぼし、押し合いへし合いしながら過ぎていく。二人はほんのちょっとしかそこにとどまらない。カメラマンや出しゃばり屋たちの間を抜け、外に出て行く。涼しい夜の大気の中に足を踏み入れる。彼女のソフトな肩に堅く尖った骨を感じる。彼女の腕は彼の腰に回されている。

手錠をはめられ、いかつい顔つきの警察官にせきたてられてルッカの法廷に入るとき、そこにもやはりカメラマンたちがいる。そのうちに警官たちも、その露出を楽しむようになる。セキュリティー・ドアから彼に付き添って出てくるときに、カメラのために微笑みを浮かべるようになる。チェトがそこに立って法廷からカメラマンという聴衆の方に目を向け、まばらな拍手のようにフラッシュがたかれるとき、警官たちは隣で笑みを浮かべる。チェトは横木を握りしめ、「おれをここから出してくれ」という思い詰めた表情を浮かべる。それが人々の求めているものなのだ。翌年彼が刑務所から——まるでアイドルワイルド空港のＶＩＰ専用ゲートを抜けるみたいに——出てくるときにも、彼らはやはりそこで待っている。

二人の最後の会話はきわめてシンプルなものだった。

——あんたはおれに借りがある。

——わかってる。

——これが最後の警告だ。

——わかってるって。

そのあと二人は数秒間じっと睨み合う。その短い詩的言語の交換を愛でるかのように。その場にけりをつけるように、マニックは脅迫の音階をさらう。

——二日の猶予を与えてやる。二日だぞ。あんたが手にしているのは二日だけだ。

チェトは肯く。あと二日。そしてこのデュエットは終了する。

チェトは彼から六ヶ月にわたって買い続けていた。マニックは有名人の顧客を摑んだことを喜ぶあまり、基本的なルールを破っていた。つけはなし、というルールだ。それまで二度、彼はチェトに後払いで「袋」を二つばかり渡した。どちらの時も彼は数日後に金を持ってきた。チェトが常につけでそれを買うようになるまでに、さして時間はかからなかった。そして少なくともしばらくの間、彼はこまめにその精算をした。ときには将来の買い物のために、二百ドルほど前払いをすることさえあった。最初のうちはそれで問題なかった。ほどなくマニックはチェトに「そろそろ精算をしてもらわんとな」と注意をしなくてはならないようになった。しかしひとこと声をかければ数日の内に、遅くとも一週間のうちに貸し金は戻った。そうこうするうちに、チェトはつけで麻薬を買うのみならず、彼から金を借りるようにもなった。利息が積み上がっていった。チェトの約束は——明日な、明日には払うから——何週間も果たされぬままだった。チェトの顔には、排水口に引き込まれる渦のような表情が浮かんでいた。そして二人の間に先のような最後の会話が交わされたのだ。

マニック自身、身体の具合は最悪に近かった。記憶している限り、もう一ヶ月ほど一睡もしていなかった。これっぽっちも眠れない。硫酸塩を吸引し、アンフェタミンをごっそりと呑み、おかげで頭は焦げた紙片のようにかさかさになっていた。最後に眠ってからずいぶん長い時がたっており、まるで飢えた人の胃袋よろしく、自分の脳味噌が自らをむさぼり食っている様子を実感することができた。ぶるぶると細かく身体が震え、ほとんど振動にまでたかまった。思考は夢の切れ端と化していた。せいぜいほんの数秒しか続かないのに、どれをとってもプロットと色彩と動きに満ちていた。

次に二人が出会ったのは「ムーンストラック・ダイナー」、チェトはそこで廃油のようなコーヒーをすすっていた。マニックは窓ガラス越しに彼の姿を見かけ、店に入っていった。椅子の前後をさっと逆さにし、静かな物腰の中に眠たげな脅威をたっぷり漂わせる太鼓腹の保安官よろしく、そこにまたがって座った。そして背もたれに前屈みにもたれかかった。しかしマニック自身の物腰は、どう転んでも「眠たげ」とは言えなかった。彼は棒杭のように痩せ、昆虫のように激しくひきつっていた。彼の放つ脅威は、怯えた犬のそれだった。彼はコーヒーを注文し、それが糊みたいになるまで、パックに入った砂糖を次々に入れていった。彼の息はくさく、その悪臭を相手に吸い込ませるために、チェトの顔から数センチしか離れていないところまでわざわざ顔を寄せた。その時の彼の気分は、これまでに作られた映画をひとつ残らず、六回か七回ずつ午後の映画館で見て、つい今しがた明るいところに出てきて、そこにまだ世界と陽光が存在しているのを目にして衝撃を受けた人のそれだった。これから自分が何をすればいいのか、見当もつかない。頭がそんな張り詰めた思考停止状態に陥っているとき、チェトの朝食が運ばれてきた。チェトがそれに塩を振りかけるのを、マニックは見ていた。そして言った。

——どうしてにこりともしないんだ、チェト？

——笑い方を忘れたんだ、たぶん。

——あんたには二日の猶予を与えたよな。

チェトはコーヒーのどろんとした淀みをまじまじと見つめた。天井の照明がその中に、明るい魚影のようにちらちら見え隠れしていた。一本の煙草が灰皿の中で煙を上げていた。

——あれが八日前のことだ。約束の四倍も日にちがたっている、とマニックは言った。そしてチェトの手からナイフをもぎ取り、それを卵の黄身に突き立てた。卵黄が皿の上にどろりと流れた。

ここに来る前から彼にはわかっていた。むしろん金を取り戻したくはあったが、それ以上に、自分がそのような脅迫の儀式を楽しむであろうことが。もしチェトがそれに合わせて演技し、場にあった台詞を口にし、そのいっときの映画《シネマ》に力を添えてくれたなら、自分が更なる支払いの猶予を相手に与えてやるであろうことが。しかし今日、チェトはそのような芝居を演じることに興味が持てないようだった。それがマニックの神経を逆なでした。

——金は用意できたのか？

——いいや。

——手に入るあてはあるのか、マザファッカ？

——それはわからん。

マニックはナイフを握り、チェトはフォークを握っていた。まるで二人合わせて一人ぶんの両手みたいに。衝動的に、怒りとは無縁に、その生気を欠いた情景にエネルギーをなんとか少しでも注ぎ込もうと、マニックは相手の顔にコーヒーをかけた。チェトははっと身を引いて、から、ナプキンで顔を拭いた。コーヒーは冷めていたから、やけどをすることはない。マニックは待った。次にはそのナイフで相手の目を刺すかもしれない。卵にそうしたのと同じように。チェトはそのままそこに座っていた。彼の朝食はべたべたの茶色のコーヒーにまみれていた。

何を言えばいいのか、何をすればいいのか、マニックにはわからなかった。その情景には推進力が欠けていた。通常であればひとつの行為は次の行為を導く。しかしチェトはまるで出口のない街路のように、ただそこにじっと座っていた。テーブルにちらりと目をやり、マニックはケチャップの瓶を手に取った。首のところを摑み、肩の後ろに振りかざし、野球のバットのように振って、チェトの口元を思い切り叩いた。彼がそうしたのは、そうしたかったからではなく、状況がそれを求めていたからでもなく、ほかになすべきことがなかったからだ。瓶は微塵に砕け、ガラスの破片とどろりとしたソースが壁に飛び散った。彼の口中はガラスと歯の破片と、トマトに似た血の味でいっぱいになった。驚いたことに、チェトはそのまま、まるでデザートが運ばれてくるのを我慢強く待つ人のように、テーブルの前に静かに座っていた。やがてマニックが再び殴りかかってきた。椅子がひっくり返され、自分が床に落ちるのがわかった。頭と顎に続けざまに蹴りが入れられた。テーブルが身体の上に倒れてきた。皿が頭にあたり、床に転がった。片手がどろどろした卵黄で滑った。彼はテーブルを這って回り込み、椅子の脚の迷宮の中に逃げ込もうとした。しかしそれらは根こそぎ払われて、雪崩のように彼の上に降りかかってきた。ほかの客たちの叫びや悲鳴の潮に乗って、水が洪水のように彼を襲った。更なるコーヒー、花の入った花瓶の水、砂糖入れが白いクリスタルとなって床に散った。

やがてすべてが終わった。崩れ落ち壊れた家具のトンネルの中で、彼は身動きもできずにいた。両手には割れたガラスや歯のかけらが刺さっている。床にはケチャップやコーヒーや花瓶の水が沼のようにたまり、その混乱の中に三本の黄色いチューリップが浮かんでいる。すべての力を振り絞って、まるでプールの底から浮かび上がってくる人のように、彼はなんとか立ち上がる。身体からは卵の黄身や、瀬戸物のかけらや、ベーコンの切れ端がぽたぽた垂れている。立ち上がって最初に目にしたのはコーヒーポットを手にすぐ横に立ちすくんでいるウェイターだった。ウェイターは今にも、コーヒーのお代わりはいかがですかと尋ねそうな風情だった。彼の背後には客たちがいた。彼らはオムレツやベーグルやパンケーキを食べるのを一時中断して、ぽかんと口を開けていた。今にも倒れそうになって、チェトは思わず壁に手をつき、そこにぞっとするような手形を残した。それからよたよた前のめりになって出口に向かった。悪夢のごとき朝食の残骸を身につけたまま、彼は外に出た。外ではサンフランシスコの街が街路の海と化してせり上がり、また落下していた。黄色いバスが一台、大きな波頭を立てながら、まるで遠洋定期船のように彼の方に向かってきた。

　それが七二年のことだ。七六年にはチェトは、本来そうあるべき外見——実際にはそれよりいくらかひどかったかもしれないが——になっていた。彼の風貌は生まれた土地に戻っていた。もしオクラホマを離れなかったら、たぶんこうなっていただろうという見かけになっていた。髭とリーヴァイズのジャケット、ジーンズにTシャツ。アメリカ中西部のどこの街でも見かける男の姿だ。彼らは酒場のカウンターにもたれ、車の話をし、クアーズを瓶から飲む。女が店に入ってくると唇でこんと音を立てる。生まれて最初にビールを飲んでから二十年、結局は同じ店でビールを飲み続けている——そういう類の男だ。ガソリン・スタンドに勤め、トランジスタ・ラジオで音楽を聴き、来る日も来る日もガソリンの匂いと、自動車の眩しい輝きに囲まれている。フロントグラスについたしみや虫の残骸を掃除するとき、他人《ひと》の奥さんをまじまじと眺める。

　歯がすっかりなくなっても、目が敗北に打ちのめされても、映像の取引人やレンズ・ジャンキーたちは彼の変化——青白いビバップの詩人《シェリー》からしわくちゃのインディアンの酋長《チーフ》への変化——の速さに驚き刮目《かつもく》し、その対比の明白さと寓話性を賞味堪能した。しかしもし彼らが更に注意深く観察したなら、その顔には変化がほとんどなかったことに気づいたはずだ。以前の表情がそのまま残っていることに気づいたはずだ。昔と同じ空虚な問いかけの顔、同じジェスチャー。なればこそ、どんなことがあろうと、あなたは三十年間にわたって彼を愛し続けることができたのだ。顔はげっそりと落ち込み、両腕は冬の枯れ木のように縮んだ。しかし彼がコーヒーカップやフォークを手に取ったり、戸口を抜けたり、コートに手を伸ばしたりする様子——波のサウンドと同じく、それらのジェスチャーは昔のままだ。同じジェスチャーと同じポーズ。煙草は指の間にだらしなく挟まれ、トランペットは力なく持たれ、手の中で僅かに揺れている。一九五二年にクラクストンが撮った写真の中で、彼はトランペットをあやすように持ち、頭を垂れ、髪をぴったりと後ろに撫でつけ、まるで少女のような目をカメラに向けている。一九八七年にウェバーは同じかっこうの彼の写真を撮った。ただしその目は今では影と化している。あらゆる部分で彼は暗闇の中に消えていこうとしているようだ。その声が無の中に消えていこうとしているのと同じように。その楽器の音が沈黙の中に尽きていこうとしているのと同じように。一九八六年にウェバーは、ダイアンの腕に抱かれているチェトの姿を撮った。彼の頭は彼女の肩にぴたりとつけられている。三十年前にクラクストンが撮った、チェトを胸に抱きしめるリリの姿と同じ構図だ。そこには母親にあやされた赤ん坊が見せる同一の表情があり、自らを放棄したかのような同一の感覚がある。

唄たちはその復讐をなした。彼は唄たちを再三にわたってどこかに投げ出し、捨て去り、常にまたふらりと戻ってきた。彼女たちのもとに帰ってきた。かつて彼は好きなときに彼女たちを取り上げ、いくつかのフレーズをそっとささやくだけで、思うままに相手を泣かせることができた。しかし今では彼女たちはもう何も感じない。彼が自分たちを演奏《プレイ》しても心は動かない。トランペットを取り上げても、それを吹くだけの呼吸が失われている。彼はますますその唄の歌詞を歌うようになった。その声はか細く、赤ん坊の髪のように柔らかかった。彼は昔の唄たちを本当に優しくそっと愛撫するので、ときには唄たちも昔自分たちがどのように感じていたかを思い出した。自分たちが彼の指先と息づかいによって、どれほど容易くほの赤く染められてきたかということを。しかし彼女たちが今チェトに注ぐ思いは主に憐れみだ。彼女たちはチェトにシェルターを差し出す。それを受け取る力だけは、彼にもなんとか残っている。

行く先々で人々はチェトに伝えようとした。彼に語りかけ、彼の音楽が自分たちにとってどれほど大事な意味を持っているかを語ろうとした。ジャーナリストたちは彼に長い質問をした。質問はあまりにも長すぎたので、回答はうなるような承認か、あるいは否定だけで事足りた。

彼はいろんなものごとに興味を持たなかったが、中でもおそらく語ることにはもっとも興味を持たなかった。彼はときどきこう思った。おれはこの人生において、少しなりとも興味深い会話を人と交わしたことが、ただの一度でもあっただろうか？　それでも彼は多弁な人間と一緒にいることを好んだ。その見返りに自分が何も話さなくても気にしない人間と共にいることを。彼の演奏もそれに似ていた。何も語らないこと、沈黙を形づくること、それにある種のトーンを与えること。彼の演奏にある親密さは、たとえて言うならこういうものだ。あなたの向かいに誰かが座って、そこで口にされることにじっと耳を澄ませている。自分が語る番をとくに急いで待つでもなく。

ヨーロッパで人々は彼の一音一音に熱中した。その姿を一目見ようと人々は押し寄せた。なぜなら彼の演奏は常に、それが最後のものとなるかもしれなかったからだ。そして人々は彼が通過してきたものごとのすべての傷跡を、その音楽の中に聴き取った。自分たちはその音楽に深く寄り添っている、その内側に入り込んでいると、人々は信じていた。しかし実際には彼らは、十分に音楽に近接していたわけではない。痛みなどそこにはなかったのだ。彼はたまたまそんなサウンドを出していた、それだけのことだ。全然違う人生を歩んでいたところで、彼はきっと同じ音を出していただろう。彼が演奏するやり方はただひとつきりだった。多少速くなるか、ゆっくりになるか、でもそれは常に同じ型《グルーヴ》の中にあった。単一のサウンド。単一のエモーション。単一のスタイル、一種類のサウンド。唯一の変化は衰弱により、またテクニックの劣化によりもたらされたものだった。しかし彼のサウンドの劣化は、同時にまたサウンドを拡げ、そこに哀感という幻想を賦与していた。それは、もし彼の演奏テクニックが、彼が自らの身に与えたダメージを乗り越えていたなら、そこになかったはずのものだった。

彼の人生の中に破られた約束の悲劇を、無駄に費やされた才能と失われてしまった可能性の悲劇を見る人がいるとすれば、それもやはり見当違いだ。彼は才能に恵まれていたし、真の才能は何があろうと無駄に費やされたりしない。才能は放っておいてもどこかで、その器量に見合った花を咲かせる。才能を浪費するのは、才能に欠けた人間だけだ。とはいえ、実現できる以上のものを約束するという、特殊な種類の才能も時としてある。それはそういうものだとして、あきらめるしかない。チェトの場合がまさにそうだった。人は彼の演奏にそれを聴き取る。彼の演奏にあの静かなサスペンスを与えているものを。約束——それ以上のものが出てくるあてなど始めからなかったのだ。たとえ彼が注射針一本、目にしなかったとしてもだ。

アムステルダムでは彼はホテルから離れないようにしていた。短い散歩をし、橋の上に立ち止まっていると、ジャンキーたちのやせ細った集団がよろよろとやってきて、自分たちの守護聖人が影の中から自分たちを見ているのにも気づかず、そのまま行ってしまった。彼のまわりで、その都市は勢いよく目まぐるしく動き回っていた。彼は道路の両方向に四度も五度も目をやったが、それでも近づいてくる路面電車や、クラクションを響かせる自動車や、ベルを鳴らす旧式の自転車なんかがいないことを、常に留意しなくてはならなかった。窓だらけの都市は、何ひとつ隠さない。彼は手招きする女たちの唇の赤に染まった窓の前を歩き過ぎた。家庭のように見えるアンティーク店舗、店舗のように見えるアンティークな家庭。彼はほとんど口をきかなかった。彼が口をきくとき、それは霧となって宙に浮かぶ言葉と同じ形を、唇がたまたま形づくっただけと見えた。実際には死んでいるのに、生命維持装置によって人工的に生かされている人々について、以前耳にしたことがあった。今では自分の身体がそうなってしまったように彼には思えた。スイッチが切られても、それを感じ取ることすらあるまい。

ホテルに戻ると切れ切れに何本かのビデオを見る。電話の番号をいくつか思いつくままに回す。煙草を吸い、待つ。部屋は彼のまわりで仄《ほの》暗《ぐら》くなっていく。窓の脇に立ち、カフェの灯が運河に木の葉のようにまだらに光っているのを見る。鐘の音が暗い水面を渡ってくる。死ぬ直前には自分の一生が一瞬のうちに眼前をよぎるという、例の言い伝えがある。思い出せる限りずっと、人生は彼の眼前をよぎり続けてきた。少なくとももう二十年にはなる。彼はそれくらい長い時間をかけて死に向かってきたのかもしれない。その二十年は、彼にとっての長い死のただの一瞬だったのかもしれない。もう一度帰郷するだけの時間はあるだろうかと彼は考える。どこであれ自分が生まれた場所、それはとりあえずオクラホマで、そこで彼は砂漠の一個の石となる。石は死んでいない。それは海底にぴたりとくっついて、自分ではない何かになりすます魚の陸上版だ。導師や仏教徒は石のような心境を得るべく修行に励む。ひとつの行為からひとつのものへと転じた瞑想。かげろうは砂漠が呼吸をしているしるしだ。

　タイルが眩しいバスルーム、彼は鏡の中を見るが、そこには何も映っていない。あるのは無だけだ。鏡の正面に立ち、まっすぐ鏡を覗く。しかしその中にはやはり彼の姿はない。分厚い真っ白なタオルが、背後のタオル掛けに掛かっているだけ。微笑んでみる。鏡は何の反応も返さない。それでも恐怖は感じない。吸血鬼や亡者たちを彼は思い浮かべるが、しかしそれよりは自分が「生きていないもの《アンリビング》」の領域に入り込んだという方が、事実により近く思える。彼は鏡を見つめながら、世界中のレコードや雑誌に載っている、何百枚という自分の写真を思う。居間のテーブルの上から、一枚のレコードをとってくる。その昔クラクストンがロサンジェルスで撮った彼の写真が、カバーに使われている。バスルームに戻り、そのレコードを胸に掲げて鏡の前に立つ。タオルとバスルームのタイルに縁取られ、宙に浮かんだ彼の姿を、鏡は映し出す。ピアノの前に座り、ピアノの蓋に顔を映している彼の姿を。池の前にいるくしゃっとした髪のナルシサスそのものだ。彼はしばしそれを見つめる。やがてレコードを下におろす。すると再び、そこに映っているのは雪のように白いタオルの広がりだけになる。

濡れた道路が昼の太陽を受けて、銀色に光っていた。空は晴れ渡り、青白い月がシミのように浮かんでいるだけだ。しばらく前からハリーは、車の調子があまり良くないんじゃないかという感覚をずっと抱いていた。燃料計を覗いて、肝を冷やした。針はもうほとんど「エンプティ」にまで振れている。彼は次の給油所で車を停めた。一匹の犬が吠え、錆びの浮いたコカコーラの看板が風に揺れて、軋んだ音を立てていた。痩せた、汚い歯の従業員が野球帽をかぶり、足を引きずりながらやってきた。彼の鼻は、この二十年ほどのあいだ、蚊に齧りとられ続けてきたみたいだ。彼はタンクを満タンにし、にやりと笑い、ハリーに尋ねた。車の中にいるのはあの人かい、と。ハリーは肯き、デュークは車から降りてきた。男の痩せた指を握り、まるで荒廃した町に朝日が差すみたいに、相手の顔に幸福そうな表情が広がるのを見ていた。車の調子があまり良くないみたいなんだとハリーが言うと、男はボンネットを開けて中を覗いた。煙草の灰がエンジンに落ちた。デュークは、自分は世界最高のナビゲーターであると自負していたが、メカニックのことになるとお手上げだ。彼にできることといえば、誰かほかの人間が修理をしているあいだ、いかにも興味深そうな顔をしてそのへんに立ち、ハリーが心配気にその男の肩越しにのぞき込んでいるのを眺めているくらいだ。男はいくつかのチューブを引っ張り、いくつかの部品の汚れを拭き、オイルとスパーク・プラグをチェックした。そして「なるほど」と言わんばかりにうなり、ボンネットをばたんと閉め、煙草を投げ捨てた。

——この前給油したとき、粗悪なガソリンを入れられたみたいだね、デュークと男は言って、手の甲で額を拭った。キャブレーターも問題なし、オイルも問題なし、修理するところはないよ。問題なく走れるさ。

ハリーは彼に向かってにやりと笑い返す。ほっとして、顔に誇りが浮かぶ。出来の良い子どもを持った親のように。

車に戻って、彼は軽くクラクションを鳴らす。ハイウェイに向かって車をゆっくり進めながら、デュークは手を振る。

——また寄ってくれよな、デューク、と男は二人の背後から叫ぶ。待ってるぜ。

おれ以外のいったい誰が、このようにブルーズを吹けるだろう？

アート・ペパー

彼が求めたのは派手な強奪だった。車で銀行に乗りつけ、銃をぶっ放し、たまたまそこに居合わせた罪のない二、三人を床に転がしたまま、素速くずらかる。逃走する自動車が勢いよく吐いた熱いガスに煽られ、紙幣が地面にはらはらと舞う。仲間たちは、彼に決して銃を持たせなかった。こいつは頭が壊れすぎていると彼らは考えた。アートはいくぶんがっかりはしたが、こんなタフな連中に自分が「あぶない」と思われていることを、少なからず得意に思った。

あるとき彼は医師のオフィスに押し入り、鎮静剤と、何かの錠剤の入った瓶を手当たり次第にさらってきた。それだけの薬があれば、彼とダイアンの二人、なんとかクリーンになれるだろうと思ったのだ。錠剤を山ほど呑んでラリる、それが彼の考える「クリーンになる」ことだった。

部屋の壁はひくひくと震えた。あるときには彼は、宇宙空間にいるみたいに体重を失った。かと思うと次の瞬間には、重力が手を伸ばして、床板越しに彼の足首を摑むのが感じられた。床にぶつかったとき、それは枕のように柔らかく、優しかった。いろんな色が燃え上がり、こぼれ落ちていった。カーテンは引かれ、常に明かりがつけられていた。部屋の真ん中にある裸電球は移動することを知らぬ白い太陽のようだ。寒気はナイフみたいだったし、毒蛇が一匹、彼の内臓のうちで身をよじらせていた。ダイアンの方を見たが、彼が目にしたのは悲嘆と体液が詰まった一個の袋に過ぎなかった。ときどき彼は彼女に殴りかかったが、ふと気がつくと、彼が蹴っていたのは反吐の染みがついたクッションだった。いつもテレビがついていた。そこに映っているのはあるときには連続ものであり、クイズ番組であり、西部劇の砂漠と、空高く浮かぶ雲だった。あるときは車か、人の顔だった。それはどきどきと脈打っている。クローズアップされたいくつかの頭が、スロットマシーンの果物のようにぐるぐる回転する。画面を垂直安定させるためのつまみをいじって、画面を落ち着かせようとしたが、間違ったことをしたのだろう、今では何も映らなくなってしまった。音声が聞こえるだけ。

　ダイアンが哀れに訴えかけるように言う。消してよ、アート、テレビを消してちょうだい。

　しかし今では彼は夢中になってテレビを見ている。やがてほかの何かが彼の関心を引き、よろよろとそちらに行くが、電気スタンドのコードを足にひっかけてカーペットの上に転んでしまう。電気スタンドが倒れてぶつかり、小さな破裂音があとに続く。となると、テレビを消す人間はダイアンしかいない。彼女は手当たり次第につまみをいじって、最後にはアンテナまで抜いてしまうが、結局は音量が上がっただけだ。そこにあるのは今では分子の海の絶え間なき咆吼であり、身悶えであり、ノイズの白い雪であった。まるでよその惑星から届く放送のようだ。彼女がカーテンを一インチほど開けると、そこから明かりがナイフの刃となってきりっと差し込み、外界の色が彼女の目の奥を漂白した。

　朝食代わりに彼らは錠剤を呑んだ。空っぽになるとその容器を振って上にかざし、じっと目を細めて見る。まるで茶色の光の星雲を望遠鏡で探し求める人のように。そしてまた、いろんなものを次々に開け閉めする必要に駆られる。クローゼット、部屋のドア、冷蔵庫。マーガリンの入ったカップの蓋を取り、これはそのまま放り出しておく。

トイレットは尿の黄色い池になっている。浴槽の端っこに腰を下ろし、彼は自分の手が蛇のように伸びて、トイレットペーパーを軽く叩くのを目にする。白い紙のロープが床に向かってするする落ちていく。彼はそれを続ける。柔らかい紙が冷たい床にうずたかく溜まっていく様子が愉快だ。でも結局その行為にも飽きて、居間に戻る。床は嘔吐物と血液と割れたガラスを吸い込んだスポンジのように見える。ところどころに、本来なら花があるべきところに、くしゃくしゃに丸められた新聞紙の玉がある。それはゆっくりと呼吸をし、常に今にも花弁を開きそうに見える。あるときには頭が熱を持ち、またあるときには四肢がひどく弱くなったように感じられる。脚を組んだり、組んだ脚をほどいたりすることすら、だらだら続く丘を越えるくらいの大ごとになる。

ダイアンが彼に向かって何かを言ったが、その言葉は溶けて灰色のどろどろの固まりになった。彼はダイアンが溝の中に倒れているところを思い浮かべた。彼女の身体はぐずぐずに崩れ、車のタイヤがそれを雪のように踏みしだいていった。ダイアンがよろよろと台所の方に向かっていくのを彼は目にした。まるで突風が家の中を吹き抜けているみたいに、台所の食器棚の戸はみんな開きっぱなしになっていた。途中で彼女はよろめき、カーペットに足を取られた。三角形のガラスの破片がその頰から、まるでバラの刺のように突き出していたが、彼女は流れる血にも——ともあれそれは彼女によく似合っていたのだが——気づかなかった。

今ではソファは彼が吐いたり、あるいは吐こうとしたりする場所になっていた。うまく吐けなかったのは、ねばねばした胆汁のほかに、吐くべきものが残されていなかったからだ。顔は目やら鼻から流れ出す汁で常にべとべとで、それは温かなカタツムリが這ったあとみたいに感じられた。目覚めると、目のまわりには柔らかなかさぶたがこびりついて、そこには熱い布きれでごしごし磨かれたような感覚があった。

　ダイアンは訴えるようにくんくん鳴き、甲高く吠えた。腹を減らした犬のように。アートは声を上げて笑い、それが本物の犬であることに気づいた。うん、考えてみりゃ女《ビッチ》と雌犬《ビッチ》の見分けはむずかしいものな。犬はずいぶん取り乱していたので、アートはひどいありさまのキッチンに戻り、食品棚を漁った。あらゆる扉をもう一度開け閉めした。皿にミルクを注いだ。それは猫に対してすることだとわかっていたが、犬だってけっこう喜ぶんじゃないかと、彼は希望的に思った。でもそれから、ついうっかり皿を足で踏みつけてすべてを台無しにしてしまった。リノリウムの床の上に、ミルクの小さな水たまりと、陶器の破片の青い群島がつくり出された。徹底捜索をする人のように、彼は台所をとことん引っかき回した。前腕で食品棚の中にあるものを片端からなぎ倒し、缶詰やポットをそっくり床にばらまいてから、さあここにどんなものがあるんだろうと調べにかかった。ドッグフードの缶をひとつ見つけ、抽斗を開けて缶切りを探した。抽斗ごと頭上高くかざし、ナイフやフォークを鋭い雨のように我が身に降らせた。それらはじゃらじゃらと音を立てて床に落ちた。彼は四つんばいになってすべてをかき分け、缶切りをやっと見つけ出し、缶の腹に突き立て、滅多切りにした。ぎざぎざになったところで指を切ったが、意にも介さず、蓋をこじ開けててかてかと光る肉塊を取り出し、フォークをずぶりと刺し、そのままそこを離れた。犬は既にそれを食べにかかっていた。

　居間に戻り、ソファに横になって眠った。そして空っぽの夢を見た。なんにもない無の夢だ。白でもなく、灰色でもなく、どんな色もない。時間もなくサウンドもない。でも夢であることに間違いはない。眠りの黒い重みとか、その手のものではない。その夢はしばしの至福だったが、やがてそこに斑に色が付着し、冷たい痛みが付着し、彼は再び目を覚ました。二十尋《ひろ》の海底からの浮上を急ぎすぎた潜水夫みたいに関節が痛んだ。喉がからからに渇いて、身体の中には一滴の水分も残っていないみたいだ。意識が少し戻ると、昏睡《コーマ》とはこういう具合のものなのかと彼は思った。痛みは至るところにあった。一ヶ所の痛みを特定するや否や、今度は違う場所に更にきつい痛みが感じられた。彼はしばしそこに横になり、痛みがそのように全身を巡っていく様をただ追っていた。それから自分が床の上に、ぬるぬるした血にまみれたまま寝ころんでいることに気づいた。二フィートばかり離れたところに、意識を失ったダイアンが横たわっていた。最初に頭に浮かんだのは、自分が彼女を殺してしまったという考えだった。しかしその満足はすぐさま、彼女が本当にもう息をしていないのではないかという恐怖に取って代わられた。彼はなんとか身を起こした。血液が頭に押し寄せているのか、それとも頭から急速に引いているのか、風にあおられる塔のように身体が揺れた。一度彼女の身体を蹴ったが、反応はない。土の詰まった袋を蹴ったみたいだ。だからもう一度もっと強く蹴った。今度は彼女はぴくっと身をひねり、静かな悲鳴を上げた。

そこで彼はもうそれ以上我慢ができなくなり、家から駆け出し、ドアをばたんと閉めた。しかし外の暑さを予期してはいなかった。それは連続パンチのように彼の身体に叩き込まれた。始めのうちは明るすぎた。眩しさに目が痛んだ。やがて通りが見え、よく手入れされた広い芝生が見え、聞き慣れた車のタイヤ音が聞こえた。そのあと身体は習慣のまま勝手に動いた。知らぬ間にエンジンをかけ、その音を確かめ、車を動かしていた。ミラーを使うつもりなんかない。これから向かおうとしている方向に、目の前にあるものに意識をぴたりと集中した。まわりの車は霞のようにぼんやり後ろに移動していった。

しかし最初の交差点でごつんと衝撃があり、頭がフロントグラスに強くぶつかった。前の車の男が怒ってけんか腰で降りてきたが、血だらけになり、顔をひきつらせ、嘔吐物の匂いを漂わせているアートを見て歩を止め、これはまずいことになるかもしれないとためらった。そしてこの狂気を漂わせた男がきいっという音を立てて車を発進させ、自分の横を通り抜けていくのをただ傍観した。

彼は何人かの友人が共同で住んでいる家に行った。麻薬中毒患者たちは彼の姿を一目見て、あれこれ言わず、すぐにつけで一本打ってくれた。温かみ――いささか強すぎるかもしれない――が霊薬のごとく押し寄せ、苦痛はその中に没していった。彼は洗面台に張ったきれいな水に顔を浸け、ダイアンのためにもうワン・ショットぶんをやはりつけで売ってもらった。そしてよろめく足でその家を出た。もつれる舌で何度も礼を繰り返し、この借りは何倍にもして返すからと、あてもない約束をしながら。

フリーウェイに戻る頃には、血管にヘロインが素速くまわって、すっかり調子を取り戻していた。みぞおちのあたりに心地良い火照りがあり、視野はからりとクリアになった。最初のうちは注意深く運転していたのだが、やがて追い越し車線に移って、のろい車を次々に追い越し、やがては矢のように突っ走った。窓を下ろし、熱い風が髪を抜けていった。濡れた顔はすぐに乾き、鼻の先から膝に水滴が落ちる感覚が気持ち良かった。青い空気が勢いよく押し寄せ、車はフリーウェイを疾走した。タイヤの灰色のうなり、まわりの車の白い屋根で躍るように輝く太陽。彼はラジオのボタンを押して放送局を探した。ジャズ専門のステーションでその指は止まる。最初に聞こえたのはピアノ・トリオの演奏だったが、やがて彼はそこに自分のサウンドを聴き取る。サックスが縫うように前に進んでいった。まるで一台の赤い車が、それほど混み合っていない車のあいだをするすると巧妙に抜けていくみたいに。彼の足はほとんどアクセルを踏まなかった。そのトーンは長い光のように澄んで、影のように鋭かった。ラジオのヴォリュームを上げる。騒音の排気をたなびかせて車が進むような格好になるまで。車のもの入れに手を伸ばし、埃だらけのサングラスを取り出してかけた。グリーンに深く染まった光が心地良い。それはサックスの銀色のほとばしりをよりきらびやかで、より美しいものにしてくれた。よく晴れた暑い日、無音の空を鳥たちが抜けていく。そんな具合だ。曲がりくねった海岸沿いの道路を軽快に走っていく一台の車。カーブになるとスピードを落とす。ところどころで太平洋がちらりと短く視野に入る。やがて曲がり角を抜けると、そこには青い海が遥か彼方まで一望のもとに見渡せる。その上には、桁のついた日没のような橋がかかっている。波が岩や砂の上に砕ける。カモメたちが急降下をする。

一方の壁の高いところにある小窓の鉄柵が、縞模様の光と影を床に長く落としている。彼は監房の中を行き来しながら、上段の寝床《バンク》に横になっている男の姿をちらりと見る。それから下段の寝床にどさりと座り込む。影の縞が何本か、彼の上に落ちる。両手は頭を抱え、両肘は膝の上にある。彼の左手は右肩に伸び、腋のすぐ下の部分を掻く。その袖無しアンダーシャツには汗の染みがついている。それから両方の上腕を反対側の手でマッサージする。彼の細くて白い両脚が、灰色がかったショーツから突き出している。紐のついていないブーツは、彼の両脚を痩せこけたものに見せている。ひとつの壁には「プレイボーイ」からちぎり取られた写真が一面に貼られている。にっこり笑いかける女たち。その白い肌は、口紅や、金色のシーツや、サテンやシルクの他には何ひとつつけていない。彼は寝床の上で体を伸ばす。数分のあいだ目を閉じている。それからよろよろと寝床を出て、再び監房の中を行き来する。仕草は何に寄らず緩慢だ。その動きは監房の狭さに合わせて収縮し、窮屈なものになっている。しかしそれらは同時に引き延ばされ、長い時間を——通過するのに数週間を要する数時間を、数ヶ月のように感じられる午後を——うまく埋めることができるようになっている。彼は壁にテープで留められた即席のカレンダーに何度も目をやる。電車を待つ人がしょっちゅう腕時計に目をやるみたいに。

窓の鉄柵を摑み、身体をぐいと持ち上げる。腕の筋肉が盛り上がり、首筋に血管が浮かぶ。彼が目にできるのは、空の一部と太陽だけだ。でも更に身体を持ち上げると、海岸の石油精製所と倉庫が見える。両足を碇《いかり》代わりに壁に押しつけ、腕の負担を軽減しながら、身体を更に持ち上げ、天井と壁の角に頭をねじ込む。風景の少なくとも三分の一は刑務所の壁に遮られたが、この困難な体勢をとると、海岸の風景をはっきり目にすることができる。のんびりデッキチェアに寝そべっている人々、打ち寄せる波。もっと先には古い波止場が見える。日焼けした女が一人タオルを広げ、服を脱いでいる。距離はずいぶんあったが、光の具合が完璧だったせいで、その女の姿をはっきり見てとることができる。ブラウスとスカートをとると、その下は赤い水着だった。暑さ、青い水、飛沫。彼女はタオルの上に寝そべる。片脚をあげ、バッグの中の何かを探している。煙草か、それともサン・ローションか……。彼は耐えられる限りそこに摑まっているが、やがてどすんと床に降りる。縞模様の影に染められ、はあはあと息をつく。

監房からかろうじて目にすることができた海岸線の部分を、彼は歩いていく。空は暑さのために、漂白されたような色合いになっている。まわりの人々は、彼一人を別にして、みんなよく日焼けしてショーツ姿だ。ダークスーツを着込み、スーツケースと、ひとまわり小さな楽器ケースを提げた彼が通りかかると、人々はその場違いな姿にちらりと目をやる。彼はひっきりなしにあたりを見回す。彼がまわりの事物に神経質になっているからなのか、あるいはすっかり魅せられているからなのか、どちらともわからない。誰かが近づくと彼は足もとに目を落とし、相手の視線を避けるべく腕を上げて顔を隠した。

波止場までやってくると、監房から目にした女の姿を彼は探した。何人かそこに横になって肌を焼いていたが、彼女はいなかった。あたりをもう一度見回し、波止場の少し先のビーチに女の姿を見つけた。ビーチの日よけ傘の下にタオルを広げ、三十代後半の男に向かって話しかけていた。いや、もう少し上かもしれない。フランスかヨーロッパで買ってきたような、明るい色合いの半袖シャツを着ている。彼は女の頬にキスをすると、荷物をまとめて立ち上がり、アートの方にやってきた。通り過ぎるときに軽く会釈をした。アートはその男の姿が小さくなっていくのを見ていたが、やがて視野の端に見覚えのある顔を認めた。ビーチ・カフェの前にあるボードウォークを、その男はぶらぶらと歩いていた。長い両脚を、風の強い日に外に干されたジーンズのようにはたはたと動かしながら。

スーツケースと楽器ケースをもう一度手に持ち、アートは彼の背後までそろそろと歩いていった。そして相手の肩にがっしりと手を置いた。

——よう、ブラック・マザファッカ、どこに行く気だ？ 男は片手をヒップ・ポケットにまわし、さっと振り向いた。両目は怒りに燃えていた。しかし彼が目にしたのは、にこやかに微笑むアートの顔だった。

——よう、ホワイト・マザファッカ……

——調子はどうだ、エッグ？

二人は握手をし、抱き合い、背中をとんとんと叩き合った。エッグは言った。

——もう少しであんたの顔を切り刻むところだったぜ……元気にしてたか、アート？

——悪くない。

——あんたが出所したことを知らなかった。

——ほとんど誰も知らないさ。そっちは元気にしてるか？

——ご機嫌にやってるよ、実に。すべて申し分ない。おれがいなくなったあとのムショの具合はどうだった？

――すっかり淋しくなったぜ。

――ジャッキーは無事か？

――なんとかな。彼はタフなやつだからさ、エッグ。

――そうだな。よう、会えて何よりだ、アート――そして彼の肩をそっと叩いた。

――おれの方も会えて嬉しいよ……なあ、一服買えないかな？

――まったく、性懲りのないやつだな。出所してからどれくらいになる？　まだ何日もたってないんだろう？　それとも数時間ってところか。おおかたそんなところだろうよ。

――分単位だと考えてくれよ、とアートは笑みを浮かべて言った。エッグは声を上げて笑った。で、売ってくれるのかい？

――二十分前に出所したばかりで、それでもうあっさり逆戻りってわけか、エッグは首を振りながら言った。あんたもわからんやつだな。ムショ暮らしがそんなに気に入ったのか？


アートはまた微笑んだ。さっきからすぐ近くでバレーボールの試合が始まっていた。ボールを打つ音や歓声で、二人のまわりは急に騒がしくなった。誰かがボールに向かって飛び込むと、砂が散った。

――別の趣味を持ったらどうだ？　たとえばバレーボールとかさ……で、持ち金はどれくらいある？　彼はようやくそう言った。片方の耳たぶを親指と人差し指とではさんで引っ張りながら。

――オケラさ。つけで買うしかないんだ。頼むよ、エッグ。

――まいったな、とエッグは言って首を振った。

――注射器一式もついでに頼めないかな、とアートは急に真顔になって言った。

――おい、おれがパクられてもいいってのか？

――いつなら手に入る？

――明日の午後か、あさってか。

——今夜にしてくれよ、エッグ。
——まったく相変わらずなやつだな……
——恩に着るぜ。
——じゃあな。

二人はゆるく握手をした。手が触れ合ったときにはもうそれぞれ別の方向に足を踏み出しているような握手だ。

スーツケースを再び手に持ち、アートは浜辺にいる女の方に歩いていった。彼女はうつぶせになり、なまけるのが相応しい環境で仕事をしようとする人々がよくやるように、身体をそわそわと動かしていた。アートはそちらに近づきながら、彼女の外見の細部をようやく見て取ることができた。適度な長さの茶色の髪、小さな鼻、常に今にも微笑みを浮かべそうな唇。本のページに影が落ちる。彼女は顔を上げ、一対の靴を砂上に見る。男が身を屈めると、靴下、袖、そしてスーツを着た膝が目に入る。

——やあ。

彼女は男の方を見る。驚き、また苛立ちながら。こんな具合に顔を合わせるのは不公平じゃないかと、彼女は直感的に思う。彼女は裸同然で、彼は場違いなスーツ姿だ。もしそこに威嚇的な空気が微かにうかがえなかったら、その格好はおそらく滑稽なものに見えたはずだ。

——こんちは《ハイ》、と女は静かに言った。「何の用なの（What do you want）？」、四語の質問がその一音節に凝縮されている。目の前にかかった髪の向こうに男が見える。髪は彼女の顔に、筋になった影を落としている。彼女は相手の出方をうかがった。男は足もとにじっと目をやり、砂を手に取り、それを指のあいだから下にこぼしていた。彼女は前髪を払った。男の姿を眺め、そこに込められた緊張を既に感じ取りながら、どこかで読んだ記事を思い出した。もしある男に心を惹かれたなら、まずあなたが目を留めるのはその指だ、そういう記事だった。男の指はエレガントからはほど遠いものだ。短く、爪は割れて、清潔ですらない。髪は軍隊式に短く刈り込まれている。ブルーカラーの顔立ち、ハンサムだが、やつれている。彼は顔を上げ、眩しい光を遮るために片手をかざし、目を細めた。

——眩しいな……やけに、と男はようやく口を開き、咳払いをした。まだ彼女の顔を見ない。

彼女は肯いた。ドアにノックの音がして、行って開けてみたら、そこにはまったく見知らぬ相手が立っていた、そこにいる理由《わけ》がない相手が立っていた、彼女の顔にはそのような表情が浮かんでいた。

——素敵なタオルだね。とても素敵だ。

その馬鹿げた台詞を耳にして、彼女はまた吹き出したい衝動に襲われた。そうする代わりに彼女は、顔色ひとつ変えず、ありがとうと言った。

——イギリス人か？

——イエス。それが正しい返答だ。このような状況では、できるだけ少しの情報しか相手に与えないようにしなくてはならない。会話という基盤をできるだけ狭いものにし、相手がそこに地歩を築けないようにしておくこと。その一方で男は、親しい空気をつくり上げるべく必死に話題を絞り出していた。

——おれはアメリカ人だ、と彼は言った。にこりともせず。

——それはなにより、と彼女は本のページに目を落とし、気がなさそうに言った。そう言いながら、男の目が彼女の身体を見ていることに彼女は気づいた。砕ける波を眺めているふりを装っていたが、その視線がすぐに彼女の身体の上に戻ってくるのを、感じることができた。視線はまるで太陽のように熱かった。

——君を前に見たことがある、と少しあとで男は言った。

——どこで？

——ここでだよ。君は毎日のようにここにいる。ここか、あるいは埠頭に。

——あなたを見かけたことはないけど。

——ないと思う。

彼女は姿勢を変えた。片肘をついて寝そべった姿勢から身を起こし、男のすぐそばにあった片脚を、防御するように引き寄せた。男とのあいだに障壁を設けるみたいに。でもその障壁となっているのがただのむき出しの脚であることを、終始意識しないわけにはいかない。

――それで、あの、ここで何をしているんだい？

――肌を焼いているのよ。

――つまり、カリフォルニアで、ということだよ。

――夫が音楽院《ミュージック・インスティテュート》でコースをひとつ教えているのよ。一年間。

どちらも相手の顔を見ていなかった。

――夫か、ふむ、それは心あたたまる言葉とはいえないな、と彼はようやく言った。一本の指で砂の上に溝を掘りながら。

――さっきまでここにいた男がご主人か？

――イエス。

――何を教えているんだ？

――二十世紀の作曲。現代音楽。

――ほう、現代音楽か？

――イエス。

さっきまで風は吹いていたっけ？　おそらく。砂粒を戯れるように転がし、波の先端の微小なしぶきを運んでくる程度の軽い風だった。しかし今では風は止んでいる。静まり返った空があるだけだ。

――ビールでもごちそうしようか？　でもそんな質問を口にする前から、彼女が断るだろうことはわかっている。

――いいえ、けっこうよ。

――コーヒーはどう？

　彼女は首を振った。そして彼の指が砂上に描くサハラ砂漠のような模様に再び目をやった。

　——コークは？

――いらない。

――紅茶は？

――ノー。

――ミルク・ティー……レモン・ティー……アイス・ティー……

――けっこうよ、ほんとに……

——ミルク・シェイクは？　ストロベリー、レモン、バナナ、ヴァニラ？

——ご好意はありがたいけれど、でも——

——いいじゃないか、なあ。お祝いなんだよ。

質問していいものかどうか戸惑いつつ、自分の指もまた砂の上に模様を描いていることを知って、彼女は驚いた。もう少し間を置いてから、いかにも用心深くこう尋ねた。

——何のお祝いなの？

——知りたいかい？

——ノー。

——本当に知りたい？

——ノー。

——本当に知りたいのなら教えてあげるけど、おれの人生に起こった最悪の出来事の記念日をお祝いしているんだよ。

彼女は何も言わなかったし、身動きひとつしなかった。アートは手を開き、眉をつり上げながら、それがどんな出来事なのか質問するように身振りで彼女を誘った。

——知りたいかい？

——ノー。

——本当に知りたいのか？

——ノー。

——そこまで知りたいのならしょうがない、教えちゃおう。五年前の今日のことだけど、ある娘と夕食をとっていたんだ。なにしろばりっとしたアパートメントでさ。ガラスのテーブルとか、細い金属の脚のついたお洒落なワイア編みの椅子とかね。わかるだろ。ステレオ、冷蔵庫、何もかも揃っていた。

彼の声は悲しげな呻きと、どろんとした物憂い声音とのあいだの、どこかに位置していた。単調だが熱はこもっている。自分が話していることにしか関心を持たぬ人の声だ。声を聴けば、自分の行為を限りなく正当化し、片端から約束し、懇願するだけで、自分の行為に対する責任なんて一切とらない人間だということが、だいたいわかる。

——そして彼女はとても可愛い小さなチワワ

を二匹飼っていた。犬たちはそこらじゅう勢いよく駆け回るんだが、とても静かで、鳴き声ひとつあげない。それまでに彼女と何度かデートをしていたが、アパートメントに招かれたのはそのときが最初だった。だから花とかチョコレートとか、そういうものを持っていった。おれたちは食事をしておしゃべりをして、楽しくやっていた。自分がどれくらい犬を愛しているかを彼女は話して、おれは犬たちの頭をちょこちょこと撫でてやったりした。そしてデザートになった。見事なアイスクリームだった。八種類のフレイバーがひとつのボールに組み込まれているみたいなやつさ。そしておれは身を前に屈めた。そのかっこよく細っこい椅子の脚を前に傾けるみたいにして。そして透明なテーブル越しに、彼女の唇にそっとキスをした。アイスクリームのせいで、それは甘く冷やりとしていた。そしておれはたっぷりロマンチックにこう言った、「今夜、会ったときからずっとこうしたかったんだよ」と。すると彼女も言った、「私も今夜、会ったときからずっとこうされるのを待っていたのよ」って。おれは椅子をすっかり前に傾けちゃっていたものだから、席を立って、テーブルの向こう側に回り込んだ方がいいなと思ったんだ。だから椅子を元に戻した。するとぐしゃっと何かが潰れるような砕けるような音がして、短い悲鳴が聞こえた。おれは下を見て、ああ、なんてこった。その椅子の金属の脚で、おれは一匹のチワワをずぶっと串刺しにしちまったんだ。椅子の脚が、まるでバーベキューのために用意したケバブみたいに、犬の身体を貫いていた。でも犬はまだ死んじゃいなかった。目は顔から飛び出して、舌がはたはた振られて……

彼は微笑みながら女の顔を見ていた。彼女は声を上げて笑っていた。

——それでどうなったの？　と彼女は尋ねた。笑いでむせながら。

——ああ、彼女は悲鳴を上げ、狂乱状態になって、あたりはもう血だらけさ。おれたちはチワワの身体からなんとかその椅子の脚を引き抜こうとした。ほら、西部劇で誰かの胸に刺さった矢を引き抜くみたいにさ。でもどれだけやっても、それは犬の身体にしっかり食い込んだみたいで……

十分後、彼女はブラウスとスカートという格好に着替え、ビーチ・カフェのテーブルの前に座っていた。ウェイターが、瓶やらグラスやらカップやらを山積みにした盆を彼女のテーブルに運んできた。氷の鋭い角や、グラスの薄いカーブに日差しが煌めいていた。彼女はウェイターに勘定を払い、持っていた本にちらりと目をやり、そして少し首をひねった。自分はこれからいったい何に巻き込まれようとしているんだろうと。彼が自らのためにすべての品を二つずつ注文し（ビールを二つ、コークを二つ、コーヒーを二つ）、それらの飲み物をウェイターが運んできたときにちょうど洗面所に立っていて、自分が勘定を払わなくてはならなかったことについては、さして驚きもしなかった。それはむしろ避けがたいことに思えた。驚くべきは、彼女がそもそもここにいることだった。ターニング・ポイントは彼女が相手の話に笑ってしまったときだった。子供のとき、彼女は兄にひどく腹を立てて、その行為を非難する激しい言葉をいくつか投げつけた。そういうときに兄はよくこう言った、「お前が腹を立ててることはわかる。すごく腹を立てている。だから何をするにせよ、笑っちゃ駄目だ。笑ったらせっかくの怒りが台無しになる。だから笑うんじゃないぞ。何があっても」と。でもそのときにはもう、炭酸飲料水の缶から中身がこぼれ出すように、彼女の口から笑いがこぼれかけている。今もそれと同じだ。あの笑いが私をここに連れてきてしまったのだ。笑いが私の足をすくったのだ。そんな思いに沈んでいたせいで、男がテーブルに戻ってきたことに気がつかなかった。彼は腰を下ろし、にっこりと微笑み、ビールをグラスに注いだ。瓶を額にこすりつけ、ぐいとビールを一飲みし、手の甲で唇を拭った。彼がもう一口勢いよくビールを飲むのを、彼女は眺めていた。そのビール・グラスの外部には、何ひとつものごとが存在しないかのような飲みっぷりだ。それが与えてくれる愉楽のために、今にも失神しかねないみたいに見える。彼女はぴりっとするレモンを吸った。

——日焼けはずいぶん捗っていっているようだね、と彼は瓶を彼女の方に傾けて言った。唇に泡が少しついている。

——あなたはずいぶん青白い。

——ああ、しばらく太陽にあたっていなかったからね、と彼はビール瓶のくちのフォイルを剥がしながら言った。

——どうして？　彼女はグラスの中の氷をからからと回しながら言った。大事な質問をさりげなく見せるときに、人はよくそういうことをする。

——国をしばらく留守にしていたんだ。いたところは……ああ……どこだっけ。デンマーク？　いや、ノルウェイか……行ったことあるかい？

——いいえ。

——そうか。是非行くべきだよ。彼はビールを飲み干してそう言う。自分のコーヒーに砂糖をどさっと入れ、ピッチャーのクリームを半分くらい注ぐ。いろいろ見どころのあるところだ。フィヨルドやら何やかや。寒いけどね。

彼女はグラスの氷をストローでつつきながら、一機の飛行機が新規開店したレストランの名前を、海上の空に描く様を眺めた。テーブルに目を戻し、男がコーヒーを飲み終え、新しい砂糖の小袋を破ってコークのグラスに入れるのを見た。

——それでよくまだ歯が残っているものね。

男は彼女の顔を見ながら微笑んだ。完璧な歯だ。誰かがジュークボックスのレコードをかけた。スローなジャズだ。

——それであなたはそこで何をしていたの？　つまりノルウェイで。

——おれはミュージシャンでね、と彼は言った。彼は融けた氷の中にのたくった模様を描き、それからテーブルの上に水をこぼした。

——どんな音楽を演奏しているの？

——ジャズさ。

——ジャズを演奏するのは黒人ばかりだと思っていた。

——みんなというわけじゃない。

——でもいちばん優れているのは黒人たちでしょ。

彼の目に怒りが刃物のように煌めいた。それは常に彼が受けて立たなくてはならない通説だった。もし彼の人生に目的というものがあるなら、それはそのような通説を永遠に葬り去ることだった。今から何年か前のことだが、ニューヨークで、彼はあるジャーナリストに向かってまったくの真顔でこう言うことになる。「間もなくおれはトレーンみたいになる。プレズがいて、バードがいて、そしてトレーンがいる。そのあとにペパーが来るんだよ。おれは生涯を通してずっとそう思ってきた。そこに疑いの余地はない」。おそらくそのせいだろう。彼女の顔をまっすぐ見ながら、彼はデジャビュのような不思議な感覚を抱くことになった。彼はゆっくりこう言った。

——おれよりよく吹けるやつはどこにもいない。嘘偽りなく。

——しかも謙虚さを失うことなく、というわけね。彼女は相手をまっすぐ見返しながらそう言った。ライムのスライスが薄い笑みのように、彼女のグラスに浮かんでいた。空に描かれた文字は消えかけている。

——ジャズは好きかい？

——きちんと聴いたことはないの。一度デューク・エリントンのレコードを少し聴いたことはあるし、チャーリー・パーカーのものも少し……リチャードは、私の夫なんだけど、いつかコンサートに連れて行ってくれるって、いつも約束するんだけど。

——ご主人はジャズが好きなのか？

――そんなこともない。彼女は鼻で笑いながら言った。まとまりがないし、即興演奏に依存しすぎているって言っている。

――それで、音楽を教えている？

彼女は口を開けた。言葉が出てくる前の鋭い空気の吸入があった。しかし彼は急いで言葉を挟んだ。自分の口にした言葉に含まれた嘲りの響きを葬り去ろうと。

――ジャズ・クラブに一度行ってみるべきだよ。「ザ・ヒルクレスト」とか、そういうところにさ。きっと気に入ると思う。おれが連れて行ってあげてもいい。

彼女は何も言わなかった。

――そのうちに、と彼は少しあとで言った。彼女の口にするべき台詞を代わりに読み上げるみたいに。

――あなたはどんな楽器を演奏するの？

――当ててみなよ。

――トランペット？

――違う。

――サキソフォン。

――当たり。アルトだ。

――レコードは出ているの？

――ここのところはご無沙汰しているがね
……なあ、これ聞こえるかい？　彼はカフェの中を指さしてそう言った。そよ風のように二人のわきを抜けていく音楽の源がそこにあった。これを演奏しているのがおれだよ。

――本当に？

――本当さ。彼女は首を傾けて耳を澄ませる。

――本当にあなたなの？

――信じないのか？

――あなたが吹いているわけ？

――もちろんさ。おれ以外のいったい誰が、このようにブルーズを吹けるだろう？　彼はそう言って笑う。

――よくわからない。ブルーズって何？

――ブルーズは何か？　それは法外な質問だな。ブルーズってのはたくさんのものごとであり、ひとつのフィーリングであり……

——どんなフィーリングなの？

——ああ、それは……それはたとえば孤独な男のようなものさ。そいつは自分のせいじゃないトラブルに巻き込まれたために、狭いところに閉じこめられている。そして恋人のことを考えている。でももうずいぶん長く彼女からは連絡がない。それはたとえば面会日で、ほかのみんなは出払っている。女房やらガールフレンドやらと会っているんだ。なのにその男だけは監房に残っている。彼女のことを考えながら。彼女を求めつつ、彼女を自分が失ってしまったこともわかっている。彼女がどんな顔をしていたか、それさえろくに思い出せない。というのは、長いあいだ彼が目にしてきたのは、現実の女たちとは似ても似つかない、壁に貼られた若い娘ばかりだったからだ。誰か自分を待っていてくれる女がいればいいのにと彼は思う。何もかもをでたらめにしたまま、自分の人生が過ぎ去っていくことについて考えながら。すべてを変えてしまえたらと彼は願う。でもそれが叶わぬ話であることもわかっている……そいつがブルーズなのさ。


彼がそれを言い終えたとき、彼女は前よりもっと真剣に音楽に耳を澄ませている。まるで恋人の両親の写真を、どこか似ているところはないかと、じっと目を凝らして見ている人のように。

——こんなに傷つき、痛めつけられて、と彼女はやっと口を開く。それでも……それでも……


——それでも？

——それでも……美しいわ（But…beautiful）。まるでキスされた涙のように。自分の口にした言葉が愚かしく響くことに微笑みながら彼女はそう言う。これは本当にあなたたなの？

——わからないのか？

——あなたのことを知らないのよ。どうしてあなたかどうかわかるの？

——おれのことを知る必要なんてないさ。君にはわかるはずだ……ほら。あれはおれの声だ。

あれはおれの手だ。おれの口だ。すべてのものが、おれなんだよ。

彼は上着を脱いだ。その腕についている素人っぽい刺青を彼女は目にして、これまでとは違う目で相手を見ながら、その音楽の源を探し求めた。

彼女にじっと見られながら、彼はまるで相手の膝に手を触れるように身体を動かした。でも触ることはなく、その手は彼女の皮膚の六インチ上のあたりをさまよった。彼女から距離をとりながら、彼はその手を彼女の脚に沿って上にあげていった。だからその影が彼女の腿を愛撫するような格好になった。

——こんなに女性に近づいたのが、どれくらい久しぶりだか、わかるかい？

彼女はぴくりとも身体を動かさないでいた。何も差し出さず、彼の背後のビーチを見ていた。そこでは二人の子供たちが、風のない空になんとか凧を揚げようと、空しく努力していた。彼は手を動かして、その影に彼女の脚をそろそろと上がっていかせた。それはスカートの裾を越え、そして腹部まで達した。やがて音楽は薄れるように消え、あとには波の遠い鼓動だけが残った。

——女をしっかり惜しげなく求めれば、彼女もまたこちらを求めるようになる、と彼は言った。

一言を発するたびに、影は何分の一インチかずつ動いた。動きはとてもゆっくりで、目にも映らないほどだった。

——ときにはそれは真実だけれど、常にそうとは限らないわ。

影は彼女の胸に達した。それから喉へと。

——常に真実である必要はないんだ。今がそうであればいい。

——ある男が自分を求めていることを知り、ときによって、女はその相手を軽蔑することになる。別のときには、そう、女は相手に自分を与えたくなる。それほどの痛みを、それほどの求めを思い浮かべることに耐えられなくなるから。それはあまりに恐ろしいことだから。つまり、彼の弱い部分がある種の強みになり、自分の強い部分が逆に弱みになるわけ。ある日、それはまた違った風になるかもしれない。女はどこかで男に会い、彼を求めるかもしれない。でも今は、彼女は求められなくてはならない。相手がどれくらい強く自分を求めているか、女はそれを知らなくてはならないの。

彼の影は彼女の横顔の上にある。彼はその手を相手に近づける。その髪に手を触れ、片方の耳の後ろにまわす。

——そしてたった今、おれがどれくらい君を求めているか、わかってもらえるだろうか？

彼は女のサングラスを指でひょいと取り、そのつるで相手の顔に、上から下に線を引き、唇に沿って横に動かす。女は眩しさに目を細め、彼は眼鏡をそっとテーブルの上に、彼女のそばに置く。

——わからないわ。

——どうすればいいんだろう？　君がおれの目に今どんな風に映っているか、それを語らせてもらえるかな。おれはおそらく君について語ることができるだろう、君の足首や、君の向こう脛や、君の脚について……。もしわたしが画家であったなら、その胸や髪を描くことができるのだろうが、と彼は英国風アクセントを下手に真似て、大仰な身振りを交えて言う。あるいはまた太陽が君の喉もとをとらえるその様子を……

——駄目よ、と彼女は微笑みを返しながら言う。そこに笑いの余地がまだあることにほっとしながら。

——あるいはおれが君に対してどんなことをしたがっているか。どれくらい強く君を抱きしめ、その首に口づけしたがっているか。どれくらい……

彼女は首を振った。——それでは十分じゃない。

——でももしおれにそれを語ることができたら、君は聞いてくれるだろうか？

――イエス。

――おれがどれくらい君を求めているか、君は聞いてくれる？

――イエス。

二人はじっと視線を合わせていた。やがて彼は足もとに置いたケースに手を伸ばし、そのひとつを開け、素速くアルトを組み立てた。指をそのキーの上に軽く走らせた。彼の背後の波打ち際近くで、子供たちがもう一度凧を揚げようとしていた。彼女はそれを見ていた。彼の出した最初の音はあまりにもソフトだったので、それは彼の背後の打ち寄せる波の音に、ほとんどかき消されてしまった。それから彼の音は波の上にふっと持ちあがった。その肩越しに見える赤い凧と同じように。彼は目を閉じたまま演奏した。暖かな空に凧が浮かんでいく様を、彼女はじっと眺めていた。風に凧を浮かばせるほどの強さがあるようには見えなかったが、それでも凧は微風を受け、目には見えないくらい細い糸をそっと引かれ、身を震わせていた。数分のうちに、凧は空高く浮かんでいた。長い尾がその後ろに、気怠くひらひらと揺れていた。

彼は短く目を開け、女が音楽の陶酔に浸っているのを見た。それからもう一度目を閉じ、力を尽くして演奏した。音楽を通して彼女に呼びかけた。彼女の顔の記憶が鮮やかに戻ってきた……

彼は再び目を開ける。ひとつのパッセージに、何かまだ「正しくないもの」がある。これまで既に何度かそこで躓《つまず》いていた。彼の両手は、彼女にとって正しくないふたつばかりの音符に、なぜか引きつけられる。それらの音符が正しくないものであることが、彼にはわかる。あまりに容易すぎるし、あまりにそれらしすぎる。それでもなんとか彼は核心に近づいている。歌は彼女のまわりに自らを形づくりつつある。ほどなくそれは、まるでお気に入りのドレスのように、ぴったり隙なく彼女にフィットするだろう。彼は壁の写真に目をやり、サックスを寝床の上に置く。金属が金属を打つかちかちという獄舎特有の音で、彼の頭はいっぱいになる。監房の中を再び行きつ戻りつ歩く。カレンダーを眺め、楽器を手に取る。それがあたかも獄舎の鍵であるかのように。そして長い音符をいくつか吹く。海や空の広がりで、流れ込んでくる光や波で監房を満たすための音だ。

——よう、なんで止めちまうんだよ、アート？　上段の寝床からエッグが声をかける。素敵な曲じゃないか……とてもきれいだ。

——ああ、これは美しい曲になる。

——どういうことについての曲だ？　なんていう題なんだ？

——知るもんか。おれがまだ会ったことのない人についての歌だよ。おれがここから出たらどんな風になるか、そういう歌だよ。それはどんな感じのものだろうってな。

——美しいぜ。

——まだ正しくない。まだ彼女になっちゃいない。

——おれの耳にはすごいホットな女のように聞こえるけどな。もう一曲吹いてくれよ、アート……

——いいとも、どんなのを聴きたいんだ？

——なんでもいい。バラード。その中にストーリーが含まれているもの。何かソフトなもの。きっかり二百十日と半日後にここを出たときに、おれがこの黒い手をすかさず置くことになる、美しい濡れたプッシーみたいにソフトなやつがいいな。

——おいおい、お前みたいな黒いマザファッカが手を置けるただひとつのプッシーは、爪と尻尾がついているやつだよ。そのへんの犬のプッシーさ。

——犬のプッシーってか、ああ、いいねえ。そういうタイトルの曲を作るといいや。ははは。「ドッグ・プッシー・ブルーズ」ってな。おかしいねえ。おれもタイトルの印税をパーセンテージでもらうことになるぜ。

——やれやれ、こいつはお前には猫に小判みたいなもんだぜ、エッグ……

——いや、冗談だって。そいつは美しい音楽だよ。まったくもって美しい。嘘じゃない。あんたがここを出て、そういうとびっきりきれいな曲のいくつかを吹いたら、そしてラジオでそれがかかったら、誰かがこう言うんだ、おお、これはアート・ペパーだ。なんていう曲だったか、女の子の名前がタイトルになったやつだよ。そこでおれは言う、なあ、おれはこの曲を耳にした最初の人間なんだぜ。この曲はおれたちが一緒に檻の中に入れられていたときに、やつが作ったんだ。

——そうだよ、エッグ、とアートは言った。そして微笑みながら、小さな金属製のテーブルのところに歩いていった。そこにはエッグが煙草を置いていた。トランプが一組、その隣にあった。彼は箱から煙草を一本取り出し、カードをカットした。ダイアモンドのエース。白い空に浮かんだ赤い爪。

サンクエンティン刑務所で灰色の作業着に身を包んでいると、自分が俳優で、アート・ペパーの生涯のいくつかのシーンを演じているみたいな気持ちになる。コンクリートの監視塔の看守たち、サーチライト、ライフル、犬。常にそこにある暴力の可能性。灰色の壁、食事の行列、千人もの人間がプラスチックの皿から同じものを食べる音。

キャグニーが囚人たちの守護聖人なのさ、と誰かが彼に教える。自己映画化の感覚に強くはまり込んでいると、自分がアルカトラスにいるように思えることがある。「ザ・ロック」と呼ばれるその刑務所に。

彼は運動場で休んでいる。黒人の囚人たちの小さなグループがあり、その横に立っている。壁の影の先端が運動場を横切っていく。それは目には捉えられない速度で地面を進み、じわじわと眩しい日の光を呑み込んでいく。

——刑務所というのはそういう風にできているんだ、と右側から声が聞こえる。たとえ外側にいても、やはりあんたは内側にいるんだ。

彼は自分に話しかけている男を見る。前にも見たことのある黒人だ。人々に恐れられている男だ。下手に関わり合いにならない方が良い男。肌をしっかり日に焼かれ、目は赤く燃えている。アートはその目をまっすぐは見返さない。

――あんた、アート・ペパーだな。

――そうだ。

――ミュージシャンだ。

――そう。

――アルト。素晴らしいアルト吹きだ。

――たぶん。

――そしてジャンキー。

――そのとおりだ。

その黒人は、表情をまったく浮かべることなく、精神のありかを探るようにアートの顔を見る。彼はまっすぐ相手の目を見るが、そこには既に敗北を意味する灰色の斑が浮かび始めている。

――あんたの演奏を何度か聴いた。

――LAで?

――ああ、あんたはなかなか良い演奏をした。

――ありがとう。

――白人にしちゃな。

男はそう言いながら、アートをまじまじと見る。しかしその顔が何かを語ることはない。そこには恐怖もなく、挑戦もなく、誇りもなく、とにかく何ひとつない。今ではもう、彼の身体がひとつの監房と化している。何年かの刑務所暮らしが彼の身体をそのように変えてしまったのだ。常に自分を奥に隠す。ナイフで切りつけられても、内部器官に致命傷を負わぬように。彼の顔は刑務所の壁のように空白だ。何かと関わり合いになりたくないときには、そういう顔が何より役に立つ。後年、彼のトーンもまたそんな自己保護的な形質を身につけていく。それは常に完璧性という名の壁に囲まれている。この先、彼が演奏する音楽のすべては、刑務所の惨めさと、そこで学んだものごとに染められることになる。

――演奏できなくて淋しいか?

——ああ。

——どれくらいになるんだ？

アートは首を振る。微笑みさえ浮かんでいるみたいだ。

その黒人は怯えた目をした、アフロ・ヘアの痩せた男に話しかける。男は小走りに運動場を横切ってどこかに行く。数分後、男はくたびれたアルトサックスを手に戻ってくる。最初の男がそれを受け取り、アートに渡す。

——おれたちを気持ちよくトリップさせてくれ。

——もう一年も楽器を手にしていない。

——だったらそろそろやってもいい頃だろう。

——まだプレイできるかどうかもわからん。

——できるさ。

ホーンは彼の腕に抱かれる。縦の位置に持ち上げ、囚人服のボタンにキーがかしゃかしゃと当たるのを感じる。影が彼の足もと二フィートほどのところまで近づいている。眩しい日差しの中から、クールな影の中に、彼は足を踏み入れる。いくつかスケールをさらったあと、シンプルなメロディーを吹き始める。よく知っている曲だ。目をつぶっていても吹き進められる曲。マウスピースとフィンガリングの調子をつかむ。スローなプレイだ。二人ばかりがそばで指を鳴らし始める。明るいグラウンドで、一本の足が微かに動いているのを彼は目にする。

数分のあいだ、彼はただメロディーを吹いている。それから少しずつそこを離れる。最初はおずおずと、足場を見失わないように用心深く。誰かが自分の名前を口にしているのが聞こえる。運動場にいる多くの囚人たちが、今では自分の演奏に耳を澄ませていることがわかる。あたりの喧噪が徐々に静まっていく。囚人たちは完璧な間隔をとりながら運動場に散開している。彼はまだメロディーを演奏してはいるが、それはだんだん何かに閉じこめられていくような様相を帯びてくる。動ける範囲はますます狭くなり、やがては声を上げて叫ぶことしかできなくなる。監房の壁に思い切り頭をぶっつける人のように、自らに激しくつかみかかりながら。

一人の囚人が囁く。まるで人間の魂がとことん打ちのめされている様子を聴いているみたいじゃないか。その隣にいる年配の黒人が頭を振る。

――いや、彼はじき飛び出してくるさ。

突風みたいなねじれた音をいくつか出したあと、ソロはもうどこにも辿り着けないように思える。誰ひとり動かない。囚人たちは自分のいる場所にじっと立ちすくみ、彼のまわりを取り巻いている。キャンバスに沈み、意識をはっきりさせようともがいている拳闘選手を囲むみたいに。彼は引き延ばされた音を折れた歯のように吐き出し、レフェリーのカウントを梯子代わりに、身を起こす準備をしている。それを聴きながら、囚人たちにはわかる。彼が演奏しているのは、威厳や自尊心や誇りや愛よりも高いところにあるものごとについてではなく、むしろより深いところにあるものごとについてなのだということが。精神よりももっと深いところにあるもの、身体の持っている素朴な回復力だ。何年もあとになって、彼の身体が苦痛をたたえる貯水池となったとき、アートはこの日の教訓を思い出すことになる。立ち上がりさえできれば、彼にはプレイできる。そしてプレイできさえすれば、彼には美しくプレイできるのだ。

しばし彼はふらつく。何を演奏しているのかわからなくなり、カウントの階段の、8か9の横木にしがみつく。それから全力を振り絞って、いちばん高い音を求める。そこに手を伸ばし――あぶないところだった――さっと飛び立つ。この飛翔の頂点で、重力がもう一度力を持ち始める前に、まぎれもない無重力状態の一瞬がやってくる。再び落下していく前の、ゴージャスな弧を描いて滑走する前の、ブルーズの深い呻きに退いていく前の、輝かしく、クリアで、晴朗な一瞬だ。そして囚人たちは理解する。語られるべきはまさにこれだったのだ――落下することの夢。

演奏を終えたとき、彼は汗をかいている。微かに肯くが、それは収まりを見せつつある痙攣の一部のように見える。彼のまわりを囲んでいるのは、耳を澄ませている囚人たちの沈黙だ。いや、沈黙は囚人たちのものだけではない。そこにはまた監視の目を向ける看守たちの、灰色の沈黙も混じっている。警棒が四分の四拍子で、硬い手のひらを叩く。靴のつま先の革、コンクリート、砂利の静かに踏まれる音。やがてそれすら聞こえなくなる。

拍手はない。一秒一秒が、最初の手のひらが叩き合わされる直前の瞬間みたいに感じられる。でも手が合わされることはなく、沈黙の長い音符が続くだけだ。もうこれ以上は行けないというところまで、それは引き延ばされる。実際にはそこに存在しない深淵のように。今ではその運動場を包んだ沈黙に、全員が気がついている。刑務所内作業場の機械が立てる、機関車みたいなしゅっしゅっという音に。そしてまたその沈黙こそが、音楽に対する賞賛のしるしであり、それが集合的意思に基づく行為であることを、彼らは知っている。沈黙には常に免れがたく威厳が含まれていることを、ひとつの悲鳴や叫びによってそれが実に簡単に破壊されてしまいかねないことを、彼らは知っている。沈黙はまた時間に捉えられ、視認できるものでもある。動くものは一人もいない。なぜならそのような場所にあって、沈黙が保たれるためには、時間は止められなくてはならないからだ。時間が動きを取り戻すには、何かが起こって、その沈黙を破らなくてはならない。看守たちはテンションの高まりを感じる。一瞬一瞬が次々に、間に合わせのバリケードのように積み上げられていく。それを突っ切ろうとすれば、暴動が起こるかもしれない。だから彼らは待つ。沈黙がくすぶっている。沈黙を煮込む時間が長くなればなるほど、その噴出の騒音はより暴力的なものになる。沈黙は一転し、金属や怒声や炎の渦と化す。きっかけとしては、ライフルの安全装置をはずすかちりという音だけで十分かもしれない。ちくたくという音のおずおずとした最初の「ちく」

が、時計を我に返らせ、その結果として時間が解き放たれるみたいに。沈黙はゆっくりと広がっていく地平線のようだ。遥か遠方の風景のようだ。それは刑務所の四方の壁を意味のない、些細なものに見せる。誰にも気づかれず、またいかにも場違いに、刑務所長が執務室から出てきて、静かに影の中に立つ。

囚人たちは地図を形成している。彼らの視線の等高線は一人の青ざめた男を立ち上げている。その男は錆びたアルトサックスを腕の中にあやすように抱き、こっそり呼吸をしている。咳払いをしながら、片手を口もとにやる。

一九七七年に彼は「ヴァンガード」でニューヨーク最初のギグをやる。彼は五十二歳になり、苦痛の沼をかきわけるように演奏する。苦痛がやってくると、松葉杖を握る要領で、ただ楽器を握っているしかない。炎に刺される内臓、その痛みは来ては去っていく。痛みは奥深くに潜り込んでしまうので、そこには常に漠然とした無感覚がある。

何年か前のことだが、自分が演奏している音楽について考えたり、演奏テクニックを意識するようになっていることに、ふと思い当たったものだった。それが集中の妨げになることはあったけれど、また同時にそれによって安心させられもした。というのは、そのように刹那的に自己を意識する瞬間のほかは、何も考えずにただ無心に吹いていることになるからだ。そして自分が今やっていることを意識しないでいられればいられるほど、演奏は素晴らしいものになった。演奏があるポイントに達すれば、テクニックがどうこうなんて意識から消えてしまう。人生の最後の年月とおぼしき今、彼は没我の境地を得るようになった。その圧倒的なまでの音楽へののめり込みの中で、彼はそうしようとも思わず、自己という感覚のすべてを失ってしまうことができる。ほとんど自動的に自分自身を超え、自分自身を凌駕して演奏することができる。すべての音がブルーズの慰謝へと引っ張られ、シンプルなパッセージさえもが、まるで偉大なレクイエムのように、人の心に食い込んでいく。そのことを知って彼は、長年にわたって「そうではあるまいか」と考えていたこと、憶測し望んでいたことは、決して思い違いではなかったのだと、確信に近いものを抱くことができた。乱脈な人生を送ることで、与えられた才能をただ無駄に費やしたというだけではなかったのだ。一人のアーティストとしての彼にとって、弱さは不可欠なものだった。彼がプレイするとき、それこそが強さの源泉となるのだ。

六月にローリーは、病院の主任精神科医との面談を設定する。アートはその病院のメタドン療法プログラムに参加していた。モダン・ジャズの歴史とは、このような部屋で生命を終えたミュージシャンたちの歴史でもある。壁や上衣の白さは、音楽の薄暗さや、夜行性を否定するもののように見える。医師が話をしているあいだにも、アートは自分が何を言えばいいのか忘れてしまう。一分ごとに数秒間は眠り込んでいるような気がする。あるいは時間からフレームがいくつか抜き取られたみたいとでも言えばいいのか。もう何日も眠れない夜を過ごしている。一昼夜の時間のリズムがどんどん速くなり、今ではまるで自分が、数分の覚醒と三十秒の睡眠とのあいだを行き来しているみたいに思える。目の前がちらちらする。コカイン、ヘロイン、メタドン、酒——安いワインを一ガロンも飲む。様々な中毒をくぐり抜けてきたせいで、身体はおおむねぼろぼろになっている。病と手術のせいであちこち切り取られ、まさに満身創痍の状態だ。脾臓は破裂し、切除されている。それから肺炎、腹部ヘルニア、肝臓にも問題を抱えている。胃は損傷を負い、膨らんでいる。これじゃまるで……

——まるで何みたいなんですか、ペパーさん？

——まるで、そうだな、ゴミを入れて出す黒いビニール袋があるだろう。そいつが裂けて、中にあるゴミやらなにやらがぐしゃぐしゃ出てくる。ちょうどああいう感じだよ。

医師は眼鏡をはずし、額のずっと上の方で短く刈り込まれた彼の髪を見る。目を見る。その目にはどのような表情も浮かんでいない。自己憐憫もなく、苦痛もない。その打ちのめされた顔を探るように眺めながら、どうしてジャンキーはみんなこういう風になるのだろうと医師は考える。ある時点で、顔が内側に崩壊してしまうような瞬間が突然訪れる。彼らはひどく年老いて見えるようになる。実際の年齢より三、四歳老けて見えるとかそういうのではなく、百歳くらい老け込んで見えるのだ。いや、彼らは不死のようにさえ見え始める。

ほとんど反射的にペパーは、錠剤や、カプセルの瓶、粉薬のガラス器が入っていそうな薬品棚を目で探す。医師がいくら質問しても要領を得た回答は返ってこない。回答らしい回答を引き出すために、質問はますますシンプルなものになっていかざるを得ない。彼にとってほとんどすべてのものが、どこか彼方にあるみたいだ。あるいは底深く埋められて、彼の手はそこまで届きそうにもない。四十五分のあと、質問はどこまでもシンプルになり、もう質問とさえ呼べないものとなっていた。

――ペパーさん、今は何月ですか?

彼は外の気温について考える。穏やかに温かったという記憶がある。青い靄のかかった空。しかしそれは遠い昔の、別の記憶についての記憶かもしれない。当てずっぽうで四月と言ってみようかと思うが、そう口にしかけたところで、ふと思い直す。

――三月?

医師は少し口をつぐみ、それから次の質問に移ろうとするが、アートの咳払いに遮られる。

――おれの答えはあってたかな、と彼は言ってくすくす笑う。そのジャンキー特有のしまりのないしゃべり方に、医師はふと苛立ちを覚える。この男は自らの益になる言葉を口にしようという努力さえほとんど払わない。彼が求めているのは、すべてを他人の手に預けてしまうことなのだ。

——アメリカ合衆国の大統領は誰ですか？

長い間がある。沈黙は、窓から吹き込んでくる風が白いブラインドを揺らせるかたかたという音で満たされる。

——そいつはむずかしい質問だな、ペパーは言う。どこかに解答が隠されているんじゃないかという目でデスクを見る。吸い取り紙に殴り書きされたり、ガラスの文鎮の下に挟まれていたりするのではないかと。その文鎮は彼自身の顔がプリズムによって誇張された像を投げている。片方の目が巨大に浮かんでいる。大統領の名前がいくつか、彼の頭の中を走りすぎていく。ひとつまたひとつ。しかしそれらは、まるで鳥の群れのように素速く過ぎていくので、ひとつに焦点を合わせることはできない。彼は答えを漠然と知っているが、かたちにすることができない。医師は様子を見ながら待つ。男の思考があてもなく緩慢に彷徨う様子に魅せられつつ、そして少し後になってからは、ちょっと不思議な共感に魅せられつつ。というのは彼自身の意識が軌道を逸れて、一瞬のあいだ、自らの発した質問に対する正解を見失ってしまったからだ。大統領の名前が再びしっかり頭に落ちついてから、医師は考えた。この男はどこまでも自己に執着している。彼がものごとを記憶できないのは、自らの感覚の外部にある事象に関心を払うことができないからではないか。そんな風にも見える。ところがこの自己没入の度合いがあまりにも高いので、自己本位であるという単純な事実に医師は嫌悪を覚えるのではなく——というのはそれは自己本位というような生やさしいものではないから——むしろ言うなれば、自己にあらざるすべての事象に対する無関心という相手の抱える真空の中に、自分が吸い込まれてしまっているらしいことに思い当たる。

この男は偉大なミュージシャンであり、アーティストなのだと、同僚たちは言っていた。医師は首をひねってしまう。このようなほとんど愚かしい男を偉大たらしめるのは、いったいどんな種類の音楽であり、どんな種類のアートなのか？　ジャズ、少しのあいだ彼はその言葉を頭の中に巡らせる。それから、自分の拳に向かってひとつ咳払いをしてから、向かいに座った男をしっかり見つめ、尋ねる。

——ペパーさん、ジャズとはいったい何を意味するのか、それを話していただけませんか。……もちろんあなたにとって個人的に、ということですが。

——おれにとって？

——そうです。

——そうだな、ああ……それはつまり……バード、ホーク、トレーン、プレズ……

彼はそのような意味をなさない言葉を、自らに向かって口の中でもごもごと呟く。何かのマントラみたいに。医師は眉をひそめ、相手をまじまじと見る。そのような名詞のでたらめな配列に、何らかの情報が含まれているのだろうかといぶかりながら。

——なんておっしゃいました？

——ほかにも何人かのキャットがいると思う。そうそう、大統領《プレジデント》の名前を思い出したよ。プレズ、レスターだ。レスター・ヤング。

医師は彼を厳しい目で見て、小さく唸る。これ以上面接を続けても、自分にとって得るべきものは何もあるまいと、彼は確信する。この男は愚かしさのトランス状態の中に存在しているのだ。

音のしないリノリウムの床の上で、医師の椅子が後ろに引かれ、書類がぱらぱらと音を立て、面接は終了する。会議室での握手のように形式的に。そこにずっと同席していた妻に、医師はいくつか説明をおこなう。妻は口を開くことなく、今が何月か夫が知らなくても、そんなことは何の不思議もないという微笑みを時おり浮かべていた。一方患者自身は、再びそのゾンビ的な目つきで部屋の中をじろじろと見回している。

医師はノートブックにいくつかの書き付けを

する。その中には、いつもより意図的にもつれた字で、この男がどうやら作ったらしいレコードを何枚か探してみること、という覚え書きが混じっている。

——で、いったいどこでおれたちは演奏するんだね、デューク？　ハリーは町の入り口で信号待ちをしながらそう尋ねた。

——知らんね、ハリー。てっきりお前さんが知っていると思ってたんだが。私にわかっているのは町の名前だけだよ。

——やれやれ、参ったな。ああ、またやっちまったぜ。

——車を進めてくれ。そうすれば、どっかにポスターが貼ってあるか、それともうちの連中と顔を合わせるかするだろう。

二人は広告板や共同住宅、線路や、渇くことを知らないバーの暗い入り口の前を通り過ぎていった。自動車修理工場には、派手な紅白の広告垂れ幕がはためいていた。

それはさびれた町だった。埃とうらぶれた工場の匂いがした。彼らが目にした看板のほとんどは「閉店」か「貸店舗」だった。ポスターを求めて、十分ばかり壁を眺めつつ車を走らせたあとで、正面を銀色に飾られたダイナーの前に車を停め、誰かに尋ねるためにハリーはその中に入っていった。過去においてしばしば、二人はそれぞれ相方が演奏会場の場所を知っていると思いこんでいたことがあった。そんなときには、彼らはだいたいこういう場所に入っていって、「デューク・エリントンが今晩どこで演奏するかご存じの方はいませんかと尋ねた。だいたい誰かが場所を知っていた。彼が誰だか知っているものもたまにいた。しかししばしば、店中の客がみんなでゆっくり首を振って、「デューク？　誰だ、それ」と言うこともあった。ここはどうやらそういうタイプの町のようだな、とデュークは、ハリーの長身がダイナーの中に消えていくのを見守りながら、思った。

ハリーを待ちながら、デュークはバックミラーを手前に向けて、自分の顔を見た。目の下にはカンガルーの袋みたいなものがある。顎には一日分の無精鬚がのびている。今から三十分後には、少なくとも一時間後には、二人はホテルに入っていることだろう。そこで数時間の眠りをとり、食事をとり、それからステージがあり、また出発する。もしうまくいけば、なんとか一時間をひねり出し、新しい曲に取り組むことができる。夜明けに車のラジオを聴いて以来、頭の中であれこれいじりまわしていた曲だ。彼が思いついたものがそのとおりのかたちで完成することはまずないが、それでもその基礎となるべきミュージシャンたちについて、既にいくつかのアイデアを得ていた。プレズ、モンク、おそらくはコールマン・ホーキンズ、あるいはミンガス。そして試してみようと思ういくつかの思いつき。どのように始めるか、誰を最初に持ってくるか、それを決めるのはむずかしいところだ。いろんな可能性を考えてみるが、誰一人として――バードもプレズもホークも――彼が必要とする広がりを十分には与えてくれない。彼はふとこう思った。行き当たりばったりでやってみようじゃないか。ラジオのスイッチを入れて、そのときにプレイしていたミュージシャンから始めればいい。だいたいこのアイデアを得たのはそもそもラジオからなのだし、もし出てきたのが彼の気に入らないミュージシャンであれば、またやり直せばいい。これというミュージシャンが出てくるまで、何度もラジオのスイッチを入れ直せばいいだけだ。馬鹿げたアイデアだったが、やってみて損はあるまい。やるだけやってみようじゃないか。誰が出てくるかなと思いながら、彼はスイッチを入れ、その瞬間、それが「キャラヴァン」の冒頭の一小節であることに気づく。彼はちらりと鏡に目をやり、そこに答えを見る。疲れた顔が微笑みながら彼をまっすぐ見返している。その少しあと、ハリーがやはり笑みを浮かべてダイナーから出てくる。車に向かってやってくる。

――町をぜんぜん間違えていたよ、デューク……

あとがき――伝統、影響、そして革新

1

著書『真の存在（*Real Presences*）』の中でジョージ・スタイナーは我々に言う。「美術や音楽や文学について語ることが一切禁じられている社会を想像していただきたい」と。[*1] このような社会にあっては、ハムレットが本当に気が狂っているのか、あるいはそのふりをしているだけなのか、というような一文が記されることはもうないだろうし、最新の展覧会や小説の評論、作家や画家のプロフィールが書かれることもないだろう。副次的な議論、寄生的な議論はいっさいなくなるだろう。批評を批評するというような副副次的な所為など、あえて語るまでもあるまい。そのかわり我々は「作家と読者の共和国」を持つことになる。クリエーターとオーディエンスの間に割って入る、職業的オピニオン・メーカーというクッションはそこには存在しない。実際の展覧会や新刊書を代行して体験する役割を果たしている、現在の日曜版新聞のようなものは消え、スタイナーの想像の共和国においては、文化欄はただのリストと化しているだろう。どんな展覧会が開かれるか、どんな新刊書が出るか、どんな新譜がリリースされるか、そういうただのカタログのようなものに。

その共和国はどのようなものになるのだろう？　論評というオゾンが取り払われることによって、芸術は被害を被《こうむ》るだろうか？　そんなことはないとスタイナーは述べる。というのは、マーラーのシンフォニーが演奏されるたびに（ここでは彼の得意とする分野に話をしぼろう）、その演奏そのものがシンフォニーに対するひとつの批評となるからだ。しかしながら批評家とは違い、演奏者は「解釈のプロセスに自らの存在を投入している」[*2]。だからその解釈は自動的に責任を伴うものになる。なぜなら演奏者は、いかなる良心的な批評家にもかなわないやり方で、結果を引き受けるかたちで作品と取り組んでいるからだ。

　しかしながら、きわめて自明なことだが、それは演劇や音楽だけにあてはまるケースではない。すべての芸術はまた、同時に批評でもあるのだ。ある作家なり作曲家なりが、他の作家なり作曲家なりの作品を引用したり、マテリアルを改変したりするとき、この事実は最も明瞭になる。すべての文学、音楽、絵画は「それらが属する継承およびコンテクストについての、解説的考察と価値判断を体現している」[*3]（傍点筆者）ことになる。言い換えるなら、ヘンリー・ジェームズのような作家たちが、きわめて優れた批評家ともなり得ることを示しているのは、彼らの手紙やエッセイや会話においてばかりではない。むしろ『ある婦人の肖像』のようなフィクション作品においてなのだ。それはなかんずくジョージ・エリオットの『ミドルマーチ』の評論となり、批評と

＊1　ジョージ・スタイナー『真の存在』（シカゴ：シカゴ大学出版局、一九八九）p. 4〔工藤政司訳　法政大学出版局、一九九五〕
＊2　前掲書 p. 8
＊3　前掲書 p. 11

なっている。「芸術作品の最良の読解はすなわち芸術である」[*4]わけだ。

このような想像上の共和国を出現させたすぐあとに、ため息混じりにスタイナーは言う。「私が描くファンタジーはあくまでファンタジーに過ぎないのだが」[*5]と。ところがそうではない。それは実際に存在する場所であり、一世紀近くにわたって世界中で数百万の人々に居場所《ホーム》を与えてきたのだ。その共和国にはとてもシンプルな名前がついている。ジャズ。

誰もが知っているように、ジャズはブルーズから育ってきた。そもそもの最初からそれは、オーディエンスと演奏者がコミュニティーを共有し、分かち合うことを通して発達してきた。チャーリー・パーカーのようなミュージシャンは、一九三〇年代にカンザス・シティーにレスター・ヤングやコールマン・ホーキンズを聴きに行き、朝まで繰り広げられるアフター・アワーズのジャム・セッションで、彼らと一緒にプレイする機会を与えられた。マイルズ・デイヴィスやマックス・ローチは、「ミントンズ」や、五十二丁目通りにあるいくつかのジャズ・クラブでチャーリー・パーカーの演奏を聴き、後にはそこに飛び入り参加しながら、修業を積んできた。そうすることによって、彼らは実地に学んできたのだ。そんな風に順繰りに今度は、ジョン・コルトレーンやハービー・ハンコックやジャッキー・マクリーンを始めとする数多くのミュージシャンたちが、マクリーンの表現を借りるなら、「マイルズ・デイヴィス大学」[*6]に入って授業を受けた。そしてそのあと彼らは、やがては一九七〇年代一九八〇年代をリードする演奏家たちの多くを育成することになった。

ジャズはこのようなかたちで休みなく進化を遂げてきたので、それは根源にあった生命的なる力と、ユニークなかたちで繋がりを持ち続けることになった。一人のサキソフォン奏者はそのソロにおいて、時おり他のミュージシャンたちのフレーズを引用するかもしれない。しかし自分の楽器を手にする度に彼は、自動的に、また暗黙のうちに、自らの考えを――この音楽を今こうして彼の足元まで運んできた伝統というものについての彼なりの考えを――述べざるを得ない。たとえ彼の不十分さを通してしか、それが述べられなかったとしてもだ。最も悪しき場合、それは単純な反復という形をとる（とりわけ、かの無数のジョン・コルトレーンの模倣者たち）。時おりそれは、これまでほとんど試されなかった可能性の追求という形をとる。最良の場合、それはジャズというフォームの可能性を押し広げることになる。

　そのような努力の焦点はしばしば、これまでその長い歴史を通して、即興演奏の跳躍台としてジャズに奉仕してきた数多くの曲のひとつの上に結ばれる。そのような曲は多くの場合、もともとは軽い流行歌としてこの世に生まれたわけで、素性としてあまり褒められたものではない。あるいはまた、オリジナルとして作られた曲がスタンダード化することもある（他の芸術形態において、古典がスタンダード化することがあるだろうか？　トルストイが「ペンギン・スタンダード」として出版されるところを想像していただきたい）。セロニアス・モンクの「ラウンド・ミッドナイト」を演奏していないジャズ・ミュージシャンが、この世界にいるだろうか？　次々に出てくるヴァージョンがその曲をテストし、そこにまだ何か追求すべきものがあるかどうかを探るのだ。無数のヴァージョンが連なって、スタイナー言うところの「身をもって演じた批評のリ

＊4　前掲書 p. 17

＊5　前掲書 p. 21

＊6　A・B・スペルマン『ジャズを生きる：ビバップの四人（*Four Lives in the Bebop Business*）』（ニューヨーク：ライムライト、一九八五）p. 209［中上哲夫訳　晶文社、一九七二］

[*7]スト」が形成されることになる。死んでいるものと、すでに生きているものというT・S・エリオットの有名な区別を、[*8]これほどまで貪欲に追求している芸術形態は他にあるまい。

理想的に言えば、古い曲の新しいヴァージョンは、実質的には「再作曲《リコンポジション》」であり、この作曲と即興の融通無碍な関係性こそが、ジャズが休みなく自らを補充していく能力の源になっているのである。ベートーヴェンのピアノ・ソナタ作品57「熱情」について書いた文章の中で、テオドール・アドルノはこのように述べている。「最初にベートーヴェンが思いついたのは、冒頭に提示される主題ではなく、むしろコーダにおける凄まじいばかりの変奏であり、彼は言うなればその変奏から遡るようにして、最初の主題を引き出していると考えるのが妥当だろう」[*9]と。それにとてもよく似たことが、ジャズにおいては頻繁に起こる。ソロの過程において一人のミュージシャンはほんの短い瞬間、ほとんど偶然に、新しい曲の基盤となるかもしれないフレーズを導き出す。その新しく生まれた曲もまた即興演奏され、そのソロも同じように新たな作曲へと進展するフレーズを生み出すかもしれない。エリントン楽団のメンバーはよくぼやいたものだ。ソロをとりながら彼らが吹いたちょっとしたフレーズがデュークの目にとまり、ひとつの曲にまとめられ、彼の作品として発表されることについて。しかし彼らとてやはり認めないわけにはいかなかった。そのフレーズの可能性を瞬時に見抜き、そこからかくも見事な音楽をまとめ上げるのは、デュークのような天才にしかできないのだということが。

エリントンは最も肥沃な源なので、彼を例にとって、どのようにして音楽が、それ自体に関する最良の論評を加えていくかについて、よりわかりやすく述べていきたい。エリントンは「テイク・ザ・コルトレーン」という曲を、その優れたテナー奏者のために書いた。チャールズ・ミンガスの書いた「デュークへの公開状」はエリントンについての音楽的エッセイになっている。それはアート・アンサンブル・オブ・シカゴの「チャーリー・M」へと引き継がれた。その後の歳月のあいだに、ほとんど間違いなく、その連鎖はさらに長いものになっていくことだろう。アート・アンサンブルのサキソフォン奏者に対するオマージュ「ジョゼフ・J」、あるいはまた「ロスコー（ミッチェル）への公開状」として。

このような種類のパーティー・ゲームは、いくつかの名前を出発点として、際限なく続けていける。セロニアス・モンクやルイ・アームストロングはとりわけ、それを開始するには絶好の場所になる。しかし文字通り何百人というミュージシャンたちが、彼らのために書かれた曲をひとつかふたつは持っている。世にあるすべての曲を線でつないで、オマージュやトリビュートのフローチャートのようなものを作ろうとしたら、その紙はほどなく、何が何だかわからないくらい真っ黒になってしまうことだろう。またそのチャートは、それが伝えるべき情報の量の多さのために、あまり意味のないものになってしまうだろう。

それほど明快ではないが、現在進行中の「身をもって演じた批評」のプロセスにおける連鎖は、ジャズ・ミュージシャンたちの個人的スタイルの進化という形をとっている。紛れもなく自分自身のものと呼べるサウンドとスタイルを持つことは、優れたジャズ・ミュージシャンであるための必須条件だ。しかし往々にしてジャズの場合、そこには明らかなパラドックスがある。自分ら

＊7　スタイナー『真の存在』p. 20
＊8　T・S・エリオット『伝統と個人の才能（*Tradition and the Individual Talent*）』散文選集（ニューヨーク：ハーコート、ブレイス、一九七五）p. 44［『エリオット全集』五巻　深瀬基寛訳　中央公論社、一九六〇］
＊9　テオドール・アドルノ『美の理論（*Aesthetic Theory*）』（ロンドン：ラウトレッジ&キーガン・ポール、一九八四）p. 249［大久保健治訳　河出書房新社、二〇〇七］

しい音を出すには、ミュージシャンたちはまず、他の誰かのように聞こえる音を出すことから始めなくてはならない。自らの若い頃を振り返って、ディジー・ガレスピーはこのように語る。「ミュージシャンはみんなそれぞれ、先行するミュージシャンの誰かを手本にしている。でもやがて、自分の演奏の中でこれとこれは自前のものだと言えるものが具わってくる。そこに至って人は、自分固有のスタイルを身につけるようになる」[*10]。立場変わって、マイルズはディジーのように吹こうと試みた。そしてマイルズのあとには、マイルズのようなサウンドで吹こうと試みる無数のトランペッターが出てきた――いちばん最近ではウィントン・マルサリスだ。往々にしてミュージシャンはあきらめることによって、自分自身のサウンドにたどり着く。再びディジー、「私はとにかくロイ・エルドリッジのように吹こうとしたんだが、どうしてもそれができなかった。思うようにいかず、でたらめな演奏になってしまった。だから違うことを試してみようと思った。それが発展して、結局バップとして知られる音楽になったんだ」[*11]。マイルズの孤独な、背筋が寒くなるくらい美しいサウンドは、高音部の跳躍を持続させること――それはディジーのトレードマークだった――ができなかった結果としてもたらされたものだった。

先行するもののヴォイスが自らを響かせるには、二つの明らかに矛盾するやり方がある。音楽的パーソナリティーの中には、あまりにもそれが強烈すぎて、あまりにも密接にひとつのサウンドと結びついていて、表現のエリア全体を専有してしまっているものもある。ほかのものがそこに立ち入るためには、自らの個人性を代価として放棄しなくてはならない。一人のミュージシャンのパーソナリティーが、ひとつのスタイルをあまりにも広く浸透させてしまって、おかげでそのスタイルを吸収したり、乗り越えたりすることがどうしてもできず、模倣する以外に打つ手がないように見えることもある。トランペッターがハーモン・ミュートを使ってバラードを演奏しながら、マイルズの模倣とは言わせないというサウンドを出すことは、今ではほとんど不可能だろう。

それとは違って中には、希有《けう》な例ではあるが、そのような傑出した影響力を自分にすっかり同化させてしまうものもいる。ハロルド・ブルームが何人かの詩人について述べているように、時として「彼らの作り出したスタイルが、その先行者に対する優位性を獲得し、奇妙なことにそれを保ち続け、時間という暴君をほとんど逆転させ、人々にたとえいっときではあるにせよ、彼らは彼らの祖先によって模倣されているんじゃないかとふと思わせてしまう」[*12]（傍点原著）みたいなことが起こる。レスター・ヤングはしばしばスタン・ゲッツを始めとする人々に影響を受けたように聴こえる。実際は彼らの方こそ全面的に、レスターのサウンドに恩恵を受けているのだが。初期のキース・ジャレットを聴いていてときどき、ビル・エヴァンズの音はちょっとジャレットに似すぎているんじゃないかと、ふと思ったりしてしまう。[*13]

ジャズは、その演奏スタイルの性格上、他のどんな芸術形態よりも、このような比較をおこな

*10 アイラ・ギトラー『スイングからバップへ：一九四〇年代におけるジャズの推移に関するオーラル・ヒストリー（*Swing to Bop: An Oral History of the Transition in Jazz in the 1940s*）』（ニューヨーク：オックスフォード大学出版局、一九八五）p. 56

*11 ナット・シャピロ&ナット・ヘントフ共編『私の話を聞いてくれ——ザ・ストーリー・オヴ・ジャズ』（ニューヨーク：ドーヴァー・プレス、一九五五）p. 347 ［新納武正訳　筑摩書房、一九七六］

*12 ハロルド・ブルーム『影響の不安』（ニューヨーク：オックスフォード大学出版局、一九七三）p. 141 ［小谷野敦、アルヴィ宮本なほ子訳　新曜社、二〇〇四］

*13 ウォレス・スティーヴンズとジョン・アシュベリーについてのブルームの言及。前掲書 p. 142

う機会を頻繁に我々に与えてくれる。グループ演奏とジャム・セッションとのあいだの区別は常に曖昧なもので（録音のためにスタジオに集まったバンドはしばしば、時間ぎりぎりで招集された顔ぶれであり、しかるべき名前がついたバンドにしたところで、とりあえず今はこうだという程度の暫定的な編成に過ぎず、主従ミュージシャンで成り立っていることはむしろ希だった）、一年も経つうちには、多くの違うミュージシャンたちが、多くの違うフォーマットで共に演奏することになるだろう。デュエットや、トリオや、カルテットや、ビッグバンドで。最も好ましくないかたちとして、ツアーをするスター・プレーヤーが、訪れたそれぞれの町で現地の急造リズム・セクションと組んで演奏することもある。あるいは手っ取り早い短時間のリハーサルで、堅実なサポートを提供できるというだけの理由で、非凡とは言い難いベーシストに、ひっきりなしに仕事のお呼びがかかる場合もある。しかしながら、このように流動的な雇用状態の最大のメリットは、ジャズのいくつもの個人的なヴォイスの共演が、ほとんど無限の組み合わせで聴けるところにある。そのような組み合わせのそれぞれが、あたらしい集合サウンドを生み出すのだ。ジェリー・マリガンとモンクが共演したらどんなサウンドが生まれるだろう？　コルトレーンとモンクとでは？　デューク・エリントンとコールマン・ホーキンズとでは？　ジョニー・ダイアニとドン・チェリーとでは？　ドン・チェリーとジョン・コルトレーンとでは？　アート・ペパーとマイルズ・デイヴィスのリズム・セクションが共演したら？　ソニー・ロリンズとコルトレーンとでは？　それが知りたければ、あなたはただレコードを聴けばいい。[*14]すべての異なる組み合わせが、それぞれのミュージシャンの個別のクォリティーを更に鋭く浮かび上がらせることになる（とりわけ『テナー・マッドネス』のようなレコードがそうだ。そのときコルトレーンとロリンズはそれぞれ三十歳と二十七歳であり、サウンドはほとんど同じように聞こえる。しかしその

「ほとんど」というのがなにしろ意味深いところなのだ)。

組み合わせが同世代ではなく、違う時代に属するミュージシャンたちの交流である場合、その結果はおそらくいっそう魅力的なものになるだろう。エリントンとコルトレーン、エリントンとミンガスとローチ、ミルト・ヒントンとブランフォード・マルサリスなど。また師匠と生徒とが後日、対等の立場で邂逅し――ヴォンとチコ・フリーマンの場合は父子になるが――その共演がレコードとして残された例もたくさんある。コールマン・ホーキンズとソニー・ロリンズ、ベン・ウェブスターとホーキンズ、ディジーとマイルズ。

文学畑における標準的な批評方式のひとつとして、異なった著者たちのテキストを並置し、それぞれの個別特質と相対的長所を明らかにするというものがある。ジャズにおいては、ミュージシャンたちがひっきりなしに顔ぶれを変えて演奏をすることによって、休みなく増加していく音楽のカタログの中で、このような方式はあらためてとりあげる必要もない、生来的なものとなっている。ある一人のプレーヤーの演奏は、いくつかの質問に対する(彼が共演しているミュージシャンについての、あるいは彼より前に存在したミュージシャンについての、進歩を続ける伝統と彼との関係性についての)回答になっているのと同時に、ほかの(今彼自身がおこなっているものごとについての、彼自身の価値についての、彼が手がけているフォームについての)質問をも

＊14　多様なミュージシャンたちの共演はたしかに数多いが、こういう人たちが共演すればいいのにと思うのに、実現しなかった音楽的邂逅ももちろんたくさんある。ファラオ・サンダーズとジョニー・ダイアニ、ダイアニとジャレット、アート・ペパーとジャレット……しかしながら、これらのミュージシャンたちの演奏は大量に記録されているので、そのような邂逅がどのようなものであるか、想像することはそれほど困難ではない。未来のテクノロジーがそれを可能にしてくれるだろうか?

提起することにもなる。彼が今共演しているミュージシャンたちや、彼のあとからやってくるミュージシャンたちは、暫定的な回答を与えてくれる。しかしそれらの回答はまた――それらのミュージシャンたちの価値についての、彼らの伝統との関係性についての――質問ともなる。そのような精妙な、批評的種類の循環呼吸の中では、フォームというものはすべて自らを説明すると同時に、自らに疑義を呈するものともなる。

通常解説者に残される作業の大部分を、音楽それ自体がこのように片付けてしまうわけだから、評論家がジャズに対して為す貢献があまり華々しくないのは、さして驚くべきことではない。もちろんジャズ批評家は存在するし、ジャズ雑誌も存在する。しかしながら歴史的に見れば、ジャズについての論評は驚くほど水準の低いものであり、どうでもいいような些末な事実――誰が誰と共演し、このアルバムはいつ録音されて、というようなこと――を明らかにする役割だけはようやく果たしてきたものの（それこそスタイナーがよしとするところのものなのだろうが）、その音楽の生気に満ちたダイナミックスの感覚を十全に伝えることに関しては、ものの見事にしくじってきた。西欧の文学や、美術史の伝統から批評《クリティシズム》を剝ぎ取ることは、我々の文化資産を大幅に減じることになる。たとえばピカソについてのジョン・バージャーの論評や、ボードレールについてのヴァルター・ベンヤミンの論評がなくなる事態を考えてもらいたい。しかしながら、ジャズについてこれまで書かれた文章が全部消えてしまっても――ミュージシャンの自叙伝や、たまに出てくるジャズに触発された小説を別にすればだが（マイケル・オンダーチェの『バディ・ボールデンを覚えているか』［畑中佳樹訳　新潮社、二〇〇〇］は傑作だ）――その音楽の遺産にはほんの僅かな表面的ダメージしか残らないだろう。[*15]

2

先に述べたようなあれこれにかかわらず、何はともあれ、ジャズを閉鎖的なフォームと呼ぶことはできない。ジャズを活力に満ちた芸術形態にしているのは、自らもその一部をなしている歴史を吸収していく、その驚くべき能力にある。もしそれ以外の例証が残っていなかったとしても、未来のコンピュータはおそらく、ジャズのカタログからブラック・アメリカの歴史全体を再構築していくことができるだろう。私は何もデューク・エリントンの「ブラック・ブラウン・アンド・ベージュ」のような、アフリカ系アメリカ人の歴史を音に移し替えるという、明白な意図を持った作品のことを念頭に置いてこのようなことを言っているわけではない。あるいはアーチー・シェップの「アッティカ・ブルーズ」とか「マルコム、マルコム–センパー・マルコム」、ミンガスの「受動的レジスタンスへの祈り」とかマックス・ローチの「フリーダム・ナウ組曲」

*15　ジャズに関する第一級の文章はほとんどないかもしれないが、ジャズくらい写真家による貢献を受けてきた芸術形態は、他にあまりないだろう。実際のところ、ジャズ・ミュージシャンの写真は、実際に芸術創造に携わる人々についての、我々が手にする文字通り唯一の写実的証拠となっている。なにも俳優や歌手やクラシックの音楽家たちが芸術家ではない、と言っているわけではない。しかしそれがいかに革新的でオリジナルなものであろうと、彼らの仕事は本質的に解釈的なものである。もちろんピアノに向かう作曲家や、イーゼルに向かう画家や、机に向かう作家の写真もある。しかしそれらはほとんど常にポーズをとったものである。机やイーゼルやピアノは、器具というよりは小道具としての意味合いの方が強い。それに比べると、演奏にのめり込んでいるジャズ・ミュージシャンの写真は、我々をその芸術的創造という行為に——あるいはその代理的本質に——限りなく近接させてくれる。ちょうど運動選手の写真がランニングという行為に——あるいはその代理的本質に——我々を限りなく近づけてくれるのと同じように。

のような作品を念頭に置いているのでもない。私が意味しているのはもっと一般的なものだ。それは「デカルトの時代の、いくつもの偉大なる革新の中に、新しい魂に満ちたヴァイオリンの音色も入っているのは、理由のないことではない」[*16]というアドルノの示す見解に近いものだ。アドルノのその記述を補足するかっこうで、フレドリック・ジェイムソンはこのように述べている。「その長期にわたる楽器としての優位性を通して、ヴァイオリンは紛れもなく、個人という主体性の出現と、密接な一体性を保ってきたのである」[*17]と。アドルノが言及しているのは、十七世紀以降の時代についてだが、彼の言葉は、二十世紀におけるアメリカ黒人という意識の出現とトランペットとの——ルイ・アームストロングからマイルズ・デイヴィスに至る——一体性にも等しく適用できるものである。一九四〇年以降はトランペットに張り合うように、また補完するように、サキソフォンがその一体性を担うようになった。オーネット・コールマンの言葉を借りれば、「黒人の魂のありように関して、最良のステートメントはテナー・サキソフォンを使ってなされた」[*18]ということだ。

コールマンはここで最初に、テナーとアルト・サキソフォンの区別をおこなっているのだが、彼のその主張は更に範囲を広げて、テナーと他の表現手段（たとえば文学や絵画）との区別としても通用するものになっている。これは重要なことだ。というのはジャズは、周囲の歴史を吸収していく力と並行して、それがなければ表現手段を持つことがなかったであろう人々を、天才のレベルにまで引き上げる力をも発揮したからだ。エリック・ホブズボームが述べるように、ジャズは「我々の世紀における他のどんな芸術よりも大きな、アーティストとなりうる人々の貯水池を有していた」[*19]ということになる。エリントンは才能ある画家だった。しかしその他のジャズの巨人たちの多くは、その仕事を進めるにあたって、他の芸術分野でなら彼らの進歩をまさに阻害したであろう特性や性癖に依拠していた。ミンガスの音楽をあのようにワイルドな、予測不能なものにしたすべての特性は、彼の自叙伝『敗け犬の下で』における文章をしまりのない、愚かしいものにした。彼には事務能力というものがまったく具わっていなかった。作家たるものにはすべからく、ちまちまとした事務能力みたいなものが、また校正者の勤勉さが必要とされるのだ。「トランペットを持たないルイ・アームストロングはどちらかといえば見栄えのしない人間だ」とエリック・ホブズボームは述べている。「しかしいったん楽器を手にすると、まるで記録天使（人の善業悪業を記録にとどめる天使）のように精密に、優しくものを語れる[*20]」と。他のいかなる芸術分野において、アート・ペパーのごとき人間が、かくも美しい達成をなすことができただろう？

ここでペパーの名前が出てくるのは時宜にかなっている。というのは、ジャズは元来、黒人であるという「体験」を表現するための手段ではあったが、もはや全面的にそうではないことを、それは我々に思い出させてくれるからだ（アメリカ黒人の歴史は、エリントンの曲のタイトル「ブラック・ブラウン・アンド・ベージュ」が示すとおり、白人のアメリカのそれと不可分なま

＊16　フレドリック・ジェイムソン『弁証法的批評の冒険：マルクス主義と形式』（*Marxism and Form*）』（プリンストン：プリンストン大学出版局、一九七一）p. 14［荒川幾男ほか訳　晶文社、一九八〇］

＊17　前掲書p. 14

＊18　スペルマン『ジャズを生きる：ビバップの四人』p. 102

＊19　エリック・ホブズボーム『抗議としてのジャズ（*The Jazz Scene*）』（ニューヨーク：パンテオン、一九九三）p. 219［山田進一訳　合同出版、一九六八］。ただし一九五九年に出された初版ではフランシス・ニュートンという筆名が使われている。

＊20　前掲書p. 219

でに絡み合っているからだ。ブラック・ナショナリストの運動はネガティブなかたちでそれを例証している）。白人のバンドリーダーであるスタン・ケントンはその論議の枠をより広げた。彼はジャズの中に、時代の苦悩する魂を表現する可能性を聴き取ったのである。「現代の人類は、かつて体験したことのない事象をくぐり抜けているのかもしれない。神経を苛むさまざまなフラストレーション、感情の成長の阻害、既成の音楽はそれらを解決させられないばかりか、表現することさえできない。だからこそ私は思うのだ。ジャズはまさに正しい時にやってきた新しい音楽なのだと[*21]」

もしケントンの言葉にいくらか我田引水的な部分が感じられるとしたら——彼自身の音楽に対するそれとない宣伝が含まれているとしたら——我々としては、音楽にはまったく利害関係を持たぬ、相当な権威を有する人物にご登場願うことになる。一九六四年、ベルリン・ジャズ・フェスティヴァルで、マーティン・ルーサー・キング博士が開会の挨拶をおこなった。彼がそこに出席したのは、公民権を獲得するための黒人の闘いが、自分たちの芸術を芸術として認めさせようとするジャズ・ミュージシャンたちの闘いと、いかにパラレルにおこなわれているかを、人々に思い出させるためだった。そのスピーチの中でキングは、黒人の味わった苦難や希望や喜びを明確に表現するために、音楽が果たしてきた役割に言及した。作家や詩人が着手する遥か以前から、音楽はその役割を果たしてきたのだ。ジャズは黒人の生々しい体験の中核にあるだけではない、とキングは続ける。「アメリカにおいて黒人が経験しているこの闘いには、現代人の普遍的な闘いと相通ずる何かがあるのです」と。

これは何より重要なコネクションだ。いったんそのコネクションが結ばれれば、ジャズはただ単に一民族を代表する媒体《ミディアム》であるのみならず、暗黙のうちにひとつの世紀を代表する媒体になる。アメリカ黒人の状況を表現するだけではなく、歴史の状況を表現するものになる。

3

「長い生涯の中程で、あるいは短い生涯の終わりで……」

ヨシフ・ブロツキー

キングのその指摘は、どうしてジャズの歴史に危機の、あるいはリスクの感覚がつきまとっているかという疑問への解答に、我々を近づけてくれる。ジャズに興味を持つようになった人は誰しも、その音楽を実践した人々の「損傷率」がきわめて高いことに、早い段階でショックを受ける。とくにジャズに興味を持たない人でも、チェト・ベイカーの名を耳にしたことはあるだろう。彼は呪われたジャズ・ミュージシャンの典型となった。かつてはハンサムだったその顔の崩壊は、ジャズとドラッグ中毒の共生関係の、一目でわかる見本としての役を務めることになった。もちろんチェトよりも豊かな才能を持った無数の黒人ジャズ・ミュージシャンや、一握りの白人ジャズ・ミュージシャンが、チェトよりも遙かに悲惨な人生を送ったのだが(チェトはなんのかんの言っても、自らの伝説の余韻の中に生きることができた)。[*22]

＊21 シャピロ&ヘントフ編『私の話を聞いてくれ』p. 385

＊22 たとえば『ジャズを生きる：ビバップの四人』のハービー・ニコルズの章における、スペルマンの記述を見ていただきたい。pp. 153-177。あるいはシャピロ&ヘントフ編『私の話を聞いてくれ』に引用されているジョー・「キング」・オリバーが妹あてに書いた手紙を読んでいただきたい。pp. 186-187

文字通りすべての黒人ミュージシャンが人種差別と迫害の対象となった（アート・ブレイキーとマイルズ・デイヴィスとバド・パウエルはそれぞれに、警官から激しい殴打を受けている）。一九三〇年代のジャズを仕切ったコールマン・ホーキンズやレスター・ヤングといった人々はアルコール依存症で生涯を終えたが、一九四〇年代にビバップ革命を起こし、一九五〇年代にそれを強化した世代のミュージシャンたちは、ヘロイン中毒という文字通りの疫病の犠牲者となった。その多くは後に麻薬と縁を切った。ロリンズ、マイルズ、ジャッキー・マクリーン、コルトレーン、アート・ブレイキー。しかし一度も麻薬中毒にならなかったミュージシャンたちのリストは、麻薬中毒になったものたちのそれに比べると、才能の面から見て遥かに見劣りのするものになることだろう。多くのミュージシャンは、麻薬服用が直接の罪科となって刑務所に送られた。アート・ペパー、ジャッキー・マクリーン、エルヴィン・ジョーンズ、フランク・モーガン、ロリンズ、ハンプトン・ホーズ、チェト・ベイカー、レッド・ロドニー、ジェリー・マリガン、等々。麻薬が間接的な理由となって投獄されたものもいる。たとえばスタン・ゲッツは銃を持って店を襲ったために逮捕され、セロニアス・モンクは彼自身はヘロインを使用していなかったのに逮捕された。病院の精神病棟への道も――こちらの方がより苦痛が多いのだが――しばしば見受けられる。モンク、ミンガス、ヤング、パーカー、パウエル、ローチ、そういった一九四〇年代と一九五〇年代の指導的な位置にいたミュージシャンの多くが、なんらかの種類の神経崩壊を経験した。そんなわけでベルヴュー病院が、バードランドと並んで「モダンジャズの故郷」と呼ばれて然るべきだと主張するものがいても、それはあながち誇張ではないのだ。

文学を専攻する学生たちは当たり前のように、シェリーとキーツが若くして死んだことを――彼らはそれぞれ三十歳と二十六歳で死んだ――浪漫派《ロマン》の苦悩が破滅への事前警告を全うしたものとして受け入れる。シューベルトにもまた、我々は浪漫派天才の本質的典型を見る。それは豊富に溢れ出る才能であるとともに、自らを焼き尽くしていくものでもある。この三つの例で私が言わんとするのは、早すぎる死は、創造性のひとつの条件であるということだ。彼らは時間が足りないことを感じ取っているし、だからこそ彼らの才能は僅かな年月のあいだに、すさまじい勢いで花開かざるを得ないのだ。三十年かけて確実に成熟していくような余裕などない。

ビバップ時代のジャズ・ミュージシャンにとって、生きて中年を迎えることは、夢のような長寿と思えた。ジョン・コルトレーンは四十歳で死んだし、チャーリー・パーカーは三十四歳で死んだ。その晩年に二人はそれぞれ、音楽的にこの先どこに行けばいいのかわからないと語った。他の多くのものは、その活力が最も充実している時に、あるいは彼らの才能が大きく開花する前に死んだ。リー・モーガンは三十三歳で死んだ。クラブで演奏中に撃たれたのだ。ソニー・クリスは四十歳で自殺し、オスカー・ペティフォードは三十七歳で、エリック・ドルフィーは三十六歳で、ファッツ・ナヴァロは二十六歳で、ブッカー・リトルとジミー・ブラントンは二十三歳の若さで命を落とした。

それほど数多くはないが、あまりに巨大な才能を持っていたために、そのミュージシャンが死んだとき、既に立派な業績が残されていたというケースもある。しかしこのような揺るがぬ達成も、もし長命であれば更にどれほどの偉業がなされていただろうと思うと、かえって心痛が増すだけだ。クリフォード・ブラウンは、二十五歳で交通事故で亡くなったとき（バド・パウエルの弟の、やはりピアニストのリッチー・パウエルと共に）、既に歴史に残る偉大なトランペッターの一人としての地位を確立していた。もし同じ年齢でマイルズ・デイヴィスが死んでいたら、『クールの誕生』以降の作品は生まれていなかったと言えば、その損失のスケールがおおよそわかるはずだ。

その生活スタイルを思えば——飲酒、ドラッグ、人種差別、苛酷な旅、身をすり減らす時間——より穏健な人生を送っている人々よりいくぶん平均寿命が短くなるのはやむを得ないことかもしれない。しかしそれでも、ジャズ・ミュージシャンたちが実際に被っている被害を見ると、そこには何か別の要素があるのではないか、ジャズという形態そのものの中に、それを創造する人々から苛烈な課徴金を取り立てていく何かが潜んでいるのではないか、と考えざるを得ない。抽象表現主義の画家たちが自己抹消へ向かわざるを得なかったようなことは——ロスコはキャンバスの上で両手首を切り、ポロックは酔っぱらい運転で木に激突した——芸術史においてはさして珍しい現象ではない。同じ時期の文学に目を向ければ、シルヴィア・プラスの詩における何らかの容赦なきロジックが彼女を自殺へと追い立てたり、ロバート・ローウェルやジョン・ベリーマンの狂気が——そのような現象を研究したジェレミー・リードの本のタイトルを借用するなら——「詩の代価」を構成しているという説など、決して奇抜なものではない。とはいえ、そういった視点をどのように受け入れるかはともかくとして、より大きな時間性をとって見れば、抽象表現主義やいわゆる「告白」詩は、近代絵画や近代詩という、あくまで間奏曲のごとき存在に過ぎない。とすればそもそもの萌芽の段階から、それを演奏する人々を過酷に絞り上げてきたジャズとは、いったい何なのか？　最初のジャズマンとして広く認められているバディー・ボールデンは、パレードの最中に発狂し、その後死ぬまでの二十四年間を精神病棟の中で送らなくてはならなかった。「ボールデンが気が狂ったのは」とジェリー・ロール・モートンは語る。「彼がトランペットをなにしろ脳味噌が飛び散るみたいに吹いたからだ」[*23]

ジャズというフォームには先天的に危険な何かが潜んでいるのだという物言いは、一見メロドラマっぽく聞こえるかもしれない。しかしどうみても、それ以外にまったく考えようがないのだ。ディジー・ガレスピーの「ジャズの目指す方向はひとつしかない。それは前向きだ」という発言は、この世紀のどの時点でなされたとしても不思議のないものだ。しかし一九四〇年代以降、ジャズは森を舐め尽くす野火のようなパワーと獰猛《どうもう》さをもって前進していった。そのような凄まじい速度で、そのような激しい昂ぶりを伴って進行していく芸術形態が、人々の身から巨大な取り立てを行わないわけがあるだろうか？　もしジャズが「現代人の普遍的な闘い」と大事なコネクションを結んでいるのだとしたら、それを創造する当事者が、その闘いによる傷を負わずに済ませられるわけがあるだろうか。

ジャズがかくも急速に進展してきた理由のひとつとして、ミュージシャンたちが、まともな金を稼ごうと思えば、来る日も来る日も毎晩二ステージか三ステージ、それも週に六日か七日演奏しなくてはならなかったということがあげられる。それもただ単に演奏するのではなく、演奏しながら即興し、新しいものを創り出していくのだ。これは一見して矛盾した結果をもたらすことになった。リルケは、『ドゥイノ悲歌』を完成させるために、それに着手する際に訪れたインスピレーションの突風がふたたび到来するのを、十年かけて待った。しかしジャズ・ミュージシャンにとっては、インスピレーションの到来を待つなど話のほかだ。天啓に打たれようが打たれまいが、彼らはとにかく仕事場に行って演奏しなくてはならない。逆説的な話になるが、毎晩のよ

＊23　アラン・ロマックス『ミスタ・ジェリー・ロール（*Mr. Jelly Roll*）』（バークレー：カリフォルニア大学出版局、一九五〇）p. 60

うにレコーディングやらクラブやらで即興演奏をすることで、疲弊したミュージシャンたちは安全な演奏をするようになり、既に試され、テストされた形式《フォーミュラ》に頼るようになった。[*24] それでもなお、絶え間なく押しつけられる即興演奏の要求は、ジャズ・ミュージシャンたちが常に創造的待機態勢に置かれることを意味した。何か新しいものを創り出す準備を習慣的に整えているということだ。ある夜、カルテットのメンバーの一人のプレイが、グループの他のメンバーの演奏も向上させるだけのエネルギーを発していたとする。そのうちにぞくっとする身震いが、客席と演奏者両方を貫く。するとそこに突然、音楽が生起するのだ。

更に言えば、ジャズ・ミュージシャンに課せられた労働条件が意味するのは、驚くべき量のマテリアルがレコーディングのために入手可能であるということだ（これまで発表されていなかったコルトレーンやミンガスの演奏が、年に何十枚という単位でディスク化され、世に出ている）。二三度聴いてみると、これらのマテリアルの多くはだいたいが通常の出来だとわかる。しかしそう思う一方で、その平均水準の高さに我々は驚嘆せざるを得ない。というかむしろ、そのような所見の導く結論はきわめて重い意味を持つものに思えるのだが、我々はこの音楽がそもそも提起する水準がいかに高いかに驚嘆し、また本物の偉大さの含まれていない音楽に対し自分がいかにあっという間に冷淡になっていくかに驚嘆することになる。

それが本当に生起しているとき、ジャズが創出するフィーリングは実に微妙なものでありながら、バンドがただ無難にスイングしている場合とは、見逃しようもなく違うものになるので、ジャズのカタログの大部分は（そして多くのライブ・パフォーマンスは）、それに比較すれば色褪せたものになってしまう。この知識は——このフィーリングは——ジャズ・ミュージシャンたちを勾配の急な、骨の折れる坂に直面させることになる。とりわけ、ジャズにおける偉大さを創り出すもののきわめて多くが、テクニックを超えた領域に存在しているのだから。とりわけ、すべてのミュージシャンが同意してきたように、自分の中にあるすべてをプレイの中に注ぎ込まなくてはならないのであり、また音楽がその演奏家の実体験に、彼が一個の人間として差し出せるものの上に成り立っているのだから。「音楽は君自身の体験であり、君の思考であり、君の知恵だ」とチャーリー・パーカーは言った。「もし君がそれを実際に生きなければ、それは君の楽器から出てこない」[*25]。ビバップ時代の多くのミュージシャンが――レッド・ロドニーがそのいちばんの好例だが――ヘロインに手を出したのは、そうすれば長年にわたる麻薬常習者であるチャーリー・パーカーが、音楽創造のキャパシティー（それはまさに無限のものに見える）のためにそこから引き出している何かを、それが何であれ、手にできるのではないかという希望を抱いたからだった。これは今、運動競技の世界が置かれている状況に似ている。運動選手たちは、化学物質の助けなしには、競技の水準についていけないように思えるから、ついドーピング用薬品を用いてしまうのだ。

一九五〇年代になるまでには、若いミュージシャンたちは、パーカーの創り出したものの多くを、自分たちが手中に収めていることを発見していた。パーカーによって解き放たれた表現のポテンシャルはきわめて豊かなものだったので、彼が創出したイディオムに通じているだけで、演奏者は十分高く評価されたほどだった。そのような状況はあらゆる芸術分野において頻繁に見ら

＊24　テッド・ジョイア『不完全な芸術（*The Imperfect Art*）』（ニューヨーク：オックスフォード大学出版局、一九八八）p. 128

＊25　シャピロ＆ヘントフ編『私の話を聞いてくれ』p. 405

れる。絵画の場合、キュビスムのポテンシャルはずいぶん高かったので、それは多くの画家たちの作品の質を、もし彼らが自力で独自のスタイルを見つけなくてはならなかったなら、とてもそこまでは達しなかっただろうというレベルにまで、引き上げることになった。さらに、ジャズで言うなら、まず世間に認められたのは、ビバップから道をはずれた人々ではなく、ビバップの特質をより闊達に展開できる、たとえばジョニー・グリフィンのような（グリフィンの場合、売り物はスピードだった）プレーヤーだった。[*26]

しかしながら一九五〇年代も末近くになると、ビバップはもう若手ミュージシャンに滋養を与えることもできなくなり、時代はふたたび急速な移行期に入った。これより前には、テッド・ジョイアが指摘するように、プレーヤーたちは音楽に対して貢献し、それぞれの楽器に自分なりのサウンドを見つけることに満足を覚えていた。しかし一九六〇年を迎える頃には、ミュージシャンたちは自分たちが音楽という総体に責任を負っているかのような語り方をするようになった。過去や伝統ばかりにではなく、その未来についても。[*27]「明日が問題」になり、大事なのは「来るべきジャズのかたち（*The Shape of Jazz to Come*）」になった（どちらもオーネット・コールマンのアルバム・タイトルからとられている）。一九六〇年代になると二つの流れが明瞭になる中で、再び賭け金が上げられた。ミュージシャンたちは、自分たちは音楽の表現力を拡張するために、音楽のフロンティアをより遠くに押しやっていると考えるようになった。「ビバップの言葉で表現できるより多くのものを、私は生きてきた」とアルバート・アイラーは言った。[*28]彼の音楽はジャズの伝統の背骨をへし折った。とはいえ、彼らがどこへ音楽を導いていきたいと思っていたのか、そのへんは今ひとつクリアではなかったかもしれない。というのは、一九六〇年代におけるもうひとつの傾向は、音楽制作における自発性がますます強まり、そのエネルギーにミュージシャンたちが自ら進んで押し流されていくことであったからだ。

ニュー・ミュージック（という名前でそれは知られるようになった）は常に「叫び」に向けて進んでいくように見えた。それはあたかも、かつてはジャズ制作に付きものであった「危険」を内在化させたみたいだった。公民権運動がブラック・パワーに道を譲り、アメリカのゲットーが暴動の火を吹き上げるのに連れて、すべてのエネルギー、暴力、歴史的瞬間への希望が、音楽の中へ流れ込もうとしているように見えた。同時にまた音楽は、かつてのようなミュージシャンシップのテストの場としての、あるいはまたビバップの時代がそうであったように、経験のテストの場としての意味を薄め、魂《ソウル》のテストの場になり、内在する精神《スピリット》をむしり取るサキソフォンの能力のテストの場になった。ジョン・コルトレーンが彼のバンドに新たにファラオ・サンダーズを加えたことについて語ったとき、コルトレーンはサンダーズの演奏ではなく、その「広大な精神的貯水池（spiritual reservoir）」を強調した。「彼はいつも真実に手を伸ばそうとしている。そしてスピリチュアルな自己の導きに身を任せようと努めている[*29]」と。

＊26　印象主義の時代におけるピサロについての、アドルノの『美の理論』中の記述を参照。
＊27　ジョイア『不完全な芸術』p. 72
＊28　ナット・ヘントフの「真実は進んでやってきた：アルバート・アイラーとドン・アイラーのインタビュー（*The Truth Is Marching In: An Interview with Albert Ayler and Don Ayler*）」ダウンビート誌（一九六六年十一月十七日号）
＊29　ジョン・コルトレーンのレコード『ライブ・アット・ザ・ヴィレッジ・ヴァンガード・アゲイン！』（インパルス）におけるナット・ヘントフのライナーノートより。

4

この時点でコルトレーンの名前が上がったのは、何ら驚くべきことではない。というのは先に述べてきたすべての潮流が、彼の中でひとつに集束していることが、音として聴き取れるからだ。ジャズの進化の野火に含まれた、先天的にして不可避の危機の感覚、コルトレーンのサウンドの中にそれが聞こえるようになった。一九六〇年代初期から一九六七年の死に至るまで、コルトレーンは自らの音楽をぐいぐい前に押し出しているのと同時に、それによって激しく鞭打たれているかのようである。彼は完成したビバップ・プレーヤーでありながら、既存のフォームという檻から自由になろうと、休みなく激しく努めてきた。それが結成されていた五年間、コルトレーン、エルヴィン・ジョーンズ、ジミー・ギャリソン、マッコイ・タイナーのクラシック・カルテット——類を見ない四人の人間のあいだの最も優れて創造的な関係——は、他のどのような芸術形式においても希にしか見受けられない表現能力の高みにまで、ジャズを引っ張り上げた。それを率いていたのはコルトレーンだが、彼はリズム・セクションに全面的にもたれかかった。リズム・セクションはコルトレーンの迷宮のごときインプロヴィゼーションに、数分の一秒単位で敏速に反応しながらしっかりついていっただけではなく、より高度な演奏へと彼をせき立てた。そのフォームのポテンシャルの極端なまでの追求も、その音楽発生の源となった人間の精神の威力と痛烈さを封じ込めるに十分ではなかったように見受けられる。彼らの最後のレコーディングにおいて、我々はそのカルテットが可能性の最前線にあって、痛切に身を疼かせている様を聴きとる。高度に進化した音楽フォームが、その限界ぎりぎりにまで引き出されているのだ（我々の知るように、コルトレーンはそこでは留まらなかった）。

コルトレーンの音楽的な精神の上昇におけるキーとなるアルバムは『至上の愛』だ。それは「内在」についての長い夢で締めくくられる。エンディングを探し求めながら、テナーはリズム・セクションの上を煙のように漂う。『(カルテットのための)最初のメディテーションズ』はその六ヶ月後、一九六五年五月に吹き込まれたが、それはエンディングを迎えたいという渇望のもとに開始する。カルテットが向かうべき場所はどこにもない。しかしそれでもなお彼らは前に向かって突き進んでいく。レコードの一面はそっくり、痛みに満ちた告別の辞になっている。四人のメンバーは別れを告げている。お互いに向けて、結合性に向けて、コルトレーンの容赦なき精神を収められるフォームとしてのカルテットというイデアに向けて。

『(カルテットのための)最初のメディテーションズ』にしても、似たような『サン・シップ』(一九六五年八月録音)にしても、その演奏に凄絶なばかりの美しさが含まれることは、一度聞いただけではっきりとわかる。しかしそれがいかに恐ろしいものかは、ファラオ・サンダーズが演奏する「リビング・スペース」を聞くまで私にはわからなかった。その曲はコルトレーンが一九六六年二月に吹き込んだものがオリジナルだが、ファラオはピアニストのウィリアム・ヘンダーソンとデュエットで演奏している。そこまで荒削りというわけではないにせよ、ファラオの演奏にはコルトレーンの演奏が持ち合わせていた強烈さと情熱がそのままうかがえる。しかしながらそこには、晩年のコルトレーンがどうしても得られなかった静謐さのようなものがある。どうしてだろうと私は疑問に思い(結局のところ批評とは実に、感じたことを明晰化する試みに過ぎないのだ)、その理由はエルヴィン・ジョーンズに関連したものに違いないという結論に達した。それが進化するにつれ、カルテットのサウンドは徐々に、コルトレーンとジョーンズとの間で繰り広げられる、まさに戦闘《バトル》というべきものに支配されるようになっていった。ジョーンズのドラムは決して完全に砕けることのない波のようであり、また砕けることを決してやめることのない波のようだ。初期の一九六一年にあっても、「スピリチュアル」の終結部分において、ソプラノ・サックスはドラムの重みに溺れかけているように見える。しかしそれは再浮上し、海上を漂いつつ、頭上から襲いかかるパーカッションの高潮からなんとか逃れている。『サン・シップ』に辿り着く頃には(とりわけ「ディアリー・ビラブド」と「アティニング」においては)、ジョーンズのドラムはまさに殺人的になっている。そのドラムの連打からサキソフォンが生き延びることは不可能に見える。コルトレーンは十字架にかけられ、ジョーンズはその釘を打っている。祈りは悲鳴へと転じていく。もしジョーンズの音がコルトレーンを殺したがっているように聞こえるとしたら、それこそまさにコルトレーンがドラマーに対して求めていた音であり、必要としていた音なのだ。実際にコルトレーンは、ジョーンズがもっと先に進むことさえ求めていた。そしてしばらくのあいだ、彼は二人のドラマーを相手に闘うように自ら設定した。ジョーンズに加えてラシード・アリ、彼はうわべはジョーンズよりも更にワイルドなドラマーだった。コルトレーンの最後の録音はアリとのデュエットだった。しかし彼とコルトレーンとの結びつきには、ジョーンズとの場合に見受けられた、容赦のない駆り立てという感覚はない。

折に触れてコルトレーンは、カルテットのコア・サウンドを補うために、エリック・ドルフィーのようなミュージシャンを用いた。一九六五年以降、彼は絶え間なくいろんなミュージシャンをエクストラとして引き入れた。カルテットを音で埋め尽くし、そのサウンドはほとんど足の踏み場もないほどの濃密さに達している。彼はカルテット版の「メディテーションズ」を却下し、ファラオ・サンダーズとラシード・アリをフィーチャーしたより極端な版の方を採用している。そのようなフォーマットにおいて、自分たちに何が求められているのかがわからなくなり、タイナーがバンドを去った。一九六五年十二月のことだ。その三ヶ月後にジョーンズが去った。「ときどき自分のやっていることが聞こえなくなった。実のところ、誰のやっていることも聞こえなくなったんだ！」とジョーンズは語っている。[*30]「おれに聞こえたのはたくさんのノイズだけだ。音楽をやっているという感覚が持てなかった。そういう感覚が持てないのだとしたら、おれは演奏なんてしたくない」

コルトレーンの最後のフェイズ（中心グループはギャリソン、アリ、サンダーズ、ピアノにはアリス・コルトレーン）において、多くの場合、そこにはほとんど美しさはうかがえないが、凄絶さはふんだんにある。それは死にぎりぎりに臨んで得られた音楽であり、同時にまた死にぎりぎりに臨んで聴かれるべき音楽だ。コルトレーンの関心が更に宗教的になっていくにつれて、彼の音楽は、その大部分において、混沌と金切り声に満たされた暴力的な風景を描き出すようになっていった。あたかも世界をより平和な場所にしておくために、その時代の暴力を残らず自分の音楽に吸い込んでしまおうと試みているかのように。ただほんの時折ではあるけれど、心に残る「ピース・オン・アース」に見受けられるように、彼にもなんとか自分が創り出そうと望んだ安らぎを享受することはできたようだ。

5

フリージャズは崩壊し、ますます騒音のようになり、音楽からますます遠のいていった。その

＊30　ヴァル・ウィルマー著『あなたの人生と同じくらいシリアスな（*As Serious as Your Life*）』（ニューヨーク：サーペンツテイル、一九九二）p. 42

音楽を聴くものの数は減少し、ミュージシャンたちは次々にジャズ・ロックに転向していった。多くの人々が「暗黒時代」とみなす一九七〇年代のフュージョン全盛を経て、一九八〇年代にはジャズへの関心の復興があった。バップの流れを引くジャズが、新しい世代の聴衆の、また演奏者の心を摑んだのだ。ジャズが大衆のための音楽となることはないだろうし、それを演奏する人々の生活もやはり、財政的には不安定であり続けるだろう。しかしビバップの創成時につきものだった、そして一九六〇年代の「ニュー・ミュージック」において内在化された危険性は、そこにはもううかがえない。差し迫ったリスクの感覚が、ジャズのフィーリングにとって生来のものであるとすれば、その意味合いにおいて、ジャズは鮮やかな生命力をいくぶん失ってしまったということになるのだろうか。ジャズが今日置かれた環境とは、どのようなものなのだろう?

我々が耳にするほかの音楽に比べると、今日のジャズはゲットーにおける生々しい体験を表現するには、あまりにも洗練されすぎている。ヒップホップの方がそれには向いている。ニューヨークのシンコペートされたリズムをもっともよく表現するのは、かつてはジャズであったのだが、今ではその都市はハウスのビートに乗って動いている。ビート族や、ヒップスターや、メイラー言うところの「ホワイト・ニグロ」たちはかつて本能的に、反抗の音楽であるジャズに引き寄せられたのだが、ジャズは徐々に、人々がポップ音楽の月並みさに飽きた後に辿り着くという程度のものになってきた。少なくとも英国の黒人ミュージシャンのニュー・ウェイブにとって、ジャズはローランド・カークがよく言っていたような「ブラック・クラシカル・ミュージック」という地位を得ている。

ジャズが演奏される環境もまた変化した。いくつかのジャズ・クラブは——ニューヨークでは「ヴィレッジ・ヴァンガード」が一番の好例であり、より新しい店としては「ニッティング・フアクトリー」があげられるが――金のかかる余分な装飾を排し、雰囲気を盛り上げる役を聴衆とミュージシャンに任せ、今でも音楽に全力を傾けている。しかしその一方で、豪華な内装を誇るサパー・クラブがますます主流になってきた。場合によっては「お静かに」という店のポリシーがあって、ミュージシャンたちはディナー・テーブルの騒がしいおしゃべりと音量を競い合う必要はないものの、オーディエンスの多くがそこにある音楽を、贅沢なディナーの雰囲気を盛り上げる添え物としてしか見ていないといったことはよくある。現在活躍している多くのミュージシャンたちがテクニックの点において、高い新たなスタンダードを設定していることを考えると、これは実にもったいない話だ。

デヴィッド・マレーとアーサー・ブライスは、それぞれテナーとアルト・サキソフォンにおいて、どんなことでもできる能力を具えているように思える。チャーリー・ヘイドンとフレッド・ホプキンズは歴史的に見ても最高のベーシストだ。トニー・ウィリアムズとジャック・ディジョネットは最も偉大なドラマーに数えられるし、ジョン・ヒックスとウィリアム・ヘンダーソンは傑出したピアニストだ。それでいてなお、このような卓越した音楽的スタンダードを誇っていても、ジャズがパーカーやコルトレーンの時代に発揮していた興奮の集約力を再び持てるかというと、それはむずかしいだろう。コルトレーンの「シーツ・オブ・サウンド」は今でも多大な影響を与えているし、コルトレーンのようなソロを十分にわたってすらすらと吹き続けられる若いミュージシャンは、いくらでもいるはずだ。しかしそこには、ご本尊《マスター》や、その直属の優れた弟子たち（たとえばファラオ・サンダーズ）を際だたせていたフィーリングはまず見当たらない。彼らの演奏を聴いて、あなたは感心しながらも、このように――これはレスター・ヤングの台詞だが――言いたくなるだろう。「ああ、いいねえ……でもあんた、おれのために歌をひとつうたってくれないか？」と。
　おそらくだからこそ、ビバップや、そこから派生した形式に、多くの関心が集中するのだろう。どのように巧みに演奏されたとしても、ビバップの現代版は、パーカーやガレスピーの音楽のすべての音符を生き生きさせていた「発見の感覚」を欠いている。ビバップは、引き継がれはしたものの、たとえば「少年はボールを投げて窓ガラスを突き破る」というセンテンスと同じくらいシンプルなシンタックスを持つ形式音楽《フォーミュラ・ミュージック》と化してしまった。一九四〇年代にあっては、そんな風にガラス窓に向かってボールを投げつけたものなど、かつて一人もいなかった。だからそういうことを再三繰り返す人々の演奏を聴くことは刺激的だった。今ではそんな行い自体、とくに目新しくもない。今もなおビバップが面白いのは、そのボールがどれほど強く投げられるか、どれほど多くの断片ガラスがそこに飛び散るかという点にある。今日のビバップのプレーヤーは、最高の演奏をするときは、ガラスの破片が空中を舞う様を眺めさせ、ボールが華麗な弧を描く様を記憶させてくれる。スローな曲の場合、ボールはとても優しくトスされるので、ガラスは震えはしても無傷のままに残る。

　コルトレーンの長い影と、ビバップの語法によって語れることが今なおあるのかという質問は、現代のジャズ・プレーヤーたちが直面する大いなる疑念の一部にすぎない。未だ為されていない重要な作業はそこに存在しているのか[*31]？　ジャズが誕生してまだ百年も経過していないにもかかわらず、そのあまりに急速な進化のせいで、オーディエンスも演奏者も、自分はその伝統に参加するにあたって、遥かに遅れをとってしまったという感覚を共有することになる。ブルームに従ってそれを「影響の不安」と呼ぶか、あるいは更に進めてポスト・モダン的状況として片づけてしまうか、それはほとんど大した問題ではない。大事なのは、ジャズは今ではそれ自身の伝統に絡め取られてしまっているということだ。美術評論家のロバート・ヒューズの観点を借りるなら、「歴史のルーツを延々と引きずっているが故に、すべてのアーティストの行いは、飽くことのない死者たちの法廷によって、ひとつひとつ裁かれる」という現況は、現代のヴィジュアル・アーティストたちにとって憂慮すべきものであると同時に（ヒューズはそのことを大いに嘆いている）、今日のジャズ・ミュージシャンたちにとってもまた共通の問題になっている。[*32]

一九六〇年代のラディカルなジャズは、伝統からの脱却に夢中になっていたのだが、一九八〇年代の新古典派たちは伝統を是認することに関心を寄せた。しかしながらそのような識別も、ほとんど設定した端から崩壊していく危険性をはらんでいる。ジャズというものは、その伝統が革新と即興に根ざしているが故に、大胆に因習打破を行っているときが最も伝統的になる、という言い方もできよう。またその芸術フォームが何より過去に身を寄せている一方で、ジャズは常に前方を見据えてきた。そのために最もラディカルな作業が同時に最も伝統的である、ということにもなった（文字通り『世紀の転換（*The Change of the Century*）』として提供され、受容されたオーネット・コールマンの音楽は、彼がフォートワースで耳にしながら育ったブルーズにどっぷりと浸かっている）。いずれにせよ、どのような種類のものであれ、リヴァイヴァリズムというものはひとつの宿命を背負っている。それは音楽を生き生きしたものとする原則のひとつに逆

＊31　ブルーム『影響の不安』p. 148
＊32　ロバート・ヒューズ『とにかく批評的（*Nothing If Not Critical*）』（ニューヨーク：アルフレッド・A・クノップフ、一九九〇）p. 402

らっているわけなのだから。とはいえジャズの進歩は今や、過去を吸収するというそのキャパシティーに頼っている。そして最も冒険的な音楽とは、伝統をいちばん深く、いちばん広く掘っていけるものだということに、次第になりつつある。そう考えると、昔のミュージシャンたちの多くが、最も意味ある革新的な貢献をその若い時期になしたのに比べて、我々の時代の最も革新的なプレーヤーたちは年齢が四十代に達しつつあることが多いというのは、なかなか意味深い事実だ。バードとディズが革命を起こしたとき、ジャズはまだまだ若い音楽だった。今ではジャズはその中年期に差し掛かっているし、それを最もよく伝える代表者たちに関してもやはり同じことが言えそうだ。

たとえば、レスター・ボウイとヘンリー・スレッドギル。長年にわたってアート・アンサンブル・オブ・シカゴ――ボウイはその創設メンバーの一人である――は自分たちが「偉大なる黒人音楽――古代から未来まで」を希求していることを高らかに宣言していた。そしてボウイの近年の、それほど実験色の強くないブラス・ファンタジーとの仕事は全面的に――しかしいくぶん肩の力を抜いて――このテーマに足取りを合わせたものになっている。ボウイのトランペットは、ルイ・アームストロング以降のこの楽器のすべての歴史をカバーし、ビリー・ホリデイからシャーディーに至るマテリアルを取り上げている。彼はかつてアート・アンサンブル・オブ・シカゴと共に仕事をし、そこで手にした表現の自由を満喫したのと同じくらい、コンテンポラリー・ポップ・ソングを満喫している。その結果生じたパスティーシュ的な作品は、敬虔であると同時に破天荒なもの――彼の言を借りるなら「シリアスに愉快」なもの――になっている。ミュートをかけた情感から、くすくす笑いや、音の引き延ばしや、うなり声へと、彼はひとつの音符の中で移動する。これもまた伝統にしっかり沿ったことなのだ。良きソロはバンドの他のメンバーの顔を微笑ませ、偉大なソロは彼らを大笑いさせる。

　ボウイのヴィルトゥオーソ的演奏は、ルイ・アームストロング（ジャズをソロイストの芸術に変えた人物）をまず出発点として取り上げる。スレッドギルは更に古く、アームストロング以前のニューオリンズ、グループ・サウンドの全盛時代にまで遡る。連続するソロは通常、一連の興奮のピークを達成するものだが、スレッドギルのソロにあっては、そこにはデュエットやトリオやアンサンブルのパッセージ以上の特典は与えられていない。サウンドのテクスチャーは、セクステットのいささか風変わりな楽器編成の、異なった並べ替えによって次々推移していく。ドラムとチェロ、チェロとベース、ドラムとドラム、ドラムスとトランペット、トランペットとベースとチェロ。彼の作曲の複雑さと濃密さはかなりのもので、おかげで出来上がったサウンドは、ジャズの伝統に負っているのと同じくらい音楽学校《コンセルヴァトワール》流のアヴァンギャルドに負っているという印象を与える。

　もしスレッドギルとボウイが、伝統に対するひとつの関係性を具現しているとするなら——それは彼ら二人が共に関与していたシカゴのＡＡＣＭ（the Association for the Advancement of Creative Musicians 創造的音楽家支援協会）によって大きな部分を形成されたものなのだが——それとは別の、同じくらいパワフルな関係性はマルサリス兄弟（ウィントンとブランフォード）によって具体化された。一九五〇年代以降、ジャズは凄まじい速度で進化を遂げてきたので、ひとつの革新の可能性はちらりと一見されただけで、音楽はすぐによそに移っていった。そのようなわけで、ざっとおざなりにしか調べられていない地面《グラウンド》には、より深く探求するに足るポテンシャルがまだたっぷり残っていた。そしてそれこそが、まさにマルサリス兄弟がやってきたことなのだ。ウィントンはこれぞ彼のサウンドという特別なものを持ち合わせているわけではない。

そして形式について言えば、少なくとも（彼にしては実験的な）『ザ・マジェスティー・オブ・ザ・ブルーズ』を発表するまでは、新しい領域に自ら足を踏み入れたことはなかった。そのかわりに彼はマイルズやディジーの作品を——そしてそのサウンドを——取り上げ、バップ全盛時代にはまだ入手可能ではなかったあらゆる種類のテクニック（ボウイが用いたうなり声や引き延ばし音と同種のもの）をそこに持ち込み、彼らが為し得たよりも更に進んだ段階に運び込んだのだ。技術的なことを言えば、マルサリスは古今東西を通じて最も優れたトランペッターの一人に違いない。そして生の演奏を聴けば、まさに見事と言う以外に表現の言葉はない。彼は従来あったものをただなぞっているだけじゃないかという、世間によくある批判に同調するつもりはないが、それでもマルサリスやジョン・ファディス（ディジーの作品を生理学的限界と思えるような高音域まで持ち上げて演奏する）といったヴィルトゥオーソたちの演奏を聴いていると、幾ばくかの疑問がこっそり忍び込んでくることは確かだ。ジャズの進化はあまりにも急速だったので、質問に答えるプロセスで、それは同時に新たな質問を発する、ということは先に述べた。ファディスやマルサリス兄弟はまことに明快な回答を提出する。しかし彼らはそれほど多くの質問を発してはいない。

三つめの傾向は——これまで述べた二つの傾向に関連してはいるものの、それらとは一線を画しているものだが——「フリー」あるいは「エナージー」プレーヤーとしてかつて名を馳せたが、今ではより伝統的なスタイルに戻りつつあるミュージシャンたちの作品に見受けられる。デヴィッド・マレーやアーチー・シェップといった人々は、コルトレーンのように音楽的自由を得るために闘わなくてもよかった（コルトレーンが亡くなったときマレーはまだ十二歳だった）。彼らは最初からフリー・ジャズという広々とした表現スペースを引き継いでいた。ちょうどコルトレーンがビバップというフォーマットを引き継いだのと同じように。音楽的に前進するために、マレーとシェップは今ではより枠の堅いフォームに戻り、フリー・ブロウイングやエナージーの時代に彼らの発揮した熱気を、そっくりそこに注ぎ込んでいる。ローランド・カークは皮肉たっぷりにこう言っている。監獄に入れられるまで、人には自由《フリーダム》のありがたみなんてわからないんだ、と。近年における最も優れたジャズの多くは、自由の返上ということではなく、自由をより満喫するための手段となっている。

一九八〇年代の後半における最も優れたジャズは、このように重なり合う過去に対する関係性、三つすべての側面にかかわっていたし、それを具現化したものとして「ザ・リーダーズ」に勝るものはひとつもないだろう。これはレスター・ボウイ、アーサー・ブライス、チコ・フリーマン、ドン・モイエ、カーク・ライトジー、セシル・マクビーをフィーチャーした、オールスターの共同体的バンドである。もしジャズの歴史全体がひとつの玉に丸められ、それがレコードに押し延ばされたとしたら、そのサウンドは「ザ・リーダーズ」がおそらくは結果的に目指しているサウンドにとてもよく似たものになるだろう。

時代を超越する音楽の統合は、地理を超越する音楽の統合という、同じように強力なトレンドをも伴ってきた。一九六〇年代のミュージシャンたちは、明らかに東方やアフリカのリズムと――あるいは楽器と――わかるものを、次第に自分たちの音楽に取り込むようになっていった。ラテンやアフリカのジャズは、今ではそのスタイルをはっきりと確立している。しかしながら、最も個人的にして創意溢れる音楽的異種交配のいくらかは、今もなおファラオ・サンダーズやドン・チェリーといった人々によっておこなわれている。彼らは非西洋音楽からインスピレーションを受けた草分けとも言うべき人々である（サンダーズが一九六七年にアルバム『神話（タウヒード)』に吹き込んだ「ジャパン」というオリエンタル・ブルーズを聞いていただきたい)。とくにチェリーは今もなお進行中のその創造的展開に、世界各地の音楽を驚くほど大量に取り込むことができているようだ。彼はオーネット・コールマン・カルテットのトランペット奏者として、フリー・ジャズのシーンで高い評価を得たのだが、どのような楽器を手にしてもまことに達者だし、レゲエからマリやブラジルの民族音楽に至るまで、どのようなセッティングでも変わることなくのびのびと演奏する。常設のグループではないにせよ、チェリーの長年の協力者であるベーシストのチャーリー・ヘイドンによって率いられる「リベレーション・ミュージック・オーケストラ」は、世界でおそらく最も印象的なビッグバンドだが、それはアヴァンギャルドの即興精神に支配されてはいても、その源の精神に対してどこまでも忠実な音楽を創造するために、スペイン内戦の歌から、革命歌までを取り上げる。

現在もっとも印象的なジャズのいくつかは、ジャズという形式のむしろ周縁に見いだせる。限られた意味合いでは、ジャズとはまず呼び得ないものだ。ワールド・ミュージックの隙間にあっては、ジャズは疑いの余地なく、変移し続ける多面的化合物を固定する力となっている。この点において最も重要なアルバムは『グレイジング・ドリームズ』で、ここでとくに注目すべきはコリン・ウォルコット、ヤン・ガルバレク、そして当然ドン・チェリーもフィーチャーされている。インド人のヴァイオリニストであるシャンカル、タブラのザキール・フセイン、ギターのジョン・マクローリンをフィーチャーした「シャクティ」というバンドは、更に先駆的な眺望を提供している。近年においてベイルートのウード奏者ラビー・アブウ＝カリルはトラディショナル・ジャズとアラブ音楽を結合させたカテゴライズ不能のアルバムを半ダースばかり制作した。そこにはチャーーリー・マリアーノのような、世界中どこであれ、音楽的な意味合いにおいて、すんなりそこに同化してしまえるプレーヤーもフィーチャーされている（マリアーノが歌手のR・A・ラママニ、カルナタカ・カレッジ・オブ・パーカッションと共演した驚くべき録音も特筆しておかなくてはならない）。もう一人の優れたウード奏者である、チュニジア人のアヌアール・ブラヘムも、ヤン・ガルバレクとの漂うがごとく瞑想的なコラボレーションで聴くことができる。『マダール』という素晴らしいアルバムだ。このあたりは将来、最も実りが多く創造的な、探求のための領域になるかもしれない。

これらの邂逅《かいこう》の多くはヨーロッパで（とりわけドイツで）録音されている。ヨーロッパのレコード会社はしばしば、自国のミュージシャンを育成するよりは、アメリカのミュージシャンを理解するオーディエンスを供給することを、より重要視しているように見える。実のところ英国は――しばし話の範囲を狭めよう――数々の影響力を持つミュージシャンを輩出してきた。世界の最も優れたプレーヤーと比べても引けをとらない人々だ。ベースのデイヴ・ホーランド、バリトン・サックスのジョン・サーマン、ギターのジョン・マクローリン、トランペットのケニー・ホイーラーなどの名前がすぐに頭に浮かぶ。ところが英国内ではこれまで、彼らの業績が十分に理解されてきたとはとても言えない。むしろ、あえて言うなら、彼らの業績は新しい世代のミュージシャンたちの登場によって影を薄くされているようだ。具体的に言えば、サキソフォン奏者のコートニー・パイン、アンディー・シェパード、トミー・スミス、スティーヴ・ウィリアムソンといった顔ぶれで、彼らはたしかに現代のジャズ・シーンに強い印象を与えてきた。しかしながら彼らがこの先、国際的に永続するインパクトを作り出せるかどうか、そもそもいまジャズと名のつくものであればありがたがられる風潮がただの一時的流行以上のものかどうか、その結論を出すのはいささか時期尚早だろう。

しかしながら、ヨーロッパ大陸が音楽の創造に関しておこなった最も特筆すべき貢献はおそらく、演奏家ではなく、レコード・レーベルというかたちにおいてだろう（とはいえ、そのことはベースのエバーハルト・ウェバーや、トロンボーンのアルバート・マンゲルスドルフや、サキソフォンのヤン・ガルバレクといったミュージシャンたちの重要性を減じるものではないが）。イタリアの「ブラック・セイント」、ドイツの「エンヤ」、デンマークの「スティープルチェイス」などのレコード会社は、徐々に企業的な体質をとっていくアメリカのレコード業界に「見込みがない」と査定されそうな一群の一流ミュージシャンたちに、存分にアーティスティックな腕を振るわせた。しかしながら最も重要な意味を持つヨーロッパのレコード会社は、疑いの余地なく、マンフレート・アイヒャーの創設したＥＣＭ（Edition of Contemporary Music）だ。一九五〇年代と一九六〇年代におけるブルーノートと同じく、ＥＣＭはサウンドをはっきり特化させていったので、それは音楽のひとつのスタイルを象徴するまでになった。そのスタイルは、多くのアメリカ人のミュージシャンがカタログに含まれているにもかかわらず、紛れもなくヨーロッパ的なものとして感じられるのだ。[*33]

それは時として「環境音楽」にわずかに毛の生えたようなものを提供しているだけだという、いささか気の毒な批判に晒されはするが、決して見逃してはならないのは、アート・アンサンブル・オブ・シカゴやジャック・ディジョネットの最良の演奏のいくつかはＥＣＭから出ているということだ。ＥＣＭのサウンドは間違いなくモダニストの室内音楽へと向かっている。デイヴ・ホーランドによるソロのチェロや、ラルフ・タウナーの無伴奏ギターや、それからもちろんキース・ジャレットが出した数多くのソロ・ピアノのレコーディングを見れば、それは明らかだ。ＥＣＭの音楽について最も興味深いのは、現代におけるジャズを支配している歴史という重荷を、また影響の不安を、他とは違ってそれがほとんどまったく負っていないことだ。そのことを誰よりも典型的に示しているのが、キース・ジャレットである。明らかにジャレットは最もヨーロッパ的なアメリカ人のジャズ・ミュージシャンであり、西欧のクラシック音楽に多くを依っている（彼はバッハの「平均律」をECMに録音している）。ジャレットはビル・エヴァンズやバド・パウエルの後継者であるのと同じくらい、リルケやリストの後継者でもある（リルケの「オルフェウスへのソネット」の一篇が、あの見事な――そしてついでながらまったく非西欧的な――『スピリッツ』というアルバムのジャケットに引用されている）。そして最近の彼のソロ・ピアノの作品の多くにおいて、彼をジャズの伝統に繋ぎ止めているのは、ブルーノートへの繋がりというよりはむしろ、リズムと即興性への揺るぎなきコミットメントでしかない。ジャレットが本領を発揮するとき、あらゆる種類の音楽の断片が、彼の作品の隅々まで漂っているが、そこにはいかなる不自然な緊張も感じられず、それらの共通点を持たぬ様々な影響をひとつにまとめようとする意図的な努力も見当たらない。彼は独自の創造のプロセスを働かせるために、心を可能な限り空っぽにする。そうすると音楽は、実に素直に彼の身体の中を通り抜けていくようだ。スレッドギルやボウイを聴くときの我々の喜びはある程度まで、共通した音楽的遺産の違った側面がどのように繋ぎ合わせられるかを認識するところにある。その一方、キース・ジャレットを聴くとき

＊33　ECMがミュージシャンの面においても、音楽形態の面においても、西洋と非西洋の音楽の邂逅のためのコンテクストを供給してきたことも、また付記しておかねばならない。ひとつ例を挙げるなら、シャンカルとコリン・ウォルコットとザキール・フセインとナナ・ヴァスコンセロスをフィーチャーした傑出した一連のアルバムを見ていただきたい。

の我々の喜びは、一体になってやってくる音楽から得られるのだが、音楽の出所が明白なときでさえ、その本質はジャレットの天才的即興性の中にあまりに綜合的に所在しているので、そのあり方を腑分けすることは不可能に見える。それは神秘的にして時間を超えたものだ。

ジョン・バージャーは述べている。「ひとつの音楽作品が始まる瞬間、それはすべての芸術の本性への手がかりを与えてくれる」と。[*34] バージャーの言説の含蓄に富む要点、「それに先行する数えられも認知もされぬ沈黙に比したときの、その瞬間の条理の欠落」、それはジャレットが鍵盤に指を触れるときほど強く感じられることはない。アルフレート・ブレンデルがシューベルトを弾き始めようとする瞬間の意味は、それなりに重いものではあるが、ジャレットが即興を始めようとする瞬間のそれほど重くはない。何故かといえば、もし前にその曲を聴いたことがなかったとしても、我々はそれが創造ではなく再創造作業だと承知しているからだ。言い換えるなら我々は、スタイナーの言う「当事者の共和国」から一段階隔てられている。特筆すべきことだが、創造の瞬間に立ち会っているという感覚は、ジャレットの音楽がどれだけ進行しても、色褪せることはない。ジャレットにとって永続的な音楽の創造とは、音楽が続いているあいだ、バージャーの言う「瞬間」がその一秒一秒に現出しているということなのだ。まさにそれこそが、彼の音楽が、その自己生成的な時間感覚の中において、かくも親密に我々を捉える理由となっている。それともあるいは彼の音楽は、ちょうど雪が音の響きを変えるみたいに、時間に影響を与えるのかもしれない。目につくものを、不在と——通常の存在物よりもずっと強く感じられる不在と——置き換えているのだ。[*35]

ジャレットは異例であり、彼を聴く経験もやはり異例なものである。ほかのすべての側面において、現代のリスナーは現代の演奏家と似たような問題に直面している。最近では、我々がジャズのアルバムを聴くとき、もう一度ブルームの言葉を借りるなら、「我々は、可能な限りそこに固有のヴォイスを聴き取ろうと耳を傾ける。そしてもしそのヴォイスが、先駆者たちや同僚たちのそれとある程度違いを見せていると認められなければ、我々はそこで聴くのをやめてしまう傾向にある。そのヴォイスが何を語ろうとしているかにはおかまいなく」[*36]

ジャズの場合その指摘は、現代のプレーヤーよりはむしろ、過去の偉大なプレーヤーにより切実にあてはまるかもしれない。ホルヘ・ルイス・ボルヘスは、ジョイスの『ユリシーズ』は――

*34 ジョン・バージャー「キュビスムのモーメント（*The Moment of Cubism*）」（「ホワイト・バード」より。ロンドン：チャット／タイガーストライプ、一九八五）p. 186

*35 雪と沈黙についての言及は、ジャレットのみに留まらず、意味のあるポイントを示唆する。マイルズ・デイヴィスと組んで仕事をした一時期を別にして、彼は電気楽器よりは、アコースティック楽器を中心に活動をしてきた。電気楽器はそもそも騒音との関係で己を定義し、騒音が持つ特質を自ら帯びることになる。それに比べるとアコースティック楽器はそもそも沈黙との関係で己を定義し、沈黙が持つ特質を自ら帯びる。その理由によって、アコースティック楽器は常により大きな純粋性を持つことだろう。チャーリー・ヘイドンのアルバム『沈黙（*Silence*）』（チェト・ベイカー、エンリコ・ピエラヌンツィ、ビリー・ヒギンズ）のタイトル・トラックは、まさにこのポイントに関する美しく繊細な実演である。

*36 ブルーム『影響の不安』p. 148

我々がまず先に巡り合ったのが『ユリシーズ』であるからという理由によって――今ではホメロスの『オデュッセイア』より先に書かれたように思える、と言った。それとまったく同じ意味合いにおいて、マイルズ・デイヴィスはルイ・アームストロングより先に現われたように思えるし、コルトレーンはホーキンズより先に現われたように思える。たいていの場合、人はジャズとめぐり逢い、まずどこかの地点からそこに飛び込み（出発点としては『カインド・オブ・ブルー』あたりがよくあげられるが、ゆくゆく多くの人にとってそれは、ジョン・ゾーンやコートニー・パインといった名前になってくるだろう）、それからその前後へと歩を進めていくことになる。これは残念なことだ。なぜならジャズというのは、時系列的に聴くことによっていちばんよく理解できる音楽だからだ（ファラオ・サンダーズの叫びを耳にしたあとでパーカーを聴くと、それほどの驚きは感じない）。もっと一般的なことを言えば、たとえ我々がルイ・アームストロングやレスター・ヤングやコールマン・ホーキンズやアート・テイタムやバド・パウエルのレコードを一度も聴いたことがなかったとしても、我々が遭遇するジャズのほとんどすべての作品の中に、彼らを聴き取ることになる。バド・パウエルを初めて耳にするとき、彼のいったいどこがそんなに特別なのか、それを理解するのは簡単ではない。というのは、彼の演奏はほかのみんなの演奏と似たように聞こえるからだ（それは実のところ、ほかのピアニストがみんなバド・パウエルみたいに弾いているからに過ぎないのだが）。この過去への繋がりのポジティブな側面としては、伝統の中により深く入り込んでいくことが、それを通り抜けて前進することであると同時に、豊かな発見の航海になり得るということがあげられる。川を下って河口に向かう代わりに、遡ってその水源を目指すわけだ。遡航するにつれて、先行した人々の優れた特質をあなたは認めることができるようになる。あなたの曾祖父の写真を目にして、あなたの孫の顔立ちの出所をその顔に見出すように。

　今も続いている伝統の影響は、音楽の進化や進歩をくぐり抜けてなお、過去の偉大な先人がそこにいることを確認させてくれる。その一方で古い録音は、ディジタル・リマスターされ、新しい音と新しい外装で再パッケージされる。そしてまた、最新のサウンドを持つ音楽のいくつかは、過去にすっぽりと身を浸した音楽である。何が前で何が後ろかという考え方、何が過去で何が現在かという感覚、古い夢と新しい夢、それらは終わることのない真昼の黄昏の中で、互いに入り混じり合っていく。

出典

引用したミュージシャンの発言の大部分は、多数に及ぶジャズに関する著作にすでに繰り返し現れている。本書全体を通して、引用や細部をひとつだけ使用しただけの出典については明記していない。全体的に言えば、私は記述された文章よりは、写真に多くを依っている。とりわけキャロル・リーフ、ウィリアム・クラクストン、クリスター・ランダーグレン、ミルト・ヒントン、ハーマン・レナード、ウィリアム・ゴットリーブ、ボブ・ペアレント、チャールズ・スチュアートなどの作品から。

*

レスター・ヤング

軍法会議の公判記録、ジョン・マクダナウによる「レスター・ヤング軍法会議録」（ダウンビート誌、一九八一年一月号、p. 18）とロバート・ライスナーの記事（ダウンビート誌、一九五九年四月三〇日号）。最大の助けとなったのは、デニス・ストックがアルヴィン・ホテル前で撮影したあまりにも有名なレスターの写真だった。

セロニアス・モンク

ナット・ヘントフの『ジャズ・ライフ』（ニューヨーク：ダイアルプレス、一九六一）の中の見事な一文、ジョー・ゴールドバーグ『五〇年代のジャズの巨匠たち』（ニューヨーク：マクミラン、一九六五）、ヴァル・ウィルマー『ジャズ・ピープル』（ロンドン：アリソン・アンド・バズビー、一九七〇）、スティーヴ・レイシー、チャーリー・ラウス、その他の人々によって、モンクの発言として伝えられているものを集めたテキスト。私にとっての最も豊かな情報源となったのは、シャーロット・ズウェリンが古い記録フィルムを組み合わせて作った素晴らしい作品『セロニアス・モンク ストレート・ノー・チェイサー』だ。私の考えでは、これまで見たジャズ・ミュージシャンについての映画の中では、これがベストだ。

バド・パウエル
バードランドでのエピソードは、ロス・ラッセルの喚起力豊かな作品『バードは生きている――チャーリー・パーカーの栄光と苦難』（ロンドン：カルテット、一九七三）と、マイルズ・デイヴィス＆クインシー・トループ『マイルス・デイビス自叙伝』（ニューヨーク：サイモン＆シュスター、一九八九）から。本文中の「ガラスの檻」は、ニーチェの「ベートーベンのピアノソナタ第二九番変ロ長調作品一〇六《ハンマークラヴィーア》」についての記述（『人間的、あまりに人間的』／ケンブリッジ：ケンブリッジ大学出版局、一九八六、p. 91）から引いた。バド・パウエルの最良の写真のいくつかはデニス・ストックによるものだが――この章の多くを写真に負っているにもかかわらず、皮肉なことに――原稿が完成するまでそれには出会わなかった。

チャールズ・ミンガス
ビル・ウィットワースによるニューヨーク・ヘラルド・トリビューン誌（一九六四年十一月一日号）の記事、ブライアン・プリーストリーの詳細な『ミンガス決定版評伝』（ニューヨーク：ダ・カーポ、一九八四）、ミンガスの自伝『ミンガス　自伝・敗け犬の下で』（ニューヨーク：アルフレッド・A・クノップフ、一九七一）、ジャネット・コールマン＆アル・ヤングのメモワール『ミンガス／ミンガス　2つの伝説』（バークレー：クリエイティヴ・アート・ブックス、一九八九）。

ベン・ウェブスター
ジョン・ジェレミーのドキュメンタリー『ザ・ブルート・アンド・ザ・ビューティフル』、ナット・シャピロ＆ナット・ヘントフ編『私の話を聞いてくれ――ザ・ストーリー・オヴ・ジャズ』（ニューヨーク：ドーヴァー・プレス、一九五五）。

チェト・ベイカー
典拠としたのは根拠の怪しいものや視覚的なもの。多くの写真、ブルース・ウェバーのドキュメンタリー『レッツ・ゲット・ロスト』。

アート・ペパー
最も役に立った資料はアートと妻ローリーの共著である自伝『ストレート・ライフ』（ニューヨーク：シア

マー、一九七九)。これは彼を理解するのに不可欠だし、ジャズに興味がある人なら皆わくわくさせられる本だ。本章の一番目、四番目、五番目のパートはこの自伝に簡潔に描かれたエピソードが基になっている。またドン・マクグリンによる素晴らしいドキュメンタリー『アート・ペパー/ジャズ・サヴァイヴァー』も参考にした。

デューク・エリントン&ハリー・カーネイ

デレク・ジュエル『デューク ポートレイト・オブ・デューク・エリントン』(ニューヨーク:ノートン、一九八〇)、スタンリー・ダンス『デューク・エリントンの世界』(ニューヨーク:スクリブナーズ、一九七〇)、ジェームズ・リンカーン・コリアー『デューク・エリントン』(ニューヨーク:オックスフォード大学出版局、一九八七)、ホイットニー・バリエット『エクスタシー・アット・ジ・オニオン――ジャズに関する13話』(ニューヨーク:オックスフォード大学出版局、一九七一)内の記事、デューク本人による『A列車で行こう――デューク・エリントン自伝』(ニューヨーク:ダブルデイ、一九七三)、マーサー・エリントン&スタンリー・ダンス『デューク・エリントン・イン・パーソン』(ボストン:ホートン・ミフリン、一九七八)。

*

アート・ペパーの弱さ《ウィークネス》とチェト・ベイカーの優しさ《テンダネス》への言及は、テオドール・アドルノ『美の理論』中の、ヴェルレーヌと若き日のブラームスについての指摘からそれぞれ示唆を得た。ついでに言うと、評論集『プリズムズ』に収録されたアドルノのエッセイ「永続するファッション:ジャズ」はまったくばかげた文章だ、本当に。

情報を探すにあたっての私の出発点はいつも、イアン・カー、ディグビー・フェアウェザー、ブライアン・プリーストリー『ジャズ ジ・エッセンシャル・コンパニオン』(ロンドン:グラフトン、一九八七)だった。バリー・カーンフェルドによって編集されたやや味気ない『ニュー・グローヴ・ジャズ辞典』(ニューヨーク:グローヴズ・ディクショナリーズ・オブ・ミュージック、一九八八)ほどの情報量はないけれど、私にとってはこちらの方が面白い。

訳者あとがき

この『バット・ビューティフル』という本を手に入れたのはまったくの偶然だった。時間が余って、アメリカの書店で暇つぶしをしているときに、たまたま音楽書籍のコーナーにこの本のペーパーバック版があるのをみつけて、とりあえず買った。ジャズ関係の本であれば、何はともあれ買い込んでしまうのが習慣みたいになっているから。ジェフ・ダイヤーという著者の名前にも聞き覚えがなかった。とくに中身に期待して買ったわけではない。

実際にこの本を手に取ってページを繰ったのは、その数年後のことだった。ほかに読まなくてはならない本がたくさんあったし、どうせよくある「ジャズ関係本」のひとつだろうくらいに軽く思っていたからだ。正直言って「ジャズ関係本」で、文章が素晴らしい、読み物として面白い、というものはそれほどたくさんはない。がっかりすることも多い。だから「急いで読むこともないだろう」と思って本棚に入れっぱなしになっていたのだ。

ただ裏表紙に印刷してあるキース・ジャレットの推薦文は最初からいささか気になっていた。引用してみる。

『バット・ビューティフル』は私が友人たちに推薦した唯一のジャズに関する書物だ。これはちょっとした宝物だ。「ジャズに関する本」というよりは「ジャズを書いた本」というべきだろう。もしマテリアルにぴたりと寄り添うことが偉大なソロを形づくるとすれば、ミスタ・ダイヤーの本がまさにそれだ。

（キース・ジャレット）

本のカバーに使われる推薦文というのは、あまり信用しないことにしているのだが（何度もひどい目にあってきたから）、この文章は硬派で鳴るジャレット氏が書いたということもあって、頭の隅にかすかにひっかかっていた。それであるとき、書棚から出してぱらぱらとページをめくって読んでみたのだが、いったん読み出すと止まらなくなってしまった。

そのときに僕がまず思ったのは、「この本って、いったい何なんだ？」ということだった。これは評伝なのか、それともフィクションなのか？　出てくるのは実在のミュージシャンだし、書かれていることの多くもよく知られている事実だ。しかしすべての出来事がまるで見てきたことのようにありありと描かれている。ある場合には、登場する人物の心の内側まで、腑分けされたみたいに克明にさらけ出されている。文章もしっかりと芯があり、ユニークで、闊達《かったつ》だ。普通のいわゆる「ジャズ関係本」とはまったく違っている。

しばらく読み進んで気がついたのは、これはレイモンド・カーヴァーの短編小説『使い走り』に似ている、ということだった。『使い走り』はカーヴァーの代表作のひとつで、アントン・チェーホフの死の瞬間を描いた作品だ。ジャンル的にいえば「伝記小説」ということになるのだろう。おおよそすべてが事実に即しており、ことの経緯が小説的視点から描かれている。静かな、簡潔な文体だ。しかしながら、カーヴァーはその客観的視点を、最後近くになって、突如ホテルのボーイのそれに切り替える。南ドイツ、田舎町のホテルの無名のボーイ。彼はチェーホフの名前さえろくに知らない。そこがカーヴァーのすごいところだ。物語はそこから、ホテルのボーイ（著者が作り上げた人物）の視線によって切り取られた、チェーホフの末期の物語に急速にシフトしていく。そしてその青年のいわば凡庸な視点こそが、読者にチェーホフという一人の偉大な作家の死を、その重みを、ひしひしと感じさせてくれることになる。

これはまさにその『使い走り』で用いられた手法を、ジャズに適用した本なのだ。そう思った。伝説的なジャズ・ミュージシャンたちの姿を、この著者は「疑似伝記小説」的な手法を用いて立ち上げていくのだ。そのときはまずセロニアス・モンクの章を読んだ。僕はなんといってもモンクが好きだから。そして「これは素晴らしい」と思った。虚実の境目のぎざぎざ感がなんともいえずリアルなのだ。それからレスター・ヤングの章を読んだ。そのあとはもう止まらなくなった。

読むだけでは足りなくて、まずセロニアス・モンクの章をざっと翻訳し、柴田元幸さんのところに送って読んでもらった。彼が主宰する季刊誌「モンキービジネス」に掲載してもらえればと思ったからだ。柴田さんは一読して「これは素晴らしい。すぐに載せましょう。しかし僕もこれは読みのがしていたな。残念（もし読んでいたら自分で訳していたのに……ということかもしれない）」と言われた。

　というわけで、僕は一章訳しては「モンキービジネス」に掲載し、また一章訳しては……というのを二年近く続けた。そしてその結果として、この訳書が生まれた。ただし「モンキービジネス」での連載にはベン・ウェブスターの章は含まれていない。それからいくつかの部分に分割され、ブリッジのような役目を果たしているデューク・エリントンの項も、それから「あとがき」という概念を遥かに超えた、とことん饒舌なあとがきも、この単行本のかたちになって初めて登場する。

　ひとつひとつの章を独立したものとして読んでいくのも楽しかったが、こうして「トータル・アルバム」みたいになったものを俯瞰《ふかん》してみると、ジェフ・ダイヤーがやりたかったことの構図が、かなりはっきりと見えてくる。最初の段階ではまとまったコンセプトはまったくなかった、とダイヤー自身は前書きの中で述べているが、出来上がったものを見てみると、結果的にはということだろうが、確固としたマスタープランがそこに存在し、とてもスマートに機能していることが理解できる。

　先にも書いたように、ジェフ・ダイヤーという人について、僕はまったく知識を持たなかった。彼の作品で日本語に訳されたのも、僕が知る限りではということだが、この本が初めてのようだ。

ジェフ・ダイヤーは一九五八年に英国南西部にあるチェルトナムという町に生まれた。温泉で有名な、保養地のような場所らしい。父親は板金工で、母親は学校の食堂で賄いの仕事をしていた。典型的なブルーカラーの家庭だ。一人っ子だったが、あまり裕福とは言えない環境にあり、苦学生としてオックスフォードで英文学を学んだ。大学を卒業したあと、ロンドンに出てジャーナリズムの世界で仕事をしながら、小説を執筆した。

昨年、日本を訪れていたカズオ・イシグロと会って、都内のホテルのバーで一時間ほどいろんな話をしたのだが、そのとき「今、ジェフ・ダイヤーの本を翻訳しているんだ」と言うと、彼は「そうか、ジェフならよく知ってるよ。それを聞いたら、彼はきっと喜ぶだろうね」と言っていた。

イシグロの話によると、ダイヤーが一九八九年に発表した最初の小説は、新聞の批評でさんざんこきおろされたらしい。「なにしろ批評はとんでもなくひどかったね。なかなか良い作品だと僕は思ったんだけど、こんなことまで言うかとあきれるくらい、クソミソにやっつけられた。どうしてだろうね。わからないな。それは彼にとってもずいぶんショックだったみたいだ。そのせいか、そのあと彼は小説よりは、ノンフィクションに近い分野で自分のスタイルを作っていくようになった」

もっともジェフ・ダイヤーはそれでフィクションの執筆をあきらめたわけで

はなく、これまでに全部で四冊の小説を発表している。それらはそこそこの評価は受けているものの（僕はまだ読んだことがないけれど）、小説作品よりはむしろノンフィクションや評伝や批評の方が、その手法の斬新さと、切り口の鋭さの故に、高い評価を得ているようだ。たとえば本書『バット・ビューティフル』は一九九二年度のサマセット・モーム賞を受けているし、D・H・ローレンスの生涯をこれと同じ手法で描いた「Out of Sheer Rage」は文壇の大きな話題となり、アメリカのナショナル・ブック・クリティックス・サークル賞（一九九七年度）の最終候補作となっている。

最新のエッセイ集『Otherwise Known as the Human Condition』（二〇一一）に収められたいくつかのエッセイを読むと、この人の博学多識ぶりがよくわかる。スコット・フィッツジェラルドからドーナッツ・チェーンに至るまで、実にいろんな分野にわたって、独自の新鮮な論を展開する。エッジのある知的な文章だ。ジャーナリスティックでありながら、アカデミックな訓練も十分に積んでいる。知識欲も旺盛であり、優れた批評家には欠かせない「屈託」みたいなものもしっかり持ち合わせている。

本書の「著者あとがき」を読んでいただければ、彼の批評家としての著述スタイルはだいたいおわかりいただけるのではないかと思う。頭の回転の速さ、切り込みの鋭さは天下一品だ。例証も的確で、読んでいて、うん、なるほどと感心させられるところも多かった。ただそれと同時に、論の持って行き方のちょっとした強引さ、反論を受け付けない頑なさ（あるいはいささかの偏見）のようなものも、時として感じないではなかった。たしかに評論としては一級品なのだろうが、躍動感溢れる、ユニークでオリジナルな本文を読んできたあとに、この「解説」を読むと、「うーん、そうは言われても……」といういくぶん窮屈な思いをさせられる読者も、あるいは少なくないのではないか。もちろん逆の言い方をすれば、八人のジャズ・ミュージシャンの姿を描きあげた本文の部分が、それくらい鮮やかに、どこまでも自由闊達に書かれているということになるのだが。

ダイヤー自身はこのような手法を「imaginative criticism」と呼んでいる。「想像的批評」とでも訳せばいいのだろうか。意訳すれば、「自由評伝」というか。要するに事実を事実として、そのままスタティックに取り扱うのではなく、想像力を自由に働かせ、そこから生きた情景を立体的に立ち上げていくこと。それによって、そこにあるものごとの核を明瞭にしていくこと。それは言うまでもなく「アカデミックな批評」と対立する位置にあるものだ。どうやらダイヤーは、どこで何があったのかは知らないが、アカデミックな場を心底毛嫌いしているようだ。彼はあるところでこのように書いている。

「これこそがアカデミックな批評のしるしとなっている。それは手に触れるものすべてを殺してしまう。大学のキャンパスを歩いてみるがいい。いたるところに死の匂いがありありと嗅ぎ取れる。なにしろ何百人という学究たちが、ありとあらゆるものに手を触れて、片端から殺してまわっているのだから」

もちろん批評家全員がアカデミックな批評スタイルを捨てて、ダイヤーのような文章を書き出したら、それはそれでちょっと困ったことになってしまうのだろうが、もちろんそうではないから（普通の人にはとてもこんな文章は書けない）、彼の「想像的批評」文体はいやでも僕らを惹きつけることになる。たとえば彼が一枚の写真を前に置いて、そこからひとつの小さな、そしてリアルな物語を立ち上げていくプロセスは、僕らを唸らせないわけにはいかない。物語がひとつのメタファーを生み出し、そのメタファーがもうひとつの物語を導いていく。そういうダイナミックな展開はダイヤーにしかできないことのように思える。

いずれにせよあなたはこの本を読みながら、ここに描かれたミュージシャンたちの演奏する音楽を聴きたくなったのではないだろうか。実を言うと、僕も机に向かってこれらの文章を訳しているあいだ、その演奏家のレコードばかり聴いていた。たとえばチャーリー・ミンガスの章を訳しているときには、ミンガスのレコードをいつもターンテーブルに載せていた。そしていつもとは少し違う音楽の聴き方をしていた。つまり、その音楽からいつもとは少し違う響きを聴き取り、そこにいつもとは少し違う情景を見ていた。そういう気持ちになれるだけでも、この本を手にとって読む価値は十分にあるのではないだろうか。

かなり個性的な（というか、癖のある）原文なので、訳出にずいぶん苦労させられたし、時間もかかってしまったのだが、苦労のしがいのある仕事だったと思っている。翻訳にあたってはいつものように、柴田元幸さんに大変お世話になった。感謝します。

それからダイヤーの記述するデータの中にいくつか、これは事実誤認ではないかと思える箇所もあったのだが、虚実を行き来するという原文の流れを尊重し、そのままのかたちで残した。ご理解いただきたい。

二〇一一年八月

村上春樹

マイルズ・デイヴィス
Round about Midnight; *Milestones*; *Kind of Blue*; *Sketches of Spain* (Columbia).

ジャック・ディジョネット
Special Edition (with Arthur Blythe and David Murray); *New Directions*; *New Directions in Europe* (both with Lester Bowie) (ECM).

ジョニー・ダイアニ
Song for Biko (with Don Cherry); *Witchdoctor's Son* (Steeplechase).

デューク・エリントン
Black, Brown and Beige (RCA); *Duke Ellington Meets Coleman Hawkins* (Impulse); *Money Jungle* (with Max Roach and Charles Mingus) (Blue Note).

ジョン・ファディス
Into the Faddisphere (Epic).

ヤン・ガルバレク
Madar (with Anouar Brahem and Shaukat Hussain) (ECM).

チャーリー・ヘイドン
Silence (with Chet Baker) (Soul Note); *Charlie Haden and the Liberation Music Orchestra* (Impulse); *Ballad of the Fallen* (ECM); *Dream Keeper* (Blue Note); *The Montreal Tapes* (with Don Cherry and Ed Blackwell) (Verve).

ザキール・フセイン
Making Music (with John McLaughlin, Haraprasad Chaurasia, and Jan Garbarek) (ECM).

キース・ジャレット
Facing You; *Köln Concert*; *Sun Bear Concerts*; *Concerts*; *Spirits*; *Paris Concert*; *Vienna Concert* (solo); *Eyes of the Heart*; *The Survivors Suite* (with Charlie Haden, Paul Motian, and Dewey Redman); *Belonging*; *My Song*; *Personal Mountains* (with Jan Garbarek, Palle Danielsson, and Jon Christensen); *Changeless*; *The Cure*; *Bye Bye Blackbird at the Blue Note*; *The Complete Recordings* (with Jack DeJohnette and Gary Peacock) (ECM).

ザ・リーダーズ
Mudfoot (Black Hawk); *Out Here Like This*; *Unforeseen Blessings* (Black Saint).

チャーリー・マリアーノ
Charlie Mariano and the Karnataka College of Percussion featuring R.A.Ramamani: *Jyothi* (ECM); *Live* (Verabra).

ジョン・マクローリン
Shakti (with Shankar and Zakir Hussain) (CBS).

ウィントン・マルサリス
Live at the Blues Alley; *The Majesty of the Blues* (CBS).

デヴィッド・マーレイ
Flowers for Albert; *Live at the Lower Manhattan Ocean Club* (with Lester Bowie) (India Navigation); *Ming*; *Murray's Steps*; *Home*; *The Hill* (Black Saint); *Ming's Samba* (CBS).

オールド・アンド・ニュー・ドリームス
(Don Cherry, Charlie Haden, Ed Blackwell, Dewey Redman): first album (Black Saint); second album and *Playing* (ECM).

ソニー・ロリンズ
All the Things You Are (with Coleman Hawkins) (Blue Bird); *East Broadway Run Down* (with McCoy Tyner, Jimmy Garrison, and Elvin Jones) (Impulse); *Tenor Madness* (with John Coltrane) (Prestige).

ファラオ・サンダーズ
Karma; *Tauhid* (includes "Japan") (Impulse); *A Prayer Before Dawn* (includes "Living Space"); *Journey to the One*; *Heart Is a Melody*; *Live* (Theresa); *Moonchild* (Timeless); *Message from Home* (Verve).

シャンカル
Song for Everyone (with Jan Garbarek, Zakir Hussain, Trilok Gurtu) (ECM). (See also John McLaughlin.)

アーチー・シェップ
Fire Music (Impulse); *Goin' Home* (with Horace Parlan) (Steeplechase); *Stream*; *Soul Song* (Enja).

ヘンリー・スレッドギル
Easily Slip into Another World; *Rag, Bush and All*; *You Know the Number* (Novus).

コリン・ウォルコット
Grazing Dreams (with Palle Daniellson, John Abercrombie, Dom Um Romao, Don Cherry) (ECM). (See also the Codona albums with Cherry and Nana Vasconcelos).

ディスコグラフィー［原書より］

レスター・ヤング
The Lester Young Story (CBS); *Pres in Europe* (Onyx); *Lester Leaps Again* (Affinity); *Live in Washington D.C.* (Pablo). Lester Young and Coleman Hawkins: *Classic Tenors* (CBS).

セロニアス・モンク
Genius of Modern Music Vols.1 and 2 (Blue Note); *Alone in San Francisco*; *Brilliant Corners*; *With John Coltrane*; *Monk's Music*; *Misterioso* (Riverside); *The Composer*, *Underground*; *Monk's Dream* (Atlantic); *The Complete Black Lion/Vogue Recordings* (Mosaic Box Set).

バド・パウエル
The Amazing Bud Powell Vols.1 and 2; *The Scene Changes*; *Time Waits* (Blue Note); *The Genius of Bud Powell*; *Jazz Giant* (Verve); *Time Was* (RCA).

ベン・ウェブスター
No Fool, No Fun; *Makin' Whoopee* (Spotlite); *Coleman Hawkins Encounters Ben Webster*, *King of the Tenors* (Verve); *See You at the Fair* (Impulse); *At Work in Europe* (Prestige); *Ben Webster Plays Ballads*; *Ben Webster Plays Ellington* (Storyville); *Live at Pio's* (Enja); *Live in Amsterdam* (Affinity).

チャールズ・ミンガス
Blues and Roots; *The Clown*; *Live at Antibes; Oh Yeah*; *Pithecanthropus Erectus*; *Three or Four Shades of Blues* (Atlantic); *Tijuana Moods* (RCA); *The Black Saint and the Sinner Lady*; *Charles Mingus Plays Piano* (Impulse); *Ah-Um* (CBS); *At Monterey*; *Portrait* (Prestige); *Abstractions*; *New York Sketchbook* (Affinity); *Complete Candid Recordings* (Mosaic Box Set); *In Europe Vols.1 and 2* (Enja); *Live in Châteauvallon; Meditation* (INA).

チェト・ベイカー
Chet; *In New York*; *Once Upon a Summertime* (Riverside); *Complete Pacific–Live and Studio–Jazz Recordings with Russ Freeman* (Mosaic Box Set); *Chet Baker and Crew* (Pacific); *When Sunny Gets Blue* (Steeplechase); *Peace* (Enja). Chet Baker and Art Pepper: *Playboys* (Pacific).

アート・ペパー
Live at the Village Vanguard (Thursday, Friday and Saturday); *Living Legend*; *Art Pepper Meets the Rhythm Section*; *No Limit*; *Smack Up*; *The Trip* (Contemporary); *Today*; *Winter Moon* (Galaxy); *Modern Art*; *The Return of Art Pepper* (Blue Note); *Blues for the Fisherman* (Mole–released as Milcho Leviev Quartet).

＊リーダーとして録音したアルバムのみ記載

ラビー・アブウ＝カリル
Al-Jadida; *Blue Camel*; *Tarab*; *The Sultan's Picnic* (Enja).

アート・アンサンブル・オブ・シカゴ
Nice Guys; *Full Force* (includes "Charlie M"); *Urban Bushmen* (ECM); *Message to Our Folks* (Affinity); *Naked* (DIW).

アルバート・アイラー
Love Cry (Impulse); *Vibrations* (with Don Cherry) (Freedom).

レスター・ボウイズ・ブラス・ファンタジー
The Great Pretender, *Avant-Pop*; *I Only Have Eyes for You* (ECM); *Serious Fun* (DIW).

ドン・チェリー
Brown Rice; *Multikulti* (A&M); *El Corazón* (with Ed Blackwell) (ECM); *Codona*; *Codona2*; *Codona3* (with Nana Vasconcelos and Collin Walcott) (ECM); *The Sonet Recordings* (Verve).

オーネット・コールマン
The Shape of Jazz to Come; *Change of the Century*, *Free Jazz* (with Don Cherry, Charlie Haden, and Ed Blackwell) (Atlantic).

ジョン・コルトレーン
Giant Steps; *The Avant-Garde* (with Don Cherry); *My Favorite Things*; *Olé* (Atlantic); *Africa/Brass*; *Live at the Village Vanguard*; *Impressions*; *Coltrane*; *Duke Ellington and John Coltrane* (includes "Take the Coltrane"); *A Love Supreme*; *First Meditations* (for Quartet); *Ascension*; *Sun Ship*; *Meditations*; *Live in Seattle*; *Live at the Village Vanguard Again!*; *Live in Japan Vols.1 and 2* (includes "Peace on Earth") (Impulse).

But Beautiful

バット・ビューティフル

著者　ジェフ・ダイヤー

訳者　村《むら》上《かみ》春《はる》樹《き》

発行　2011年 9月30日

発行者　佐藤隆信

発行所　株式会社新潮社　〒162-8711 東京都新宿区矢来町71

電話　編集部 03-3266-5411　読者係 03-3266-5111

http://www.shinchosha.co.jp

印刷所　錦明印刷株式会社

製本所　大口製本印刷株式会社

乱丁・落丁本は、ご面倒ですが小社読者係宛お送り下さい。
送料小社負担にてお取替えいたします。
価格はカバーに表示してあります。

ISBN978-4-10-506311-5 C0097

村上春樹の本

ポートレイト・イン・ジャズ

和田誠が描くミュージシャンの肖像に、
村上春樹がエッセイを添えたジャズ名鑑。
ともに十代でジャズに出会い、
数多くの名演奏を聴きこんできた二人が
選びに選んだ、マニアを唸らせ、
入門者を暖かく迎えるよりすぐりのラインアップ。
著者（村上）所蔵の
貴重なLPジャケットの写真も満載！

取り上げられているミュージシャン

チェット・ベイカー／ベニー・グッドマン
チャーリー・パーカー／ファッツ・ウォーラー
アート・ブレイキー／スタン・ゲッツ
ビリー・ホリデイ／キャブ・キャロウェイ
チャールズ・ミンガス／ジャック・ティーガーデン
ビル・エヴァンズ／ビックス・バイダーベック
ジュリアン・キャノンボール・アダレイ
デューク・エリントン／エラ・フィッツジェラルド
マイルズ・デイヴィス／チャーリー・クリスチャン
エリック・ドルフィー／カウント・ベイシー
ジェリー・マリガン／ナット・キング・コール
ディジー・ガレスピー／デクスター・ゴードン
ルイ・アームストロング／セロニアス・モンク
レスター・ヤング

村 上 春 樹 の 本

ポートレイト・イン・ジャズ２

ソニー・ロリンズのすさまじい解像力、
ＭＪＱのクールなファッション、
オーネット・コールマンの素直さとユーモア、
クリフォード・ブラウンの奇跡的な達成……。
和田誠が描く26組のミュージシャンの
ポートレイトに村上春樹が文章を寄せる、
音楽への熱い敬意と深い愛情に満ちた
コラボレーション、
全編書き（描き）下しで刊行！

取り上げられているミュージシャン

ソニー・ロリンズ／ホレス・シルヴァー
アニタ・オデイ／モダン・ジャズ・カルテット
テディ・ウィルソン／グレン・ミラー
ウェス・モンゴメリ／クリフォード・ブラウン
レイ・ブラウン／メル・トーメ
シェリー・マン／ジューン・クリスティ
ジャンゴ・ラインハルト／オスカー・ピーターソン
オーネット・コールマン／リー・モーガン
ジミー・ラッシング／ボビー・ティモンズ
ジーン・クルーパ／ハービー・ハンコック
ライオネル・ハンプトン／ハービー・マン
ホーギー・カーマイケル／トニー・ベネット
エディー・コンドン／ジャッキー＆ロイ

村 上 春 樹 の 翻 訳

さよならバードランド
——あるジャズ・ミュージシャンの回想——

ビル・クロウ

モダン・ジャズの黄金時代、
ベース片手にニューヨークを渡り歩いた自伝的交遊録。
パーカー、エリントン、マイルズ、モンク等の
「巨人」たちからサイモンとガーファンクルに到るまで、
驚くべき記憶力とウィットにとんだ回想の中で、
歯に衣着せぬ批評の眼がきらりと光る。
訳者村上春樹が精魂傾けた巻末の
「私的レコード・ガイド」は貴重な労作である。

ジャズ・アネクドーツ

ビル・クロウ

ベーシストにしてモダン・ジャズ界の語り部の
ビル・クロウがジャズ・ミュージシャン裏話を集大成。
マイルズ・デイヴィスがプロモーターを屈服させた一言、
ビリー・ホリデイがバンド・バスの中で大儲けした顚末、
ベッシー・スミスが南部で
ＫＫＫ（クー・クラックス・クラン）を撃退した逸話、
ルイ・アームストロングが
ライバルをノックアウトしたエピソードなど、
まさしく黄金時代のアネクドーツ（逸話集）。
〈ミュージック・ペンクラブ賞受賞〉